Harteloos

Van dezelfde auteur:

Hondsdagen

Alicia Giménez Bartlett

Harteloos

2009 – De Boekerij – Amsterdam

Oorspronkelijke titel: Un barco cargado de arroz (Editorial Planeta, S.A.)
Vertaling: Ilona van der Werff-Nieuweboer en Felicitas van Wijk-Gertenaar
Omslagontwerp: marliesvisser.nl
Omslagbeeld: marliesvisser.nl

ISBN 978-90-225-4995-7

1

Garzón snapte niet waarom dat lijk mij zo bijzonder aangreep, hij kon zich dan ook niet voorstellen wat voor gevoelens het bij mij opriep. Tot dusver hadden we volgens hem al meer doden gezien dan Napoleon en Nelson bij elkaar en het Ciudadelapark was ook niet bepaald het slagveld van Waterloo. Er was alleen een bedelaar op een bank gevonden. Het leek net of de man lag te slapen en die ochtend niet wakker had kunnen worden. Dat was echter niet het geval, hij was doodgeslagen, maar desondanks had zijn gezicht een serene waardigheid weten te behouden. Slanke handen, een weelderige baard... hij was net King Lear die, in de storm aan zijn lot overgelaten, getroffen door een onrechtvaardige bliksemschicht, eenzaam en roerloos, er zelfs in die desolate toestand met zijn grandeur aan herinnerde dat hij nog koning was.

'Onzin, inspecteur...' bracht mijn ondergeschikte me tot de werkelijkheid terug, 'koning smeerkees, dat zou kunnen. Zullen we zijn laarzen uittrekken zodat je even naar zijn voeten kunt kijken? Echt, koningen stinken niet zo.'

Waarom vindt iedereen lelijkheid reëler dan schoonheid, waarneming reëler dan woorden en ervaring reëler dan gedachte? Een absurde opvatting. Ik deed mijn best om het Garzón duidelijk te maken, ik had zo veel respect voor hem dat ik dat op zijn minst wilde proberen.

'Kijk, brigadier, een zwerver heeft een zekere allure: hij is een soort heilige, iemand die wijsheid heeft verkregen of tot een hoger kennisniveau is gekomen. Hij maakt zich niet druk om de ellende waar de rest van ons mee te maken krijgt, hij leidt een vrij leven, hij is superieur. Hij betaalt bijvoorbeeld geen hypotheek, kijkt ook geen televisie en koopt geen buskaartje... hij staat erboven, hij doet niet aan dienstbaarheid. Begrijp je wat ik bedoel?'

Garzón keek strak naar het gezicht van de man, liet mijn woorden tot zich doordringen en analyseerde ze. Aangemoedigd door die reactie vervolgde ik: 'Het heeft iets mystieks, snap je? Zoals het aanschouwen van een grote kathedraal.'

'Ja, ik begrijp je. Ik zou je graag als advocaat bij een rechtbank horen pleiten, Petra. Je kunt dat zo goed!'

'Tegenover een rechter zou ik zulke dingen nooit zeggen, Fermín, hij zou me voor gek verslijten.'

'Ja, hier misschien... Maar goed dat de rechter pasgeleden is opgestapt, anders...! Dat van die mystiek en die buskaartjes is allemaal heel mooi, maar we schieten er weinig mee op. Luister, die heilige hebben ze goed te grazen genomen, dat is een feit, en voor kathedralen moet je bij die van Burgos zijn, dus...'

Waarom moest hij zo nodig behalve realistisch ook nog geestig zijn met die typisch Spaanse gevatheid? Een ander verwijt kon je hem niet maken want in wezen had hij groot gelijk. Een pak op zijn donder en dood. Daarna het geijkte gedoe: het afzetten van de omgeving, agenten die buurtonderzoek doen, de rechter, de lijkschouwer en wij tweeën die op de zaak werden gezet. Een armzalige escorte voor een dode koning.

'Met al die klappen heeft hij maar weinig gebloed,' zei de forensisch arts, die weer naar het lijk liep. Ik observeerde haar zwijgend. Ze was een jonge, elegante vrouw, die haar tas van fijn marokijnleer op het trottoir had gezet.

'Is hij al lang dood?' vroeg ik.

'Dat durf ik niet te zeggen. Hij is erg stijf, maar de klappen... Na de lijkschouwing zal ik het u vertellen, inspecteur. Ik doe liever nog geen uitspraak.'

Garzón keek haar na, terwijl de ziekenbroeders het lijk optilden.

'Het is wat met die jonge mensen, hè inspecteur. Het moet allemaal precies volgens de regels gaan. Wij zijn toch wat flexibeler, nietwaar?'

'Dat zeiden de dinosaurussen ook over de gazellen en moet je zien.'

Hij vond mijn vergelijking helemaal niet geestig. Hij beschouwde jongelui als een stelletje oneerlijke rivalen wiens enige levenstaak het was hem te verjagen van zijn plek, die hij rechtmatig had verworven dankzij persoonlijke inzet en de buitengewone rechtschapenheid van zijn generatie.

Ik keek om me heen. We bevonden ons in een van de straten langs het park. Aan de rand van het park stonden evenwijdig aan die van ons nog een paar banken, waarop de politiefotografen hun spullen hadden gelegd. Ik keek omhoog naar het gebouw tegenover ons. Het was net zeven uur in de ochtend maar verscheidene bewoners volgden vanachter hun ramen nauwlettend al onze bewegingen. De agenten waren klaar met het stellen van vragen aan mogelijke getuigen. Een van hen zei me dat we die nauwelijks onder de bewoners zouden vinden. Het was een tamelijk oud gebouw waarvan de slaapkamers niet op straat uitkeken. Iedereen lag waarschijnlijk te slapen toen de bedelaar werd aangevallen. De agenten die ik eropuit had gestuurd moesten me allemaal teleurstellen. Niemand had iets gehoord. Ik draaide me om naar een van onze agenten, die als een schildwacht roerloos naast een zwijgende man stond. Ik vroeg zachtjes aan Garzón wie dat was en hij fluisterde me wat onthutst toe: 'De vuilnisman die het lijk heeft aangetroffen.'

Ik keek weer en begreep de verbazing van de brigadier. De vuilnisman droeg een opzichtig, fluorescerend uniform dat geen twijfel liet bestaan over zijn beroep.

Ik liep naar hem toe. Hij zag er vermoeid, bedrukt en verstijfd van de kou uit.

'U hebt hem gevonden?'

'Ja, mevrouw. We kwamen met de wagen langs en ik zag hem daar liggen.'

'En dacht u niet dat hij lag te slapen?'

'Ik ben degene die achter aan de wagen hangt en de containers terugzet, u weet wel. Zijn arm bungelde naar beneden en zijn hoofd lag weggezakt. Ik vond het vreemd en zei tegen mijn collega: "Wedden dat die kerel hem om had en daar onder zeil is gegaan." Toen antwoordde mijn collega: "Ja, hij heeft vast behoorlijk zitten hijsen." Nou, ik ging ernaartoe en zag meteen dat het niet goed zat, want hij was behoorlijk toegetakeld en hij ademde niet. Toen dacht ik…'

Iedere burger in dit land, hoe weinig ontwikkeld ook, is in wezen een groot verteller die als hij praat vergelijkingen gebruikt, dialogen verlevendigt, gedachten toevoegt… een breedsprakigheid die bij ondervragingen een ramp is. Maar voor ik mijn geduld kon verliezen werden we onderbroken door een agent. Hij kwam voldaan, bijna glimlachend, aanlopen als een jager die aan het eind van de dag een groot aantal patrijzen aan zijn weitas heeft hangen. De patrijzen waren in dit geval een jongeman die met de capuchon van een trainingspak over zijn hoofd naast hem liep.

'Inspecteur, hier hebben we een getuige. Hij zegt dat hij heeft gezien wat er is gebeurd. Hij had zich verscholen in een portiek.'

Omdat hij helemaal in elkaar gedoken stond kon ik zijn gezicht niet zien.

'Kom eens dichterbij en doe die capuchon af,' gelastte ik.

'Geen denken aan. Als ze me met u zien praten krijg ik een van die gozers achter me aan. Ik wil dat u me tot "beschermde getuige" verklaart en naar een hotel brengt terwijl die kerels opgepakt worden.'

Garzón reageerde met een schampere lach.

'Waar heb je dat vandaan, man… uit een film?'

Hij deed een stap naar voren en wilde de capuchon van zijn gezicht trekken, maar ik pakte hem bij zijn arm en hield hem tegen.

'Goed. We brengen je niet naar een hotel, maar als je wilt gaan we naar een café en daar vertel je me alles wat je weet, oké?'

Hij zweeg terwijl hij overwoog of dat wel een adequate bescherming bood, en uit zijn stilzwijgen maakte ik op dat hij had begrepen dat Amerikaanse films en de Spaanse werkelijkheid heel ver uit elkaar lagen.

'Goed dan,' stemde hij toe.

De agent die hem had gevonden wilde met ons mee, maar Garzón zei bruusk dat hij met zijn werk moest doorgaan. Een café was vlug gevonden. Het was klein en smerig, overal stonden groezelige flessen uitgestald. We waren waarschijnlijk de eerste klanten die ochtend. We bestelden koffie en gingen zo ver mogelijk van de bar aan een tafeltje zitten zodat de eigenaar ons niet kon horen. Eindelijk ontdeed de mysterieuze monnik zich van het bovengedeelte van zijn habijt. We kregen een iel joch te zien, met een uitgeteerd gezicht en gemillimeterd, gebleekt haar. In zijn ene oor zaten wel tien zilveren ringetjes. Ik vond hem een ontheemd en zielig figuur, een arme, miezerige, afgedankte bastaardhond.

'Laten we bij het begin beginnen, wat deed je op de plaats delict?'

'Nou, ik was even gaan zitten uitrusten in het portiek in de straat en viel zo'n beetje in slaap omdat het al bijna drie uur in de ochtend was.'

Garzón haalde met een ruk zijn snor uit zijn kop koffie: 'Je had wat genomen en was zo stoned dat je niet eens meer kon lopen en daarom zat je in het portiek. Dat lijkt er meer op, nietwaar?'

Hij was te lamlendig om ertegen in te gaan. Hij keek weg van de brigadier en liet zijn blik over de tafel dwalen.

'Hebt u een sigaret? Ik heb niet meer.'

Ik haalde het pakje langzaam uit mijn tas om hem de kans te geven te reageren. Als Garzón hem tegen zich in het harnas joeg, zou hij misschien dichtslaan. Ik gaf hem een vuurtje. Mijn brigadier ging onverbiddelijk door: 'En waarom ben je de hele nacht in het portiek blijven zitten, was je zo ver heen? Want als je zo stoned als een garnaal was, denk ik niet dat we wat aan je verklaring zullen hebben.'

Ik zei vriendelijk: 'Hij is er de hele nacht gebleven omdat hij wilde vertellen wat hij heeft gezien... zo is het toch?'

Het sjofele joch keek vol ontzag naar me, alsof hij een geleerde voor zich had.

'Ja, inspecteur, u ziet het goed. Ik, de politie erbij halen, nou nee, dat doe ik echt niet. En niet alleen voor de veiligheid, dat moet u niet denken, maar omdat, nou ja, ik weet niet...'

'Een kwestie van principes.'

Hij leefde helemaal op bij mijn woorden, met mij dacht hij waarschijnlijk wel overweg te kunnen. Zichtbaar opgelucht ging hij verder.

'Bellen, daar was ik ook niet toe in staat. Ik had niets genomen, zoals uw collega zegt, maar ik was moe. Iedereen heeft wel eens een slechte nacht, of niet soms? Dat is ook logisch, wat ik heb gezien was zo heftig en het zijn zulke klootzakken…'

'Wat heb je gezien?'

'Ik zat rustig in het portiek om even bij te komen en ook omdat het een beetje miezerde. Dan zie ik een auto bij het stoplicht aankomen en stoppen. Er stappen twee figuren uit, twee skinheads om precies te zijn, met kettingen, leren jacks en al die andere dingen. En ze halen er een andere kerel uit, degene die dood is gevonden, en sleuren hem met zijn tweeën naar die bank. Ze laten hem los en die vent valt en blijft liggen. Dan geven ze hem vier dreunen met een stok op zijn hoofd en gooien de stok over het hek van het park. Ze lopen terug naar de auto en scheuren weg. En dat was het. De arme kerel verzette zich niet en gaf geen kik, ik denk dat hij gedrogeerd of dronken was, want zijn benen sleepten over de grond toen ze hem meesleurden. Dat is wel heftig, inspecteur, heel heftig. Dus ik zei bij mezelf: "Als de politie me aantreft vertel ik het, zo niet, geen punt, die vent is toch naar de klote…"'

Garzón en ik keken elkaar even bezorgd aan.

'Denk je dat de kerel bewusteloos was toen ze hem op de bank legden?'

'Volgens mij wel.'

'Heb je het gezicht van de skinheads gezien?'

'Welnee, het was te ver weg!'

'En de auto, weet je nog welk merk het was?'

'Nee, ik heb geen verstand van auto's. Het was een kleine, donkere auto. Meer weet ik niet.'

Garzón hield aan, zette hem onder druk door te zeggen dat als hij nog meer over de overvallers wist, hij dat voor zijn eigen bestwil moest vertellen, maar zonder succes. Ik zou gezworen hebben dat die zielenpoot precies vertelde wat hij had gezien. Met de capuchon weer over zijn hoofd liep hij met ons mee naar de plek waar de bewuste stok het park in was gegooid. De tuinlieden van de gemeente hadden het toegangshek van het Ciudadelapark al opengemaakt. Met de assistentie van onze mensen werd hij vlug gevonden. Het was een nieuwe, met bloed bevlekte honkbalknuppel.

Moeilijker was het om onze getuige mee te krijgen om voor de rechter een verklaring af te leggen. We lieten hem achter bij de agenten in een arrestantenwagen met de mededeling dat hij beschermde getuige wilde zijn en dat hij een hotel moest hebben om zich schuil te houden.

'Die arme drommel snakt naar een warme maaltijd,' zei ik tegen Garzón. Maar mijn maat was diep in gedachten verzonken. Terwijl hij nerveus aan zijn kin krabde, mompelde hij: 'Bewusteloos hiernaartoe gebracht. Ze slaan hem in elkaar en gooien de knuppel weg. Het is vreemd, vind je niet?'

'Alles is vreemd in het leven, Garzón.'

'Hoe kom je erbij!'

'Allereerst gaan we uitzoeken wie de dode is.'

'Nee inspecteur, allereerst gaan we verslag uitbrengen aan commissaris Coronas. Hij heeft me verzocht dat onmiddellijk te doen.'

'Zie je wel, ook dat is vreemd.'

Homeless, dakloze, zwerver, clochard. Een heleboel benamingen voor één enkele realiteit. Ons lijk beantwoordde er volledig aan. Hij had geen persoonsbewijs bij zich, noch enig ander identiteitspapier. Hij zag er echt haveloos uit: een paar versleten truien over elkaar, een smerige jas die drie maten te groot was, een opgevouwen bivakmuts in een zak en iets wat daar heel vreemd bij afstak: een paar nieuwe laarzen van uitstekende kwaliteit die hem wel precies pasten. Goed, als we daar een lege goedkope balpen bij optellen en nog wat veiligheidsspelden op zijn kleren zou je kunnen zeggen dat hij licht bepakt was gestorven. Al zijn bezittingen stonken. Garzón had onderzoekshandschoenen aangetrokken om ze vast te pakken. Ze lagen in een stapel op tafel.

'Zo te zien zullen zijn erfgenamen geen ruzie krijgen over de erfenis,' zei mijn collega.

'Als ze hem inderdaad naar het park hebben gebracht, moeten zijn spullen ergens anders liggen. Je weet het toch, alle zwervers slepen hun schatten met zich mee: een karretje, een rugzak…'

'Denk je dat deze man iets bezat?'

'Nou, hij had een paar mooie laarzen, misschien heeft hij daar al zijn spaargeld aan uitgegeven of misschien heeft hij ze van iemand gekregen.'

'Arme kerel! Moet je kijken, ze zijn zo goed als nieuw. Hij heeft er weinig plezier van gehad. Raar dat niemand ze heeft gestolen toen hij daar lag.'

In mijn hand hield ik het papier met de eerste bevindingen van de forensisch arts: *Persoon van ongeveer zestig jaar. Blanke huidskleur, stevig gebouwd, een meter tachtig lang. Geen bijzondere kenmerken of littekens. Gebit intact en gezond.* Over zijn medisch dossier konden we niet beschikken. We zouden ons moeten wenden tot de sociale dienst in de stad, en dat was geen kattenpis.

'Wie vangt de daklozen op in Barcelona?'

'Nou, je weet wel, de sociale dienst van de Generalitat en een paar opvangcentra van de gemeente. Het vervelende is dat er waarschijnlijk ook particulier opgezette centra zijn. Met andere woorden…'

'Dat in theorie iedereen zich over hen ontfermt maar dat ze op straat creperen.'

'Nee, ik bedoelde het anders: ik baal ervan dat we alles moeten aflopen, alleen om erachter te komen wie die arme drommel was. En waarom allemaal, wat schieten we ermee op dat we weten wie iemand is die niemand is?'

'Misschien heeft hij familie, vrienden… We kunnen in ieder geval ook naar de plekken gaan waar zich meestal groepen bedelaars ophouden en navraag doen…'

'Dat is klote. Als het tegenzit, was hij zo'n eenling die altijd in de ingang van de metro lag te slapen.'

Ik keek naar de laarzen, die een absurd contrast vormden met al die vodden. Ze waren gevoerd, gemaakt van zacht leer en ze zagen er comfortabel uit.

'We kunnen ook langs alle schoenenwinkels in Barcelona gaan. Zo'n klant vergeet je niet gauw.'

'En zeker de verkoper niet die hem moest helpen met passen.'

Ik wierp mijn collega, die had moeten schateren om zijn slechte grap, een afkeurende blik toe.

'Heb je dan niet een beetje te doen met die man, Garzón?'

'Wel, inspecteur, mijn medelijden zou groter zijn als hij een eerzame huisvader met drie kinderen was. Het jouwe niet?'

'Nee. Eerzame huisvaders kunnen me geen barst schelen. Sterker nog, ik ben van mening dat als er van hen jaarlijks een stelletje goed werd aangepakt de maatschappij erop vooruit zou gaan.'

Mijn slechte humeur en bitse toon waren voor hem een indicatie dat hij zich gedeisd moest houden. En ikzelf kon beter een andere toon aanslaan. Mijn medelijden met die onbekende mocht het in geen geval tot een bijzondere zaak maken. Een lijk is een lijk en een agent wil alleen maar weten wie hem heeft gedood en waarom.

'Heb je de dossiers van de skins al opgevraagd?'

'Dat is weer een ander probleem, inspecteur. Waar moeten we beginnen? Met alleen een dossier komen we niet ver.'

'Uit de gegevens die we krijgen haal je de bendes die hier in de omgeving opereren.'

Hij knikte weinig enthousiast. Hij had er duidelijk geen zin in, voor hem was de hele zaak te alledaags om zijn echte beroepsnieuwsgierigheid te kunnen wekken. Het leek allemaal zo voor de hand liggend: een bende dronken of stonede skinheads leeft zich uit op een arme bedelaar die ze tegenkomen. Ze slaan hem in elkaar en nemen hem mee in de auto. Daarna lozen twee van hen hem bij een park, maken hem af en verdwijnen. Beestachtigheid behoeft geen reden. Dit soort gevallen kwam wel vaker voor. Maar toch zat er iets geplands in het voorval wat ik verdacht vond. Een kerel in elkaar slaan en in een auto meenemen duidt op een werkwijze, een plan. Ook was het wat absurd dat ze de knuppel achterlieten waar de politie hem makkelijk zou vinden. Hoe dan ook, we hadden duidelijke instructies van de commissaris gekregen: alles wat verband houdt met de gewelddadigheid van straatbendes veroorzaakt onrust onder de bevolking. Dat hield in dat we ons uitsluitend met die zaak moesten bezighouden om hem zo spoedig mogelijk op te lossen. Zo niet, dan zouden we binnen de kortste keren te maken krijgen met een heleboel journalisten die maar al te graag de dode met hun geschrijf wilden wreken. Garzón zag geen reden tot ongerustheid: we hadden officieel toestemming de straten af te zoeken, stuk voor stuk de dossiers van de geregistreerde skinheads in te kijken, en de foto van de dode te laten zien aan alle verschoppelingen in deze stad. Al waren we dan niet nieuwsgierig, we hadden op zijn minst duidelijke signalen dat we moesten doorgaan.

De samenwerking tussen de verschillende politiekorpsen laat in elk arrondissement te wensen over, zo ook in Barcelona. Met tegenzin ging ik naar het hoofdbureau van de gemeentepolitie voor informatie. Ik wist dat ik in principe te maken zou krijgen met een zekere laksheid en consternatie. Maar ditmaal werd ik ontvangen door een jonge agente die een uitzondering vormde. Het eerste wat ze zei toen ze me zag was: 'Nee maar, de befaamde inspecteur Petra Delicado!'

Ik was stomverbaasd, keek haar terughoudend aan en probeerde erachter te komen of die uitroep ironisch was bedoeld.

'Hoezo befaamd?'

'Nou ja, u weet hoe dat gaat… Er wordt gekletst.'

'En wat wordt er over me gezegd?'

'Ik weet het niet… Ze zeggen dat u heel apart bent, dat u zich soms anders gedraagt en ook anders praat dan uw collega's.'

Dat was het ergste wat ze me kon zeggen. Ik had geen behoefte aan wat voor reputatie dan ook bij mijn collega's, maar als ze me dan ook nog als apart bestempelden werd dat moeilijk. 'Wat apart!' roep je uit bij een schilderij dat je eigenlijk vreselijk vindt of bij iets wat je helemaal niet begrijpt. Goed, ik hoefde alleen maar te zorgen dat me niets meer ter ore kwam van wat er over me werd gezegd. Ik keek eens goed naar de jonge vrouw. Ze had haar haar koket opgestoken en haar ogen licht opgemaakt. Waarschijnlijk had ze een serieuze en hardwerkende vriend met wie ze van plan was te trouwen.

'Ik heb wat gegevens over bedelaars nodig, agent.'

'Ik heet Yolanda.'

'Goed... Yolanda, ik wil weten hoe de daklozenwereld in elkaar zit. Of jullie de daklozen geregistreerd hebben, of ze op een of andere manier controleren. Of jullie weten waar ze bij elkaar komen, wat ze doen, door welke instanties ze opgevangen worden. Eigenlijk wat algemene informatie.'

Ze sloeg haar ogen op, zuchtte gelaten en liep naar haar computer.

'Goh inspecteur, ik dacht dat het iets interessanters zou zijn!'

'Ik doe onderzoek naar een moord... U vindt een moord niet zo interessant?'

'Jawel, een moord is uitstekend maar ik dacht dat u me spannender dingen zou gaan vragen.'

'Alles op zijn tijd. Vooralsnog moet ik bekennen dat we geen enkel beeld hebben van de leefwereld van die mensen.'

'Tja, dat weet niemand echt goed. In ieder geval plegen ze normaal gesproken geen misdaden, want de dossiers bevatten heel algemene gegevens.'

Ze typte zichtbaar teleurgesteld op de computer. Ze keek op haar horloge. Ik vroeg me af wat ik in godsnaam van de samenwerking had verwacht. Plotseling keek ze op en ze vroeg me botweg: 'Inspecteur, bent u echt twee keer gescheiden?'

Er schoot een steekvlam door me heen.

'Yolanda, schat, ik zal heel eerlijk zijn. Ik begrijp dat u zich verveelt: het leven van een agent bij welk korps dan ook is minder opwindend dan iedereen denkt. En ook dat van mij. Maar als u dan toch van een beetje avontuur houdt, raad ik u aan dat in uw eigen leven te zoeken. Veel neuken bijvoorbeeld levert uitstekend resultaat op, begrijpt u?'

Haar rimpelloze gezicht werd vuurrood. Ze sperde haar ogen wijd open alsof ze haar oren niet kon geloven en daarna verschool ze zich zwijgend achter het computerscherm. Ik wachtte gespannen en haalde opgelucht adem toen ik haar hoorde zeggen: 'Zal ik de pagina voor u afdrukken?'

'Ja graag.'

Ik las het papier dat ze me gaf terwijl ze probeerde niet te laten merken dat ze zich ongemakkelijk voelde.

De zogenaamde 'daklozen' kunnen een beroep doen op twee soorten dienstverlening: ambulante en plaatselijke. Ze worden opgevangen door zowel gemeentelijke als particuliere instanties, bijna altijd vanuit de kerk. Er zijn opvanghuizen en dagcentra. In de opvanghuizen mogen ze niet langer dan twee weken verblijven. Ze zijn zelden in het bezit van identiteitspapieren en het is meestal onmogelijk hun familieleden op te sporen. Ze veroorzaken weinig overlast. De aanhoudingen die plaatsvinden, houden gewoonlijk verband met de dronkenschap van sommigen van hen, waaruit ongewenste situaties kunnen voortvloeien zoals het uitschelden van burgers, blokkeren van het trottoir of overlast in de buurt of winkels. Er wordt hun zelden iets ten laste gelegd. Het is raadzaam hen onmiddellijk over te brengen naar bijkantoren van de Sociale Dienst.

Goed, dat was tenminste iets, maar omdat wij politiemensen altijd op zoek zijn naar een ruimtelijk kader waarin we de gebeurtenissen kunnen plaatsen moest ik weten waar ik deze derderangs burgers kon vinden. Yolanda gaf met een verschrikt gezicht gehoor aan mijn verzoek.

'Het is u toch bekend, inspecteur Delicado, dat deze figuren het liefst rondzwerven en op zichzelf leven. We weten uit ervaring dat ze soms in groepen leven die onderling weinig contact hebben, maar dat ze wel gezamenlijk ergens op een verlaten of bebouwd terrein slapen, waar meestal ook andere marginalen de nacht doorbrengen.'

'Kennen jullie een paar van die locaties?'

'Ik geloof het wel. Ik ga de gegevens zoeken. U krijgt ze zo van me. Een ogenblikje.'

Ze rende het kantoor uit en hoopte waarschijnlijk dat ze me nooit meer zou zien. Haar houding en manier van spreken waren radicaal veranderd. Nu klonk ze als een ambtenaar. Dat was het enige wat ik had bereikt met mijn slechte humeur en mijn onverdraagzaamheid. En alleen maar omdat het meisje iets meer wilde weten over Petra Delicado. Wat was er mis met een beetje mystificatie van mijn persoon? Als ik wat handiger was geweest had ik haar zelfs voor mijn karretje kunnen spannen: Petra Delicado, de aparte en originele politie-inspecteur met een onstuimig liefdesleven. Maar Garzón had al vaker tegen me gezegd: 'Je bent een soort gepensioneerde generaal aan het worden.' En gelijk had hij. Ik probeerde mijn vroegere veldslagen voor de buitenwereld verborgen te houden, alsof die ook maar iemand iets zouden interesseren. Ik richtte mijn aandacht op de spullen die Yolanda keurig gerangschikt op haar bureau had liggen, klaar voor een werkdag die ik zojuist had verpest. Maar goed, het was nou eenmaal gebeurd en wat kon ik nu nog doen: mijn excuses aanbieden, haar verzekeren dat mijn felle uitval niet zo was bedoeld?

Ze kwam terug met een map in haar hand die ze me beleefd aanreikte.

'Ik hoorde dat er bijna permanent een groep marginalen bivakkeert in de vroegere kazerne van Sant Andreu, die we een dezer dagen zullen moeten ontruimen. Ze komen ook bij elkaar op een verlaten terrein van de Renfe, aan de rand van de stad, waar een paar treinwagons en drie oude bouwketen als onderkomen dienen. Op dit papier staan de adressen en plattegronden.'

'Hier kan ik voorlopig mee vooruit. Houd de foto van deze man maar hier voor het geval iemand hem eens heeft aangehouden of hulp heeft verleend. Oké?'

'Ja, inspecteur, komt in orde.'

Bijna beschroomd bedankte ik haar, alsof ik bang was ook maar een zweempje hartelijkheid of fatsoen te tonen. Ik moest toch op zijn minst onaangenaam blijven overkomen, mijn botheid cultiveren.

Vreselijk balend van mezelf liep ik naar buiten. Ik keek automatisch op mijn horloge en ging een café in. Het was lang geleden dat ik met een drankje mijn innerlijke spookbeelden had verdreven en dit was de juiste gelegenheid om vroegere goede gewoontes weer op te pakken. Ik bestelde een gin met ijs en dronk met kleine slokjes, zoals eenzame mensen hun verdriet wegslikken. Ik moest toegeven dat ik vreemd had gereageerd. Een jonge vrouw had me op vertrouwelijke toon een vraag willen stellen en ik had haar onbeschoft geantwoord: ga neuken als je op avontuurtjes uit bent. Heel toepasselijk natuurlijk, misschien raadde ik haar wel het middel aan dat ik zelf nodig had. Of simpeler: misschien werd ik wel oud. Op weinig rationele wijze kon ik het niet verkroppen dat de anderen hun jeugd en vitaliteit nog hadden en ik hen niet kon bijbenen. Weetgierigheid en vertier tegenover mijn steeds hardnekkiger, furieuzer en nihilistischer scepsis. Ik huiverde alsof er een enge spin over mijn hand liep, maar afschudden had geen zin, de spin was ik zelf.

Het geluid van mijn telefoon behoedde me voor de nadelige gevolgen van een tweede gin om die tijd. De onwelkome redder was Garzón.

'Inspecteur, ik ben ermee bezig maar het duurt nog wel even voor ik wat heb.'

Ik wist niet waarom, maar woedend en neerbuigend zei ik: 'Wat is er aan de hand, brigadier, spreek je geheimtaal, is er sprake van een filosofische abstractie? Wat bedoel je met "er", met "wel even" en met "wat"?'

'Verdomme!' riep Garzón heel zachtjes uit en vervolgens zei hij weer op normale toon, zonder enige verbazing te laten blijken: 'Wat ik bedoel te zeggen is dat ik de bendes skinheads die in de buurt opereren op het spoor ben, maar ik pas tegen het eind van de middag meer informatie krijg. Heb je me nu begrepen?'

'Heel wat beter dan daarnet.'

'Is er wat aan de hand, Petra… Heb je bonje gehad met Coronas? Gaat het niet goed?'

'Niet goed… waarom? Heb ik ooit een goede reden nodig om chagrijnig te zijn?'

'Nooit! Dat klopt. Goed, verder niets… Ik bel je straks wel en blijf maar lekker chagrijnig, hoor.'

Hoe kon ik op dat moment mijn ondergeschikte choqueren of op stang jagen: moest ik hem voor een duel uitdagen, moest ik me midden op het Plaza de Cataluña uitkleden? Ach, het maakte ook niet uit! Per slot van rekening zou niemand zich er wat van aantrekken wanneer ik als een fanaat tekeerging. Het werd niets die dag, dat wist ik zeker.

In mijn zak had ik een briefje met de naam van degene bij de Sociale Dienst bij wie ik moest zijn: dokter Ricard Crespo. Nog een naam. Ik had helemaal geen haast, ik zou er rustig naartoe wandelen, voldoende frisse lucht inademen, zodat ik het niet benauwd zou krijgen in die overal ter wereld verstikkende kantoorsfeer. Ik knoopte mijn regenjas dicht en zette de pas erin zoals je altijd doet wanneer je in de stad niet wilt opvallen.

Bij de Calle Pelayo trok een voorbijgangster mijn aandacht; normaal gesproken zou ik haar niet eens hebben opgemerkt. Het was een bedelares die een karretje meezeulde. Instinctief volgde ik haar. Ze was op leeftijd en liep langzaam. Ze had een deken omgeslagen en een versleten muts op haar hoofd. Ik merkte al vlug dat ze nergens naartoe ging. Ze bleef staan, keek van een afstandje naar de etalages van de grote winkels, liep sloffend verder en stond weer stil. Ik ging naar haar toe en liet haar de foto van de dode zien, een van de meest onvergeeflijke dingen die ik ooit in mijn leven heb gedaan. Toen ze die voor haar lege ogen hield, besefte ik dat het volkomen absurd was om er wat van te verwachten.

'Kent u deze man?' vroeg ik, midden in een surrealistische situatie beland.

De vrouw keek niet naar de foto maar naar mij, zonder me te zien. Ze mompelde iets onverstaanbaars en wees naar de hoge gebouwen naast ons. Ongemerkt was er een man naast me komen staan.

'Doet u geen moeite, die arme ziel is niet goed bij haar hoofd. Ik ben portier in dit gebouw en ik zie haar hier altijd rondscharrelen. Er komt geen zinnig woord uit, weet u. Wilde u iets van haar?'

Ik schudde heftig van nee, alsof ik op een fout was betrapt. Ik mocht in geen geval de nieuwsgierigheid van die man bevredigen door te vertellen dat ik met een politieonderzoek bezig was.

Ik liep weg terwijl de portier me argwanend nakeek. De bedelares had er weinig van meegekregen, ze had zich omgedraaid en liep doelloos terug naar waar ze vandaan was gekomen. Het was niet zo zinloos geweest om haar aan te spreken, ik wist nu iets waarvan ik voorheen geen weet had: ik had het binnenste van haar ogen aanschouwd en die leegte van een bodemloze diepte bezorgde me nog koude rillingen. Het was een wazig niets, koud als de dood, een derde dimensie die tijdens het normale leven onopgemerkt blijft. De Calle Pelayo, waar om die tijd talloze mensen winkelden en wandelden en koeriers voorbijsnelden, was in een mum van tijd veranderd in een afgelegen, spookachtige plek. Te midden van al die reële drukte ontvouwde zich voor mijn ogen een woestijn van ijs, van niet-zijn, van zwijgende en lijdende geestverschijningen zonder gezicht of leven. Ik werd bang, doodsbang, omdat die blik me een verschrikkelijk eenzaam gebied had laten zien dat ook in mij zat. Was dat niet het gebied dat we altijd bij ons droegen, verscholen achter de dagelijkse dingen? Waren we in feite niet allemaal slechts een stap verwijderd van die verlaten vlakte? Wat was er voor nodig om je daar te vestigen: een psychische aandoening, een teleurstelling in de liefde, gebrek aan kracht om door te gaan? Waarom was die vrouw zo geworden, wat was er in haar verleden gebeurd, hoe had ze vanuit een normaal leven verzeild kunnen raken in die totale verslagenheid die in haar ogen te zien was? Eens moet ze een jonge vrouw zijn geweest, hebben liefgehad, een nieuwe jurk hebben gekocht om er leuk uit te zien. Welke wrede duivel had haar naar dat ijzige leven meegesleurd, wanneer had hij dat gedaan en waarom? Mijn hart bonkte. Wat me werkelijk beangstigde was dat ik dat spooklandschap herkende omdat het op een of andere manier ook in mij zat.

Als ik aan mijn paniek had toegegeven zou ik geestelijk door een hoop beelden murw zijn geslagen: ik, eenzaam en in lompen gehuld, verloren in een onbegrijpelijke stad, zonder familie, zonder vrienden… Gelukkig kon ik me beheersen, natuurlijk maar tot op zekere hoogte, want ik pakte mijn mobiel en belde Garzón.

'Brigadier, je bent mijn vriend, nietwaar?'

Hij dacht ongetwijfeld dat dit de aanloop was naar een ironische opmerking en bleef op zijn hoede.

'Inspecteur Delicado, ik kan je verzekeren dat het minder makkelijk is dan het lijkt om een lijst van skins op te maken. Veel van hen zijn nooit gearresteerd, anderen…'

Zonder ongeduldig over te willen komen viel ik hem in de rede : 'Ik heb het over vriendschap en niet over werk.'

Hij ging verder zonder me ook maar enigszins te geloven.

'Luister eens, Petra, barst meteen maar los, dan weet ik waar ik aan toe ben.'

Goed, dat kwam ervan als ik de mensen zo onaangenaam behandelde. Ook al hield ik vol, dan nog kon mijn naaste medewerker zich niet voorstellen dat hij niet de volle laag zou krijgen. Het maakte ook niet uit, het was een belachelijke opwelling geweest om hem te bellen. Ik deed een laatste wanhopige poging.

'Luister, Garzón, als ik oud ben en in een bejaardenhuis zit, zul je me dan wel eens komen opzoeken?'

Hij zuchtte terwijl hij eindeloos geduld voorwendde.

'Ja, inspecteur, oké, dat zal ik doen, maar ik denk niet dat je al zo oud bent wanneer je de lijst van me krijgt. Ik ben pas een paar uur bezig met deze klus, dus het slaat nergens op.'

'Kom je of kom je niet?'

'Ja, ik kom en behalve de lijst met skins zal ik een reep chocola voor je meenemen, goed?'

Hij had verveeld geklonken. Hij was mij en mijn cynisme zat. Hij zou me op mijn oude dag nooit in een bejaardenhuis opzoeken, hij zou niet eens naar het ziekenhuis komen als ik de volgende dag mijn been brak. Ik had het er zelf naar gemaakt. Eens zou ik de rekening gepresenteerd krijgen voor mijn onafhankelijkheid, mijn verlangen naar alleen-zijn, het sarcasme waarvan ik altijd blijk gaf, de afkeer die de aanwezigheid van anderen me inboezemde. En ik zou die betalen, ik denk wel dat ik die zou betalen, wellicht in lompen gehuld en halfgek door de stad zwervend.

Ik liep weer een café in en nam nog iets te drinken. Ditmaal uitsluitend als shocktherapie. Daarna liep ik naar buiten om aan het werk te gaan, in de ijdele hoop dat ik daarbij enige concentratie zou kunnen opbrengen.

Het adres dat ik in mijn zak had was van het Clínicoziekenhuis. De bewuste dokter Crespo werkte op de afdeling Psychiatrie en was bij de Sociale Dienst verantwoordelijk voor de daklozen. Daar zat hij maar een paar dagen per week, de rest van de tijd was hij in het ziekenhuis werkzaam als psychiater. Ik moet zeggen dat de sfeer en de aanblik van het Clínico niet bepaald opbeurend werkten. Het is een oud en vervallen gebouw, naargeestig als een negentiende-eeuws armenhuis. Studenten, patiënten uit de lage sociale klasse en figuren in witte jassen liepen door elkaar in lange gangen die wel een lik verf konden gebruiken. De afdeling Psychiatrie was moeilijk te vinden en eenmaal daar kon ik ook Crespo moeilijk lokaliseren. Een verpleegkundige zei me in rekbare bewoordingen: 'Tja, dokter Crespo moet hier ergens zijn. Als u wilt kunt u op hem wachten. Ik heb geen idee hoe lang hij wegblijft.'

'Heeft hij geen vaste spreekuren?'

'Weet u, de dokter is een wat… bijzondere man. Maar hij komt, hij komt beslist.'

Ze glimlachte geheimzinnig naar me. Goed, ik had nog geen haast en ging in een hoek van de drukke wachtkamer zitten.

Tijdens het wachten was er genoeg te zien, het een nog beangstigender dan het ander. Zo goed als demente oudjes met verpleegkundigen, vrouwen die naar de grond staarden en net als ik zaten te wachten. Een verdwaasde jongen liet af en toe een zielig geluid horen, als het janken van een jonge hond, terwijl zijn moeder naast hem daar zo aan gewend leek dat ze er geen aandacht aan schonk. Verdomme, dacht ik, je kon beter met criminelen te maken hebben dan met dit hier. Ik vreesde dat ik door die hele zaak nog zwaar overspannen zou raken.

Ik zat daar al een uur en nog steeds had de bewuste Crespo geen teken van leven gegeven. Ik stond op en vroeg aan het meisje dat me te woord had gestaan waar hij bleef.

'Ja, de dokter blijft inderdaad lang weg vandaag.'

'Kunt u hem niet oppiepen of zo?'

Ze glimlachte wat laatdunkend.

'Dokter Crespo weigert een pieper bij zich te dragen. Ik zei u toch al dat hij wat bijzonder was.'

Ik ging weer zitten, en deed mijn ogen dicht, misschien wel om het bizarre schouwspel van de waanzin om me heen niet te hoeven zien. Door de alcohol en de bedwelmende ziekenhuislucht dommelde ik weg. De eerste keer dat ik mijn ogen een beetje opendeed, zag ik de verpleegkundige en een man in een witte jas naar me kijken. Ik vloog overeind en ging naar hen toe.

'Kijk, de dokter is er net.'

Ik keek eens goed naar hem. Hij was lang en ontzettend mager. Hij had grijze slapen en een priemende blik. Zijn gekreukte witte jas hing open en eronder droeg hij vrijetijdskleding: een zwarte trui en een katoenen broek, beide ook gekreukt.

'Hoe maakt u het, dokter? Ik ben Petra Delicado, ik wilde...'

Hij onderbrak me zonder wat te zeggen, door de deur van zijn werkkamer open te doen. Met een knikje gebaarde hij me naar binnen te gaan. Het was er een chaos. Overal lagen stapels papieren: op de planken, op de tafel en op de grond. Twee asbakken stampvol stinkende peuken. Hij ging zitten en ik ook, nadat ik eerst alle mappen van de stoel had gehaald.

'De zuster vertelde me dat u commissaris van politie bent.'

'Alleen maar inspecteur.'

'Dat maakt niet uit, vind ik net zo spectaculair. Mag ik uw pistool eens zien?'

Ik was met stomheid geslagen. Wie had ik hier tegenover me, een gekke psychiater, een lolbroek? Ik aarzelde.

'Nou ja, kijk, dat is niet gebruikelijk.'

'Het gebruikelijke is altijd stomvervelend, u moet niet denken dat ik iets raars van u vraag. Ik heb nog nooit iemand gesproken die een pistool bij zich draagt. Ik ben nieuwsgierig.'

Op die situatie was ik niet voorbereid, het overviel me, en als een imbeciel deed ik wat hij me vroeg, haalde de Glock uit mijn tas en liet die, in mijn handpalm, aan hem zien. Crespo strekte zijn nek uit en keek ernaar of het een levend beest was dat hem elk ogenblik naar de keel kon vliegen. Hij trok nerveus zijn wenkbrauwen op en lachte: 'Tjonge, dat is ook wat. U hebt de dood samen met de poederdoos in uw tas zitten. Een gevaarlijk leven, nietwaar?'

Ik voelde me behoorlijk voor schut gezet en gaf hem meteen pissig de volle laag: 'Hoor eens, dokter Crespo, ik heb geen poederdoos in mijn tas en al gelooft u het niet, ik heb nog nooit iemand doodgeschoten of anderszins gedood. Als uw nieuwsgierigheid nu volledig bevredigd is, zou ik graag willen uitleggen waarvoor ik kom.'

Hij vertrok geen spier en keek me alleen maar geamuseerd aan, alsof hij volop genoot van dit stompzinnige gesprek. Hij had een grondige hekel aan de politie, of hij was knettergek.

'Nee, ik zou nog veel meer willen weten over het leven van een vrouwelijke politiebeambte, maar ik neem aan dat u geen zin heeft daarop te antwoorden.'

'Ik heb liever dat ú antwoordt.'

'Vooruit dan, u zit al meer dan tien minuten in mijn kamer en u hebt nog geen enkele vraag gesteld. Ik wil u erop wijzen dat ik het ook druk heb, al heb ik dan geen pistool.'

Ik deed verbaasd mijn mond open, maakte een hopeloos maar ook berustend gebaar en haalde de foto van het lijk tevoorschijn. Ik duwde die hem ruw onder zijn neus.

'Dokter, hebt u deze man wel eens op uw spreekuur bij Psychiatrie gehad?'

Hij keek er aandachtig naar, zonder nog enig spoor van ironie of spot op zijn gezicht. Hij stak een sigaret op.

'Is hij vermoord?'

'Ja, klaarblijkelijk doodgeslagen.'

'Weten ze wie het heeft gedaan?'

'Om daarachter te komen ben ik hier. Kunt u me alstublieft antwoord geven?'

'Ik heb hem nog nooit gezien, maar ik ben niet de enige die de bedelaars hier in de stad bezoekt. Er zijn nog een paar psychiaters bij mij in de instelling. Als u me de foto geeft kunnen we die scannen en nu meteen per e-mail versturen.'

'Dat zou het handigst zijn.'

Hij stond op en liep de kamer uit. Even later kwam hij terug zonder de foto.

'Het is zo klaar.'

'Kunt u me iets vertellen over dit soort mensen?'

'Eerlijk gezegd ziet niemand ze als een ernstig probleem. Deze hulpverlening is meer om formele redenen in het leven geroepen dan om resultaat te boeken. Dan kunnen we namelijk zeggen dat we hier politici hebben die zich om de daklozen bekommeren, zoals in New York. Maar niemand doet iets speciaals voor hen, ze vormen geen collectief, ze protesteren niet…'

'Vertelt u eens iets meer daarover.'

'Veel van hen, niet allemaal, hebben ernstige psychische aandoeningen of alcoholproblemen. Maar zoals u zich kunt voorstellen is het heel moeilijk hen te behandelen. Ze worden hier gebracht maar willen niet terugkomen, ze nemen de medicijnen niet in… onze enige taak is af en toe een spoedopname voorschrijven.'

'Hebben ze geen familie?'

'Als ze die hebben dan hebben ze er geen contact meer mee. Soms weten ze hun naam of leeftijd niet meer. Er komen er steeds meer en de gemiddelde leeftijd ligt steeds lager.'

'De drop-outs van het systeem.'

'Als u uw geweten wilt sussen moet u maar denken dat ze zichzelf buiten het systeem plaatsen.'

'Wat denkt u?'

'Wij psychiaters denken niet, inspecteur, wij zijn een blanco muur waar andermans ellende tegenaan knalt.'

'Ik weet niet of ik dat goed begrijp.'

'Dat doet er niet toe, voor u geldt waarschijnlijk hetzelfde, nietwaar? Een politieagent analyseert de motieven van het misdrijf niet, hij gaat er alleen mee aan de slag.'

'Ik heb zo mijn eigen ideeën.'

'Daar schiet u weinig mee op, geloof me. U kunt honderd moorden oplossen, maar er zullen weer honderd andere worden gepleegd. Ik kan honderd drop-outs behandelen, maar ze zullen aan de zelfkant van de maatschappij blijven. We doen nutteloos werk.'

'Dat is niet erg hoopgevend.'

'Dat is het ook niet. Maar ik kan natuurlijk altijd nog het lijden verlichten, terwijl u...'

'Goed, ik pretendeer geen wereldverbeteraar te zijn, maar als we een moord hebben opgelost putten de familieleden van het slachtoffer daar vaak troost uit.'

'In dit geval gaat dat hoogstwaarschijnlijk niet op. Er is zo goed als zeker niemand die om hem zal rouwen of die troost put uit gerechtigheid. Het kan zelfs zijn dat iemand zijn dood toejuicht, in ieder geval de staat: één sociale parasiet minder die verborgen moet worden wanneer er een hoogwaardigheidsbekleder op bezoek komt. Hij heeft niemand, geloof dat nou maar.'

'Hij heeft mij.'

Hij applaudisseerde sarcastisch: 'Heel goed, inspecteur! U krijgt een tien. De in haar eentje opererende wreekster van de arme daklozen. God zal u daar waarschijnlijk voor belonen, misschien zelfs een plaatsje in de hemel voor u reserveren.'

Ik stond op. Ik moest maar niet reageren op zijn provocaties, ik had die dag al genoeg aanvaringen gehad. Ik glimlachte hooghartig: 'Ik moet gaan, dokter Crespo. Zorgt u ervoor dat alle artsen van uw afdeling deze foto te zien krijgen, en ook de verpleegkundigen, hoe meer mensen hem zien hoe beter. En als u van mening bent dat het geen zinloze en stomme formaliteit is, belt u me dan als er wat uitgekomen is.'

'Mag ik u ook bellen om u voor een drankje uit te nodigen?'

Ik draaide me om in de deuropening en zei kortaf: 'Nee.'

Hoe kwam men op het idee om iemands geestelijke gezondheid, ook al was hij nog zo'n paria, toe te vertrouwen aan een dergelijk figuur? Een cynicus, een arrogante kwast, goddeloos, onbeschoft, gestoord, met een onvoorstelbaar rommelige spreekkamer, met gekreukte kleren, ongekamde haren… een losbol. Ik brieste bijna van woede. En dat waren dan de achtenswaardige burgers, degenen die de maatschappij vormen. Ik ging geen café meer in voor nog een drankje, want ik vreesde dat ik me dan niet zou kunnen inhouden en terug zou gaan naar het Clínico om die engerd te vertellen hoe ik over hem dacht. Zo is het leven! Ik had mijn slechte humeur op een heel innemende politieagente botgevierd en geen bek opengedaan tegen een figuur die totale minachting verdiende. Ik was allerminst trots op mezelf, misschien kon ik nog proberen het recht te zetten, maar daar zou ik wel over denken als ik wat gekalmeerd was.

2

Twee dagen na de moord op onze dakloze waren we nog geen steek
verder. Garzón had nog steeds geen betrouwbare lijst van skins kunnen maken en niemand had de dode op de foto herkend. We beschik-
ten alleen over een sporenonderzoek waar niets was uitgekomen en
een onderzoek van de plaats delict dat evenmin wat had opgeleverd.
Er was nog geen uitslag van de autopsie. Maar het was nog te vroeg
om door commissaris Coronas op het matje te worden geroepen. We
keken er dan ook van op dat hij ons 'onmiddellijk wilde spreken'. Garzón, als politiecommissarisdeskundige, had er meteen een plausibele
verklaring voor: de pers. De journalisten hadden weer eens een over-
trokken beeld gegeven van de zogenaamde 'sociale onrust' vanwege
de ongecontroleerde groepen skins die in de stad opcreerden. Ik had
de artikelen ook gelezen, maar maakte me er niet al te druk om. Garzón was blijkbaar ook communicatiedeskundige en kwam met een
ingewikkelde verklaring. Het belang van bepaalde onderwerpen hing
sterk af van alles wat er op dat moment speelde. Als er substantiëler
nieuws was, en onder substantiëler moesten we omstreden en alar-
merend verstaan, werden de korte berichten naar het tweede plan
verschoven.

Garzón was een wijs man, een theoreticus met als leerschool de dagelijkse praktijk; naar mijn ervaring sneed alles wat hij verkondigde
hout. Coronas had een waarschuwing gekregen van de hoogste baas
in Catalonië zelf. De skins waren een heet hangijzer dat een belang-

wekkende politieke kwestie kon worden. Als we niet snel de daders achterhaalden, zouden we van laksheid worden beticht tegenover die paramilitaire bendes die de zwaksten in de samenleving terroriseerden. En daarna zou de politie er al snel van worden beschuldigd hun de hand boven het hoofd te houden.

De commissaris was woedend, hoe kon het anders, maar wij waren niet de enigen die zijn woede hadden gewekt: de hoogste baas, omdat die zwichtte voor de druk van de media; de media zelf, omdat die zich er altijd mee bemoeiden en veel ophef maakten over de misdrijven; en zoals gezegd Garzón en ik, omdat we al drie dagen op de zaak zaten en nog niet eens achter de identiteit van het slachtoffer waren.

Uit de hoogte, maar zonder zijn gebruikelijke theatrale woede-uitbarstingen, vroeg hij ons met krachtige stem: 'Waar zijn jullie nu mee bezig?'

'Met de lijst van verdachten en met navraag doen in de kring van de daklozen. Maar geen van beide is al afgehandeld.'

'En de autopsie?'

'Is nog niet verricht.'

'Luister eens, Petra, je kon tot nu toe wel denken dat het om een routinezaak ging, maar zoals je ziet is dat niet het geval, dus andere zaken die je onder handen hebt laat je voor wat ze zijn, daar haal ik je van af. Dat houdt in dat ik uiterlijk over twee dagen hoe dan ook resultaten wil zien.'

'Ik ben bang dat het niet zo makkelijk zal zijn, commissaris. We hebben weinig zicht op deze zwervers. Bovendien, zonder de autopsie...'

'Ik zal de rechter vragen of hij de lijkschouwer tot spoed wil manen, zo niet, ga dan maar meteen naar het forensisch laboratorium waar de dode wordt ontleed. Het maakt me niet uit.'

'Ik snap dat de dood van die arme kerel voor onrust heeft gezorgd, maar het is natuurlijk...'

'Je snapt het? Wat snap je verdomme? Geloof je werkelijk dat dat schorriemorrie me ook maar ene moer kan schelen, kan het jou wat schelen?'

'Mij wel ja, hij is een mens.'

'Kom op, bespaar me die menslievende praatjes, die slaan nergens op. Het kan niemand wat schelen dat ze zo iemand om zeep helpen, de hoogste baas niet, de journalisten niet, de gemeenschap natuurlijk ook niet, de gemeenschap al helemaal niet. En jou ook niet, neem ik aan, maar we moeten wel te werk gaan alsof we een van de meest gerenommeerde organisaties zijn. Inzet en beleid, dat hebben we nodig.'

We zwegen en hij streek met zijn hand over zijn gezicht, zoals altijd wanneer hem iets dwars zat, wanneer hij een taak vervulde waar hij niet helemaal achter stond.

'En jij, Garzón, je zegt geen stom woord. Waar wacht je op met die lijst? Het gaat erom een stelletje klootzakken te lokaliseren, niet om een ranglijst op te stellen van de door Interpol meest gezochte misdadigers. Ik wil dat je een paar kaalkoppen oppakt zodat we die aan de pers kunnen prijsgeven. Begrepen? Je hebt toch wel íéts geleerd in de jaren dat je dit werk doet, nietwaar?'

'Begrepen, meneer. Ik wilde alleen maar weten of ik op het goede spoor zat, anders krijgen we eindeloze verhoren die niets opleveren.'

Hij wreef weer over zijn gezicht. Hij was moe, echt existentieel moe. Onze chef begreep heel goed dat het geen makkelijke zaak was, hij wist dat het onmogelijk was in twee dagen de gangen na te gaan van een dode zonder naam, zonder familie en zonder sociale contacten, maar het was zijn plicht ons in dreigende bewoordingen te kennen te geven dat we er haast achter moesten zetten en dat deed hij dan ook. Ik nam aan dat gezagsuitoefening zonder overtuiging het grote euvel van onze tijd was, waaraan zelfs politici mank gingen. Een tijdperk van aanvaarde en geïnstitutionaliseerde ontgoocheling.

Terwijl we door de gangen van het politiebureau liepen, was Garzón opvallend zwijgzaam.

'Wat is er aan de hand?' informeerde ik. 'Je maakt je toch zeker niet druk over een woede-uitbarsting van de chef?'

'Heb je gehoord wat hij zei over mijn dienstjaren?'

'Dat was een goedbedoelde toespeling op je ervaring.'

'En een hufterige! Hij doelde indirect op mijn leeftijd. Is het je niet opgevallen dat de mensen op het bureau steeds jonger worden? Een dezer dagen sturen ze me met vervroegd pensioen, met andere woorden, ze knikkeren me eruit.'

'Dat van die leeftijd is echt een fobie voor je. Niemand heeft geïnsinueerd dat je oud bent, Fermín, integendeel, jouw jaren…'

'Laat maar, inspecteur, heel aardig maar het is niet waar! Ik word oud, verdomme, net als iedereen. Het is klote, maar wat doe je eraan? En waar ik nog het meest van baal, is de gedachte dat zo'n op internet surfend leeghoofd mijn plaats zal innemen.'

'Dat duurt nog even, kalm nou maar.'

'Dat geloof je echt? Je bent zo… correct, zoals toen je tegen de commissaris zei dat je je de dood van die vent wel aantrok.'

'Maar dat is ook zo, Garzón! Ik vertelde je toch dat…'

'Ja, dat bedelaars een soort koningen zijn, dat ze iets mystieks hebben. Maar goed dat je dat niet tegen de commissaris hebt gezegd, die was uit zijn vel gesprongen!'

Ik keek hem van opzij aan en fronste cynisch-beschouwend mijn wenkbrauwen, waar hij zich zoals ik wist mateloos aan ergerde.

'Is er nog iets waar je het niet mee eens bent of kunnen we weer aan het werk?'

Hij schudde zijn hoofd als een slachtoffer van al het onrecht op aarde en liep als een sikkeneurige oude hond de gang uit. Ik liep mijn kamer binnen en ging zitten. Ik zette de computer aan en las de paar regels die ik over de zaak had geschreven. De verwijten die we hadden gekregen waren terecht. Eigenlijk hadden we het niet doelgericht en voortvarend aangepakt. Dat we geen resultaat boekten was deels te wijten aan het feit dat we nog niet achter de identiteit van de dode waren, wat het er ook niet makkelijker op maakte om te weten te komen in hoeverre hij alleen was. Er is geen familie die verantwoording vraagt, niemand eist het lichaam op… De aanwijzingen dat die man bestond waren minimaal, en zonder bestaan geen dood en uiteraard geen moord. Ik begreep dat ik de enige echte pleitbezorger was waarop dat lijk kon rekenen. Waarom ook niet? Ik trok het me echt aan dat ze hem hadden gedood, zeer zeker. Ik kreeg steeds minder vertrouwen in de mens, maar juist die kerel was uitgestoten of had zichzelf gedistantieerd van de armzalige kring waarin wij ons allemaal verschansen, en daarom verdiende hij respect, een klein sociaal eerbetoon. Daarbij komt dat idealisten altijd mannen zijn, terwijl vrouwen normaal gesproken praktisch en realistisch ingesteld zijn. Goed, ditmaal ging dat niet op. Al was die arme vent nog zo'n waardeloos mens, ik zou me met hart en ziel voor hem inzetten, meer dan ik ooit had gedaan in mijn loopbaan bij de politie.

Ik keek nog eens goed naar de gegevens die we hadden. De locaties die we van de gemeentepolitie hadden gekregen zeiden me niets, ik zou ze niet eens op een plattegrond van Barcelona hebben herkend. En wat de psychiater had gezegd leverde ook niets op. Misschien dat we het later nog konden gebruiken, maar vooralsnog waren het loze beweringen. Ik dacht aan de psychiater, wat een vreemde snuiter! Ik denk dat we allemaal een tik meekrijgen van onze werkomgeving. Ikzelf had op dit moment ongetwijfeld een aura van smeris om me heen. Nauwelijks merkbaar, maar beslist aanwezig. Ja, een bruusk gebaar, een zelfvoldaan en ondoorgrondelijk lachje.

Ik kwam overeind. Als je je gedachten de vrije loop laat, kom je zelden op goede ideeën. Ik kon maar beter aan de slag gaan.

Een bezoek aan het forensisch laboratorium lokte me niet aan maar ik had het gevoel de procedure te bespoedigen als ik de forensisch arts kon spreken die onze autopsie zou verrichten. Als dat niet lukte had ik opdracht de dode persoonlijk te ontleden. Nou ja, waarom niet? Doden ontleden was als bezigheid niet stompzinniger dan bijvoorbeeld theedrinken.

De beoogde arts was een vrouw, dokter Caminal. Ze had er niets op tegen om me te ontvangen en toen ik me bij haar meldde, keek ze me nieuwsgierig aan. Ik weet niet wat ze zo bijzonder aan me vond, maar zíj was wel een bijzondere forensisch arts. Ze was niet ouder dan dertig, blond, aantrekkelijk, met een elegant en natuurlijk kapsel. Ik vroeg me af hoe die vrouw in godsnaam in zo'n naargeestig beroep verzeild was geraakt.

'Ik weet uiteraard dat u me niet hebt gebeld, dokter, maar mijn commissaris drong zo aan dat ik bedacht u te komen vragen om vaart te zetten achter de formaliteiten.'

Ze keek me oprecht verbaasd aan. Glimlachte en schudde haar hoofd alsof ze haar ogen niet geloofde.

'Nee maar, inspecteur! Ik had gehoord dat politiemensen van de oude stempel dit soort dingen deden en u lijkt me niet echt iemand van de oude stempel.'

Ik grinnikte gemaakt om aan te geven dat ik inderdaad niet van de oude stempel was.

'U hebt gelijk, u hier komen vragen om mij boven aan de lijst te zetten is uitgesproken brutaal, maar het alternatief was zelf de dode te gaan ontleden. Zo zei mijn commissaris het letterlijk tegen me.'

'Kijk aan, uw commissaris is er wel een van de oude stempel.'

'Nog meer dan Hercule Poirot. Zo werkt het bij de politie: je kunt nog zo vooruitstrevend en modern zijn, maar als je chef een behoudend type is heb je niets in te brengen.'

Ze lachte weer en zat zwijgend te overwegen of ze mijn verzoek kon inwilligen.

'Ik werk nog niet zo lang hier en als ik me nu al niet aan de regels ga houden... Aan de andere kant, ik doe graag iets wat niet helemaal geoorloofd is. Kunt u een uurtje wachten? In de tussentijd ga ik er even mee aan de slag en dan kan ik in ieder geval met wat eerste informatie komen.'

Ik bleef op haar wachten. Gelukkig had niet iedereen zo'n rothumeur als ik. Die arts leed nog niet aan een zodanige beroepsdeformatie dat ze niet in staat was iemand zomaar ter wille te zijn. Ik moest een voorbeeld aan haar nemen en proberen niet meer zo kortaangebonden te zijn.

Toen het zover was, vroeg ze of ik haar aan het werk wilde zien in de zaal. Ik kon niet weigeren, ook al was dat het laatste waar ik zin in had.

Ik zag het lichaam van de bedelaar binnengebracht worden, maar herkende hem amper. Hij was gewassen en gekamd en zag er waardig en voornaam uit.

'Hij lijkt een knappe kerel,' zei de arts. 'Wie is het?'

'Daar zijn we nog niet achter. Hij zwierf over straat en is klaarblijkelijk doodgeslagen door een paar skins.'

'Waarmee?'

'Met een honkbalknuppel, die we voor onderzoek hebben meegenomen.'

'Wat een klootzakken! Die moeten gepakt worden, inspecteur, laat ze niet ontkomen. Dat tuig verdient een straf die voor iedereen een waarschuwing moet zijn.'

'Ja, dat is precies de publieke opinie en daarom wil de commissaris er haast mee maken.'

'Ik ben blij dat ik u heb laten voorgaan.'

Ze trok de onderzoekshandschoenen aan en keek naar de naakte man die voor haar lag. Haar gezichtsuitdrukking was op slag veranderd. Dat jonge, vrouwelijke gelaat dat steeds een glimlach om de lippen leek te hebben, vertoonde nu uiterste concentratie. Ze droeg een mondmasker.

'We moeten voorzorgsmaatregelen nemen met het oog op aids,' zei ze.

Zodra ik haar bezig zag, hoe behendig en zonder enige aarzeling haar handen hun werk deden, besefte ik dat ze heel goed wist wat ze deed. Ze was jong, maar in geen geval onwetend of onervaren.

Ik deed een paar stappen achteruit om haar niet bezig te hoeven zien, ik kon nooit goed tegen de aanblik van een levenloos lichaam. Maar ze draaide zich naar me om en wenkte me naderbij.

'Kom eens, inspecteur, ik wil u wat laten zien.'

Ze zag mijn aarzeling en probeerde me zonder een zweempje spot of gewichtigdoenerij op mijn gemak te stellen.

'Maakt u zich geen zorgen, ik heb nog niet gesneden, erg naar is het niet.'

Ze draaide het hoofd van de man opzij en wees op een gezwollen schaafwond.

'Kijk, hier heeft hij een harde klap met een stomp voorwerp gekregen, waarschijnlijk de knuppel waarover u het had. Maar als we hem iets draaien…' Ze boog de rechterarm van het lijk en draaide het op zijn zij. 'Moet u zien, hier onder aan zijn schedel heeft hij een grotere wond. Volgens mij is het een schotwond. Het bloed eromheen is meer gestold en de wondranden zijn meer ingetrokken dan bij de wond aan de zijkant.'

'En wat betekent dat?'

'Ik zal weefsel moeten weghalen en analyseren om er voor honderd procent zeker van te zijn, maar volgens mij hebben ze hem die zwaardere verwonding eerder toegebracht, ik durf zelfs te beweren twee of drie uur eerder dan de andere. Het is bijna zeker dat hij aan die schotwond is bezweken. Die andere klap was niet dodelijk, zoals u ziet heeft de wond maar weinig gebloed. Mogelijk kreeg hij die tweede klap toen hij al dood was.'

Ik knikte een paar keer instemmend, terwijl ik met afkeer naar dat bleke, gezwollen hoofd keek dat voor de jonge dokter geen geheimen scheen te hebben.

'Kunt u het volgen?'

'Nee, sorry, ik heb geen verstand van wat u ziet.'

'Maar de striemen die deze man onder zijn armen heeft zullen u niet zijn ontgaan. Zijn beide oksels zijn geschaafd, ziet u wel? Ik heb de indruk dat ze hem met zijn volle gewicht aan beide armen hebben meegesleurd.'

Ik zag duidelijk de schrammen die ze bedoelde.

'Een getuige heeft gezien dat een paar skins de man uit een auto naar een bank in het park sleepten, precies zoals u zei.'

Ze liet mijn woorden op zich inwerken en bekeek de striemen nog eens goed.

'Bent u op die plek geweest?'

'Ja.'

'Over hoeveel meter hebben we het, honderd, tweehonderd?'

'Amper twintig passen.'

'Nee, dan kan het niet, zo snel kunnen deze striemen niet zijn ontstaan. Ze hebben hem langer meegesleurd, hoe lang is moeilijk vast te stellen.'

'Als ik u goed begrijp, hebben ze die man niet in het park doodge-knuppeld, maar was hij daarvoor al dood.'

'Dat denk ik. Misschien hebben ze hem die laatste klap gegeven om er zeker van te zijn dat hij dood was.'

'Het zou kunnen, dokter, maar het kan ook zijn dat ze hem zoge-naamd in elkaar hebben geslagen om zich kenbaar te maken aan een eventuele ooggetuige, om duidelijk te maken dat ze skins waren, als een soort macaber handelsmerk.'

Haar discreet opgemaakte ogen keken me vanboven het mond-masker aan.

'Denkt u al een aanwijzing te hebben?'

'Nog niet, maar wat u me hebt gezegd is belangrijk.'

'Ik verwacht bij de autopsie de kogel aan te treffen, en dan zal er nog meer duidelijk worden, ook wanneer we de organen voor onder-zoek opsturen. Ik ga weer verder.'

Ik had me het liefst onmiddellijk uit de voeten gemaakt, maar ik vond het onbeleefd haar alleen te laten nadat ze op mijn verzoek was ingegaan, dus ik ging weer op een veilige afstand staan. Ook al zag ik niets, ik hoorde des te meer. De snoeischaren die ribben losknipten, de weke organen die met een zachte plop in de roestvrijstalen schaal-tjes vielen, wat ondefinieerbaar geborrel... Tegen de tijd dat de char-mante dokter klaar was, had ik dringend behoefte aan wat frisse lucht en een drankje.

'Ik ben u zeer dankbaar, dokter Caminal.'

'Ik heet Silvia en zeg maar jij. Hier is de kogel, hij zat in de her-sens.'

'Het lijkt een 9 millimeter kort.'

'Dat zult u wel weten.'

'Gaat u mee wat drinken in het café op de hoek? Dit soort dingen horen ook bij de oude stempel.'

'Ja, laten we de oude tradities handhaven.'

Ze dronk geen alcohol. De vrouw die zojuist was geconfronteerd met de onaangenaamste kant van het leven, dronk alleen vruchten-sap. Ze had geen extra pepmiddel nodig, ze deed slechts haar werk.

De vraag die ik steeds vermeden had te stellen kon ik niet langer voor me houden. Ik tutoyeerde haar.

'Ze hebben het je vast al eindeloos vaak gevraagd, maar weet je, toen ik je vandaag bezig zag…'

'Ja, ik begrijp het al, je vraagt je af waarom een jonge vrouw als ik zich bezighoudt met zoiets macabers als het opensnijden van dode mensen. Ik ben er goed in, weet je. Ik denk dat ik eens de beste zal zijn. Ik haalde de hoogste cijfers voor alle vakken van de specialisatie. Ik heb ambities. Eens zal ik in mijn vak tot de top behoren.'

'Je hebt je toekomst duidelijk voor ogen.'

'Inderdaad. Ik weet ook dat ik geen kinderen wil en niet zal trouwen als een huwelijk mijn carrière in de weg staat. Er zijn tegenwoordig veel vrouwen die er zo over denken, je mag het alleen niet hardop zeggen.'

Ze keek me kinderlijk onschuldig aan.

'Voor jou stond het toch ook vast dat je bij de politie zou gaan?'

'Voor mij? Toen had ik nog geen duidelijk plan getrokken en dat is er nu nog steeds niet. En dat geldt niet alleen voor mijn werk, maar in mijn privéleven overkomt me hetzelfde. Als ik A doe, heb ik meteen het gevoel dat ik B had moeten doen. Maar als ik alles op een rijtje zet, denk ik dat ik me laat beïnvloeden door de algemene opinie. Als ik iemand hard aanpak heb ik onmiddellijk spijt, maar als ik me te vriendelijk opstel laat ik, voor mijn idee, toe dat er een loopje met me wordt genomen. Kortom… ik had maar beter nooit geboren kunnen worden.'

Ze keek me verbijsterd aan, die onzekerheid had ze ongetwijfeld niet van mij verwacht.

'Begrijp je het?' vroeg ik.

'Nee,' antwoordde ze eerlijk. 'Ik dacht dat vrouwen van jouw generatie bikkelhard waren. Per slot van rekening hebben jullie het pad geëffend.'

Ik dronk met een pessimistisch gezicht mijn biertje op.

'Vergis je niet, we zijn wel bikkelhard, maar je zult eerst het pad moeten kiezen voor je het kunt effenen, en dat is nou juist de moeilijkheid.'

'Ik denk dat het tegenwoordig makkelijker is.'

'Ik weet het niet... ook nu zou ik het klaarspelen om er een puin-hoop van te maken, daar ben ik een meester in.'

Uit onze blikken sprak wederzijdse sympathie. Ik had nooit ge-dacht dat ik iemand zou mogen die niet rookte en niet dronk, maar het was wel zo, het verstrijken van de tijd had ook bij mij zijn sporen achtergelaten.

Ik genoot van de gezichtsuitdrukking van Garzón toen ik hem de eer-ste uitkomsten van de autopsie vertelde. Hij zat diep na te denken, zijn hersens werkten op volle toeren zonder dat hij iets zei. Na afloop van mijn verslag spreidde ik mijn armen om hem aan het woord te laten.

'Wat denk je van dit alles?'

'Eens kijken. Laten we de feiten op een rijtje zetten. Als een paar skins iemand vermoorden en de moeite nemen om hem ergens an-ders heen te brengen, is er geen sprake van een spontane actie. Ze kenden hem, al was het alleen maar van gezicht, en besloten hem te doden. Als ze hem eerst overhoop hebben geschoten en daarna met een honkbalknuppel hebben bewerkt is dat omdat ze duidelijk wil-den laten blijken dat ze skins waren.'

'Denk je dat ze al eerder met elkaar te maken hebben gehad?'

'Dat durf ik niet te zeggen. Skins en zwervers zijn een soort natuur-lijke vijanden. Katten willen maar één ding met muizen, en wolven met schapen idem dito.'

'Maar als ze niets met elkaar van doen hadden waarom zouden ze dan al die moeite hebben genomen?'

'Denk je dat die klootzakken alleen maar in een vlaag van woede doden? Nee, geen sprake van. Ik zie ze ertoe in staat zomaar een slachtoffer te kiezen en hem zelfs meerdere dagen te volgen tot zich de gelegenheid voordoet hem te vermoorden. Ik denk dat hun theorieën gebaseerd zijn op leuzen als "de samenleving zuiveren van parasie-ten" en meer van die verachtelijke troep.'

'Waren ze van een georganiseerde bende die het op bedelaars heeft gemunt om ze te laten verdwijnen?'

'Nee, dat hoeft niet, inspecteur. Wie weet hadden ze hem al enkele dagen op dezelfde plek gezien, misschien waar een van hen woont of waar hun kroeg is, tot ze op een gegeven moment besloten hem definitief uit de weg te ruimen. Bij de skins heb je jongelui die alleen maar showen met de paramilitaire versierselen, maar ook hufters met heel wat misdrijven op hun geweten. Kijk maar naar de lijst die ik heb opgesteld, ieder van die figuren is in staat een moord te begaan.'

'En als het nu eens geen skins waren, Garzón, maar ze zich hadden vermomd en zich bij het Ciudadelapark lieten zien opdat iemand hen als skins zou identificeren. Dat zou die zinloze klappen verklaren en die weggegooide honkbalknuppel die zo binnen handbereik lag.'

'Wie waren het dán? Je kunt me niet wijsmaken dat ze zo veel moeite doen voor een bedelaar. Die heeft immers drugs noch geld... Bovendien was het heel vroeg in de ochtend, weinig kans dat er een ooggetuige zou zijn.'

'Er zijn altijd ooggetuigen op een open plek midden in de stad. We moeten achter de identiteit van het slachtoffer zien te komen.'

'Ja, uiteraard. Zal ik de verhoren van de skins voorbereiden?'

'Ja, daar gaan we morgenochtend mee aan de slag.'

'Inspecteur, hoe heb je het voor elkaar gekregen dat ze autopsie op het lijk verrichtten terwijl je nog niet aan de beurt was?'

'Ik heb de meest oudbakken politiemethodes gebruikt.'

'Ik dacht dat je daar altijd op tegen was.'

'Dat ben ik ook, maar ik ben erachter gekomen dat het niet opschiet als je altijd volgens je eigen maatstaven te werk gaat.'

'Tja,' antwoordde hij alleen maar. Hij was er niet gerust op en verwachtte elk moment een sarcastische opmerking van me, een existentieel raadsel waaraan hij niet had gedacht. Hij nam zwijgend een afwachtende houding aan. Ik zette een serieus gezicht om duidelijk te maken dat ik het allerminst ironisch bedoelde.

'Ik zei dat ik me de moord op die man aantrok. En weet je, Fermín, dat is echt zo. Dus ik ga die zaak oplossen, al is het de laatste actie in mijn onproductieve leven. En als ik daarvoor gebruik moet maken van achterhaalde methodes zal ik dat doen. Sterker nog, als er op een gegeven moment niets anders opzit dan de wet te overtreden, zal ik die overtreden. Vanaf nu ben ik als een vreemde voor je, Garzón, ik zweer je dat je me niet zult herkennen.'

In plaats van verbazing was er instemming op zijn gezicht te lezen. Ja, zo kende hij me weer. Volgens hem was mijn brein er niet toe in staat met een simpel plan te komen.

'Dokter Ricard Crespo wil u spreken, inspecteur, hij zegt dat u hem kent.'

De agent wachtte op mijn antwoord, maar ik was zo verbluft dat ik hem sprakeloos aankeek.

'Kan ik zeggen dat hij verder komt of niet? We hebben al naar zijn legitimatiebewijs gevraagd.'

Ik herinnerde me hem nog terdege, zijn onverzorgde uiterlijk, zijn grijze slapen… alleen zijn witte jas ontbrak aan het beeld van de stereotiepe geleerde. Hij keek me aan en schudde me hartelijk de hand, alsof hij een goede kennis ontmoette.

'Hoe gaat het met u, inspecteur?'

Zijn handdruk was koud, krachtig en nerveus.

'Ik mag wel gaan zitten, nietwaar?'

Hij zat al voor ik had toegestemd en zonder te vragen of hij mocht roken pakte hij een sigaret en stak hem aan. Ik betrapte me erop dat ik als naar een soort voorstelling naar hem zat te kijken in plaats van hem te vragen wat hij kwam doen.

'Ik ben blij dat ik ben gekomen, inspecteur Delicado. Toen u me uw kaartje gaf dacht ik niet er gebruik van te zullen maken, maar daarna zei ik bij mezelf: "Waarom niet, je moet samenwerken met de bevoegde instanties!" Snapt u?'

Hij kletste achter elkaar door en leek niet van plan zich nader te verklaren.

'Als ik eerlijk mag zijn, u bent de eerste vrouwelijke agent die ik ooit heb gezien en ik wil u ook nog eerlijk bekennen dat ik het in het algemeen nooit zo heb begrepen op de politie. Ik vraag me af hoe u bent, hoe uw karakter is, welke eigenaardigheden u hebt, hoe u uw werk benadert. U weet toch dat de psychiatrie is gebaseerd op een ongebreidelde nieuwsgierigheid.'

Ik moet beslist met open mond hebben gezeten. Het was onvoorstelbaar: die halve gare plofte neer in mijn kamer en begon een kletspraatje over hoe ik in elkaar stak. Ik wist niet wat ik moest zeggen en kreeg daar ook niet veel kans toe, want hij bleef gewoon doorpraten.

'Waarom bent u eigenlijk bij de politie gegaan? Had u behoefte aan actie, leed u aan een onverwerkt schuldcomplex?'

Het scheelde niet veel of ik was gillend uit mijn stoel opgesprongen. Ik hield me in, ik wilde niet dat die figuur me meteen al als een hysterica diagnosticeerde.

'Even rustig, dokter. Ik veronderstel dat u niet naar het bureau bent gekomen om me een psychologische test af te nemen, maar om me te vertellen dat u gegevens voor het onderzoek hebt.'

Hij schoof als een kronkelende worm heen en weer in zijn stoel, nam krampachtig drie trekken van zijn sigaret en maakte hem met een regen van vonkjes uit in de asbak.

'Ja en nee. Ik wil u wel zeggen dat ik uw woorden serieus heb genomen. Ik heb de foto van die bedelaar aan al mijn personeel in het ziekenhuis laten zien, aan allemaal. Het vervelende is dat niemand hem schijnt te herkennen. We denken dat onze instanties die man nooit hebben gezien. Nee, we zijn bang van niet.'

'In dat geval...'

'We moeten uiteraard nog navraag doen bij de ziekenfondspraktijken. Als het er niet zo ernstig uitziet, bedenken de algemene artsen zich een paar keer voor ze iemand naar mij doorsturen.'

'Het is tamelijk onwaarschijnlijk dat iemand zich die man herinnert van een spreekuur. De artsen van het ziekenfonds krijgen veel mensen; een onbegonnen zaak voor ons, er zal weinig uitkomen.'

'Ja, daar heb ik ook aan gedacht. Maar wat u niet weet is dat er in de wijk Raval een kleine polikliniek is waarmee we nauw samenwerken. Mocht een dakloze lichte medicatie nodig hebben, zonder opname, dan raadplegen ze ons, nemen zijn gegevens op en verstrekken hem de medicijnen. Dus als hij verslechtert of een terugslag krijgt, beschikken we al over zijn dossier.'

'Juist, bent u wat van hen te weten gekomen?'

'Ik heb echt nog geen tijd gehad om langs te gaan.'

Ik merkte dat mijn mond weer openviel. Ik schudde mijn hoofd, ik wilde me niet meer in verlegenheid laten brengen. Zijn priemende ogen keken me aan en hij vervolgde doodgemoedereerd: 'Ik wilde u laten weten hoe de gang van zaken is en dat ik beslist niet ben vergeten wat u me vroeg.'

Ik lachte gemaakt en zei zo pinnig mogelijk: 'Wat vreselijk, dokter Crespo! Als iedereen die we over een zaak ondervragen zo reageerde als u zou er een tekort aan politiepersoneel ontstaan. We zouden namelijk heel wat mensen moeten aanstellen om iedereen te woord te staan die met informatie komt. Stelt u eens voor, we zijn al tien minuten aan het praten en het gaat nergens over.'

Hij raakte even van zijn stuk door mijn heftige uitval, krabde in zijn baard van drie dagen en vervolgde kalm: 'Natuurlijk, dat begrijp ik, ik weet wat u bedoelt. In dat geval kan ik u maar beter ronduit zeggen wat ik op mijn hart heb: wilt u mee uit eten vanavond?'

Hij had me schaakmat gezet, dat moest ik eerlijk toegeven. Nog nooit had iemand verdomme het lef gehad hier het bureau binnen te komen en mij met de smoes dat hij zijn burgerplicht deed mee uit te vragen. Ik dacht weer aan de woorden van de verpleegkundige: 'Dokter Crespo is ietwat bijzonder.' Waarom liet een Europese en moderne stad als Barcelona in godsnaam de gezondheid van zijn inwoners, al waren het dan daklozen, over aan zo'n figuur? En wat voor iemand was hij eigenlijk, een dwaas, een genie, een hufter overgoten met een intellectueel sausje? Toch had hij me in het nauw gebracht, want terwijl dat alles door me heen ging, verspeelde ik mijn kans om als wereldse vrouw snel en adequaat te reageren.

'Dokter Crespo, heel vriendelijk van u, maar een politieagent heeft naast zijn werk geen tijd voor lichtzinnigheden of etentjes met iemand die hij niet kent.'

Ik vergiste me, en hoe! Ik schatte het verkeerd in, want de psychiater was helemaal geen leeghoofd en pareerde met onverwachte ironie: 'O, wat aandoenlijk! Merkwaardig hoe we allemaal op spannende en verwarrende momenten terugvallen op waarschuwingen van vroeger om ons te beschermen: "Niet met vreemden praten." Ja, aandoenlijk... Ik had niet gedacht dat u zo traditioneel was, Petra, ook dat pleit voor u. De andere positieve kanten die ik u toedichtte waren te oppervlakkig. Eigenlijk was dat er maar één: ik vond u woest aantrekkelijk, echt waar, een van die charmes die je niet bij een politieagent verwacht. Maar ik snap het, als u zo'n traditioneel type bent zal ik moeten volhouden.'

Hij kwam zelfvoldaan overeind, maakte een licht sarcastische buiging en vertrok zonder me de tijd te geven voor een gevat weerwoord. Des te beter, want dat had ik ook niet. Ik bleef als verdwaasd zitten. Ik probeerde na te denken. Ik stond op, had zin om te krijsen, wat me werkelijk goed zou hebben gedaan, maar ik deed het natuurlijk niet. Was ik kwaad? Nee. Vernederd? In zeker opzicht. Bij mij mocht de ander nooit het laatste woord hebben. Ik had uiteraard geen keus gehad, die man bewoog en sprak te snel voor mij. Onder andere omstandigheden zou hij wel anders hebben gepiept, maar hier op het politiebureau, in mijn werkkamer, met de computer aan en een agent bij de deur... Godallemachtig! Woest aantrekkelijk. Woest aantrekkelijk... Wat een gelul! Ik betrapte mezelf op een glimlach en toen werd ik wel kwaad, maar nu op mezelf. Wat had ik gezegd, welke walgclijke en goedkope gemeenplaats had ik geuit? O ja, lichtzinnigheid! Verdomme, Petra, lichtzinnigheid! Dat was nog bespottelijker dan dat niet met vreemden praten. Al met al had ik mazzel gehad dat de psychiater mijn opmerking over lichtzinnigheid niet had meegekregen. Dat was wel een jeugdtrauma.

3

De uitkomst van het ballistisch onderzoek was binnen. Het projectiel dat de dood van het slachtoffer had veroorzaakt, vertoonde interessante aspecten. De huls was opgeblazen en het slaghoedje was naar achteren geschoven. In het metaal waren inkepingen en krassen te zien. Het kaliber leek 9 millimeter kort, maar het kon ook zijn dat er met de patroon was geknoeid. De uitzetting en de ontwrichting waren mogelijk veroorzaakt doordat een bewerkte kogel was gebruikt met een kaliber van 9 millimeter lang. Volgens de informant was het bewerken van munitie heel gebruikelijk bij wapens op de zwarte markt.

Het waren uiterst belangrijke gegevens, maar nu hadden we er weinig aan. Ik ging verder met het geweldige programma dat me te wachten stond en dat me helemaal niets leek: zeven uur van je leven een stelletje skinheads ondervragen is hetzelfde als zeven uur lang thee met hen drinken: een verschrikking. Normaal gesproken respecteer ik iedereen, zij het niet al te veel, iedereen behalve leden van de skinheads. Als ik ze alleen al zie, word ik niet goed. Ik geef toe dat ik als politieagente gewend zou moeten zijn om met ieder soort uitschot om te gaan, maar dat is absoluut niet zo. Skins irriteren me, werken op mijn zenuwen, ik heb een hekel aan ze. Ik neem niet eens de moeite objectief te zijn. Het is wel zo dat ik in sommige gevallen besef dat ik te maken heb met arme drommels die een beetje afleiding zoeken in hun troosteloze levens, maar ook al ben ik me daarvan bewust, toch heb ik geen greintje medelijden met hen. Naarmate ze door de verhoorkamer liepen, kreeg ik weerzinwekkende beelden op mijn netvlies: soldatenlaarzen waarin te grote voeten, hoofdhuid onder het gemillimeterde haar, uitdrukkingsloze en wrede gezichten.

Halverwege de ochtend onderbraken Garzón en ik de verhoren voor een kopje koffie. Mijn collega merkte op dat ik zenuwachtig en ongeduldig was.

'Als je er zo'n hekel aan hebt om met deze gasten te praten, had je dat moeten zeggen, dan had ik het alleen gedaan.'

'Sinds wanneer hebben we het werk voor het uitzoeken?'

'Nou, inspecteur, het zou niet de eerste keer zijn dat ik iets doe waar jij geen zin in hebt.'

'Wel nu nog mooier, je offert je voor mij op en ik zie dat niet! Gelukkig dat je het een keer kunt spuien.'

'Luister, Petra, je bent slecht te spreken dus laten we erover ophouden. Maar eerlijk gezegd heeft wat we doen geen enkele zin als je die kerels blijft afsnauwen en onderbreken als ze praten.'

'Het is een stelletje idioten, ze kunnen niet eens uit hun woorden komen. Ik heb me duizend keer moeten inhouden om ze geen opdonder te verkopen.'

Garzón keek me vreemd aan en doopte zijn *churro*, gefrituurde deegstengel, en zijn snor in de koffie.

'Je bent een rare, chef, je vindt een bedelaar een hoogstaand wezen en een van die kaalkoppen de duivel. En het is het een noch het ander, geloof me, alles in het leven is veel... normaler.'

'Ieder mens heeft zijn eigen realiteit, dat is nu eenmaal zo. Ik ben in ieder geval niet gewoontjes. Hoeveel kaalkoppen moeten we nog verhoren?'

'Zeven.'

'Ik geloof niet dat ik dat kan opbrengen.'

'Er is er eentje die niets wil loslaten en alleen met jou wil praten.'

'Met mij?'

'Nou, hij zei "met uw baas". Misschien weet hij iets. Ik heb hem als laatste gehouden.'

We gingen door met steeds weer dezelfde vragen en ontkennende antwoorden. Het was een ellende, bijna allemaal antwoordden ze on-willig, onbeschoft, met een natuurlijke lompheid die niet eens beledi-gend was bedoeld. Toen we bij de laatste waren, stond ik op ontploffen.

Hij was het prototype van de skin, iemand van begin twintig met een stuurse blik en zeer met zichzelf ingenomen. Hij heette Matías Sanpedro.

'Brigadier Garzón vertelde me dat je alleen met zijn baas wilde praten. Prima, vertel maar, ik leid de zaak. Ken jij deze man? Heb je hem wel eens gezien? Weet je wie hem gemold heeft?'

Hij bekeek me met afschuw van top tot teen en glimlachte iro-nisch.

'Ik wist niet dat je een wijf was, ik dacht dat politiechefs...'

Ik liet hem niet uitspreken en gaf hem met de rug van mijn hand een harde klap in zijn gezicht. Hij kromp ineen als een kat, zijn ogen schoten vuur.

'Spreek me aan met u, klootzak!'

'U mag me niet slaan, u mag me zelfs niet aanraken.'

Ik sprong boven op hem en bleef hem in zijn gezicht slaan, op zijn mond en om zijn oren. Het was geen hysterische reactie; de klappen waren doelgericht, trefzeker en dof. Mijn hand tintelde maar ik ging door, het geluid van de klappen was in het hele complex te horen. Hij hield zijn armen voor zijn gezicht.

'Laat me nou, ik heb niets gedaan!'

Met tegenzin deed ik een stap naar achteren. Ik had door willen gaan, maar ik probeerde me in te houden.

'Zeg snel wat je me allemaal te vertellen hebt. Er is een man ver-moord, begrijp je dat, stuk ongeluk, hij is dood. Je kunt hier niet bin-nenkomen en de tijd verdoen met spelletjes.'

Zijn ogen stonden vol tranen van woede en hij liep rood aan.

'Ik speelde geen spelletjes! U begon me te slaan voordat...'

Snel greep ik in mijn tas en haalde het pistool tevoorschijn. Ik pak-te hem bij zijn nek en stopte de loop in zijn mond, waarbij die hard tegen zijn tanden aan kwam. Toen veranderde de uitdrukking in zijn ogen, hij was in paniek en begon te snikken.

'Ga je me precies vertellen wat je weet?'

Hij knikte wanhopig, er liep een straaltje bloed uit zijn mondhoek. Ik haalde het pistool uit zijn mond en hij barstte in huilen uit.

'Vertel op!'

Nu pas keek ik naar Garzón, die stil en met ingehouden adem in een hoek stond.

'Het enige wat ik weet, is dat die man niet uit de buurt komt. Ik heb hem wel eens gezien op een terrein aan het eind van de Diagonal. We gingen er op een avond naartoe en toen lag hij daar op de grond te slapen.'

'En waarom gingen jullie daarnaartoe, hè, om een slachtoffer te zoeken?'

'Ik zweer u van niet. Het kan zijn dat we een van die figuren eens een keer een oplawaai wilden verkopen, maar vermoorden, nooit.'

'Ik walg van je, kerel, echt waar. Ik houd je in de gaten en bij het minste of geringste wat je uithaalt, vermoord ik je, begrijp je dat, dan vermoord ik je en zullen we de bewijzen verdoezelen, zodat niemand mij aanklaagt. Gespuis moet deze stad uit, daar hebben jullie gelijk in. Brigadier, welke antecedenten heeft deze schoft?'

Van de andere kant van het vertrek klonk de volkomen ernstige en beheerste stem van Garzón.

'Diefstal met intimidatie. Hij en twee anderen hebben onder bedreiging met een mes de tas van een dame gestolen.'

'Het was geen dame, het was een straathoer!' zei de knaap, alsof hij de beschuldiging nog niet begreep.

Ik gaf hem een laatste klap, deze keer met het pistool, ervoor wakend hem niets te breken, een terloopse klap op zijn rechterjukbeen. Ik zag Garzón een stap naar voren doen om me tegen te houden. Ik draaide me langzaam om.

'Laat hem op een plattegrond aangeven waar dat bewuste terrein is, Garzón, en zijn verklaring ondertekenen.'

De knaap zei zachtjes: 'Het waren geen skins die dat stuk vuil hebben vermoord, dan had ik het wel gehoord. U bent onredelijk.'

Ik liep langzaam naar mijn kamer, haalde diep adem. Ik voelde me goed: geen haperende ademhaling, geen hartkloppingen, geen enkel schuldgevoel.

Even later kwam Garzón binnen. Ik keek hem strak, ietwat vermanend aan, en hoopte dat hij geen commentaar zou geven op het gebeurde. Hij begreep het onmiddellijk, verraadde geen enkele emotie.

'Heeft hij de plek aangewezen op de kaart?'

'Hij wist het niet goed.'

'Wij ook niet, hè? Maar geen zorgen, haal de auto, ik heb al een oplossing.'

'Inspecteur… wat die jongen betreft…'

'Ik wil er niets over horen, begrijp je Fermín, geen woord.'

'Ik wilde alleen maar zeggen dat een paar inspecteurs hem gehavend uit het verhoor hebben zien komen.'

'En?'

'Ze willen je feliciteren.'

'Zeg hun dat ik geen zin heb in grappen. Nee wacht, ik zeg het zelf wel. Je kunt gaan, wacht op me bij de ingang.'

De bedoeling was duidelijk geweest, maar ik kon de dans niet ontspringen. Bij de deur werd ik opgewacht door inspecteur Fernández Bernal, een van de meest glibberige wezens op aarde. Zijn venijn was sterker dan dat van een cobra en het was het beste om zo ver mogelijk bij hem uit de buurt te blijven. Hij keek me aan met een spottend lachje om zijn mond: 'Nou, Petra, zo te zien ben je slaags geraakt met een verdachte.'

'Het was niet eens een verdachte.'

'Je kunt nogal opvliegend zijn. Natuurlijk was het een skin. Tegen die gasten mag je wel optreden, nietwaar? Dat is bijna democratisch.'

'Luister, Fernández, heb je me iets concreets te melden of spui je wat algemene gedachten?'

'Ik ben hier om je te feliciteren. Uiteindelijk blijk je niet zo veel te verschillen van de anderen.'

'Het hangt ervan af wie die anderen zijn. Ik ben heel anders dan jij en ik hoef je niet uit te leggen waarom.'

'Petra, de goddelijke, altijd verheven boven de middelmaat, maar geloof het of niet, af en toe lijk je menselijk.'

'Dat is een zwakte, Fernández, maar zodra ik besef waar dat menselijke uit bestaat, krabbel ik meteen weer terug, maak je maar geen zorgen.'

Ik draaide me om en liep hooghartig weg, ik hoorde mijn collega zachtjes lachen. Het was verkeerd het met hem aan de stok te krijgen, dat was precies waar hij op uit was. Toch maakte een intens geluk zich van me meester. Ik had de mening van anderen niet nodig om me zeker van mijn zaak te voelen, al wist ik dat het niet goed was. Als ik altijd zo had gehandeld, zou ik nu een gelukkige vrouw zijn. Hoe dan ook, mijn optreden als hardhandige politievrouw had niet veel uitgehaald. Niemand van die afschuwelijke kaalkoppen had ook maar iets te maken met de moord, en de getuige die we hadden, vertrouwde ik ook niet erg.

Ik belde de gemeentepolitie. Agente Yolanda was nogal verbaasd, maar bood me spontaan haar hulp aan.

'Als ik met u ga samenwerken, heb ik toestemming nodig van mijn chef, inspecteur.'

'Natuurlijk, ik bel hem meteen.'

Toen ik tegen Garzón zei dat ik naar de gemeentepolitie ging, vermoedde hij niet wat de reden daarvan was. Ik legde het hem uit: 'Wij hebben geen flauw idee van de gewoonten van daklozen, wij weten niet eens waar ze bivakkeren. Ik heb iemand van de gemeentepolitie gevraagd ons te helpen.'

Hij reageerde alsof een wesp hem in zijn neus had gestoken: 'Wat? Kom nou, inspecteur, alstublieft, hebben we alles gehad, krijg je dit! Je weet heel goed dat dit soort hulp rampzalig is.'

'Ik zie niet in waarom.'

'Het laatste waar we op zitten te wachten is een tiener die het bloed onder onze nagels vandaan haalt. Hij wil meer weten, hij gaat vragen stellen en uiteindelijk geloven dat we er zonder zijn hulp niet uitkomen.'

Ik keek hem zijdelings aan. Het was onbegrijpelijk, was zijn wil tot samenwerken zo ver te zoeken? Ik nam de proef op de som.

'De agent is een meisje, en ze heet Yolanda.'

Weer keek ik naar hem. Zijn gelaatsuitdrukking verloor alle agressie. Hij protesteerde niet langer. Het ging niet om niet willen samenwerken, maar om iets veel ergers. Mannen en hun kuddegeest. Een jong haantje was niet welkom, dat was een bedreiging voor het oudere mannetje. Niets primitievers dan de reacties van een man, dacht ik, zelfs het moederinstinct was niet zo erg; mannen leefden nog met één been in de holen. Maar ik peinsde er niet over het hem te zeggen, want dan had hij de kans gegrepen om me mijn gewelddadige en irrationele optreden tegenover de skin te verwijten. Soms was het beter je als een man te gedragen.

Agente Yolanda Santos wist precies wat ze deed. Ze stapte achter in de auto en begon te praten met een vrolijke, jeugdige stem.

'We komen langs de twee locaties die ik noemde, maar als er al een getuigenis is… Trouwens, ik weet welk gedeelte van de Diagonal u bedoelt. Het is een gebied waar gebouwd gaat worden, maar er is vertraging ontstaan en als dat gebeurt komen de drop-outs het terrein innemen.'

Ook al was ze dan geen jong haantje, ze praatte genoeg om Garzón razend te maken. Hij onderbrak haar nors: 'Luister eens agent, rijden we wel goed zo, want misschien ontgaat het u in het vuur van het gesprek.'

'Nee, natuurlijk niet, ik let altijd op. Wat zei ik? O ja, en verwacht niet dat u daar alleen bedelaars aantreft. Er zijn ook illegalen, en verslaafde jongeren, werklozen… van alles wat. En ik wil u niet ontmoedigen, maar het zal moeilijk zijn een antwoord te krijgen op uw vragen over die man. Gewoonlijk doen ze hun mond niet open: omdat ze niets te verliezen hebben, willen ze niet lastiggevallen worden met problemen en voor hen is alles een probleem.'

Ze bleef doorkletsen terwijl Garzón zijn ogen ten hemel sloeg. Dat was niet terecht, want wat ze zei was belangrijk voor de zaak. Of ik had grootmoedig besloten te bewerkstelligen dat die jonge vrouw me mijn eerdere onaangename reacties zou gaan vergeven.

Toen we aankwamen op het terrein bij de Avenida Diagonal was het al donker. Yolanda zei ons een hoek om te gaan en er ontvouwde zich een ongelooflijk schouwspel voor onze ogen. Op een open veld brandden her en der kampvuren. Daaromheen liepen mannen en vrouwen gehuld in dekens of jassen doelloos heen en weer.

'In die verlaten bouwketen zitten nog meer mensen,' zei de politie-agente.

We kwamen dichterbij, maar we wekten nauwelijks nieuwsgierig-heid toen we langsliepen. Het leek of iedereen versuft was, opging in nietsdoen. Yolanda deed de deur van een van de keten open en op de grond zagen we vier of vijf mensen liggen. Het rook er naar alcohol en vochtige kleding.

'Als u wilt begint u hier, brigadier, dan ga ik naar de andere keet. In-specteur Delicado kan de mensen buiten ondervragen, die stinken niet zo.'

We gaven haar een foto en deden wat ze had voorgesteld. Terwijl Garzón aan de slag ging, hoorde ik hem brommen: 'Geweldig, dat kind gaat ons ook nog eens bevelen.'

Toen ik naar een van de kampvuren liep, voelde het alsof ik een duizelingwekkende sprong terug in de tijd had gemaakt. Er leek geen beschaving te bestaan, nederzettingen van primitieve mensen die zich in de openlucht opwarmden, en het had me niets verbaasd als ze op jacht zouden gaan. Er stonden drie mannen en een vrouw. Ze de-den een stapje opzij en bekeken me alsof ze nog nooit iemand van mijn soort hadden gezien. Ik wist niet waar ik moest beginnen, ik wist niet eens of het belachelijk was om goedenavond te zeggen. Ik pakte de foto en liet hem zien: 'Kent iemand deze man? Mij is verteld dat hij hier woonde.'

Niemand leek te begrijpen wat ik zei. Het was ijskoud. De vrouw was jong, blond, en zag er Noord-Europees uit. De drie mannen leken Pakistani.

'Verstaat u Spaans?' vroeg ik, maar ze bleven zwijgen. 'Wilt u mij alstublieft antwoord geven? Het enige wat ik wil weten is of deze man hier de nacht doorbracht, of iemand hem kent.'

'Waarom ziet hij er zo uit?' vroeg de vrouw met een buitenlands accent.

'Hij is vermoord. Ze hebben een foto van hem gemaakt toen hij al dood was, daarom ziet hij er zo uit. Kent u hem?'

Ze knikte bijna onmerkbaar. Ze had fijne gelaatstrekken, blonde wimpers. Ik vroeg me af wat een mooie, jonge vrouw als zij hier deed.

'Hij woonde hier twee maanden geleden, maar hij is vertrokken. Een paar mannen in een auto kwamen hem halen en hij is met hen meegegaan.'

'Wie waren dat?'

'Dat weet ik niet.'

'Waren ze hier al eerder geweest?'

'Misschien wel, misschien niet.'

'Zeiden ze wat? Denkt u dat ze elkaar kenden?'

'Ze zeiden niet veel, maar ik geloof wel dat ze elkaar kenden. Ze vertrokken als vrienden. Hij nam zijn spullen mee.'

'Waren ze jong?'

Ze haalde haar schouders op, glimlachte flauwtjes en haalde weer haar schouders op.

'Kent u zijn naam, weet u hoe die man heette?'

'Nee, ik ken zijn naam niet.'

'Hebt u met hem gesproken?'

'Nee, ik liep langs en hij gaf me tabak, een sigaret, twee. Hij had altijd tabak. Hij zei tegen me: zonnehaar.' Ze wees op haar steile, goudkleurige haar.

Ik keek haar aan en wist niet wat ik moest zeggen. Ik was enorm nieuwsgierig.

'Wat doet u hier? Hebt u geen huis? Uit welk land komt u?'

'Ik kom uit Litouwen. Dit is mijn man,' en ze wees naar een van de drie vermoedelijke Pakistani. De man keek me nors aan. Haar man? Ik begreep er niets van. Die levens waren niet makkelijk te doorgronden. Het was duidelijk dat ze niet de gebaande paden bewandelden. Een Litouwse met een tien jaar oudere Pakistaan die zich verwarmde op een terrein aan de Diagonal. Als ze me alle omzwervingen zouden vertellen die hen gebracht hadden waar ze nu waren, dan zou dat niet makkelijk te volgen zijn. Het wezen van die mensen lag niet alleen in de armoede in hun landen van herkomst, noch in de dingen die ze hadden meegemaakt, maar in hun karakter. Ik keek naar haar mooie ogen.

'Denkt u dat hij een Spanjaard was, sprak hij accentloos Spaans?'

Ze lachte en ik zag dat ze diverse tanden miste, zodat haar schoonheid volkomen teniet werd gedaan en ze iets treurigs kreeg.

'Ja, hij sprak goed Spaans, hij was een Spanjaard.'

Ik bedankte haar, deed een stapje naar achteren, draaide me om en liep weg. Ik had het gevoel dat ik haar aan de rand van een afgrond liet staan, dat ze weldra verslonden zou worden door een groot monster, dat ze in groot gevaar verkeerde, maar toch deed ik helemaal niets, liet ik haar daar achter. Zo was de realiteit. Wij woonden allemaal vlak bij die aan hun lot overgelaten groepen en toch bood niemand hulp en bracht niemand hen naar een veilige plek. Zo was het en dat was moeilijk te veranderen.

Agente Yolanda merkte wat er met me gebeurde.

'U bent onder de indruk, hè, inspecteur? Hebt u de mensen nooit zo zien leven?'

'Je weet het, maar je ziet het niet.'

'Dat is het, u hebt gelijk. Had u meer geluk dan wij met de verhoren?'

'Een vrouw heeft hem herkend. Hij heeft hier inderdaad gewoond, maar een paar maanden geleden zijn een paar mannen hem komen halen. Daarna hebben ze hem niet meer gezien.'

'Vreemd,' zei Garzón.

'Heel vreemd. Wat moeten we daar van denken? Is hij ontvoerd? Hebben ze hem twee maanden vastgehouden en hem uiteindelijk gedood?'

'Dat is niet erg aannemelijk. Wat voor waarde kan een bedelaar hebben als onderpand bij een ontvoering?'

'Ik weet het niet, misschien wist hij iets of is hij ergens ongewild getuige van geweest.'

'Dan was hij meteen vermoord en daarmee uit. Dat lijkt me niet aannemelijk. Misschien waren het zomaar een paar kerels die hij toevallig tegenkwam. Wat is normaal bij zo'n man? Ze spraken met hem, boden hem een paar biertjes aan en daarna is hij ergens anders gaan wonen.'

'Ook vreemd, elke veronderstelling is vreemd. We moeten hoe dan ook zijn spoor volgen.'

'Zal ik u naar de andere plaatsen brengen die ik ken? Als hij graag op zo'n plek als deze verbleef, lijkt het logisch dat hij weer zoiets zou zoeken.'

'Goede conclusie. We hebben tijd om er nog een te bezoeken.'

'Prima, dan gaan we naar de verlaten kazerne van Sant Andreu.'

Een verlaten kazerne vol drop-outs was niet echt een aanlokkelijk vooruitzicht om de middag door te brengen, vond ik. Voor het eerst sinds we deze zaak op ons hadden genomen, begon ik te twijfelen of ik hem wel kon oplossen. Ik wist absoluut niets van het milieu waarin we terechtgekomen waren of het type dat we volgden, bovendien werd ik mismoedig van die wereld. De energie waarmee ik me op het onderzoek had gestort begon af te nemen. Het zou geen korte en makkelijke zaak worden, alleen al het identificeren van de dode zou weken, misschien maanden duren en in welke gribussen zou ik nog terechtkomen?

De verlaten kazerne van Sant Andreu was een test voor sterke magen. Allerlei krakers van divers pluimage hadden de ruimte in beslag genomen. Er was geen water, geen licht, maar iedere misdeelde had zijn best gedaan een eigen hoekje te creëren. Ik zag kamers waar zelfs vazen met bloemen stonden. Het leek niet logisch noch normaal dat de mensen voor wie geen regulier leven bestond met zo weinig hun miserabele bestaan iets gezelligs wilde geven, maar zo was het wel. Sociale gebruiken waren veel krachtiger dan we dachten.

Met de foto's van onze man begonnen we aan een onzekere zoektocht. Al die immigranten, ontheemde jongeren, bedelaars en oude zieke mensen werden een voor een ondervraagd. De reacties kwamen aardig overeen: angst, onbegrip, apathie en verbazing. Niemand was gewelddadig of verontwaardigd dat we hun kwetsbare persoonlijke vrijheid binnendrongen, ze hadden elke vorm van verzet verloren. Het moeilijkst aanspreekbaar waren zonder twijfel de gewone bedelaars. Zij luisterden zonder te horen en praatten zonder enige logica. Je zou haast denken dat ze tot een ander ras behoorden waar men niet gewoon wordt geboren en kind is, opgroeit en jong is, oud wordt en herinneringen heeft.

Drie uur later vertrokken we onverrichter zake. Niemand had de vermoorde man ooit gezien. Ik vroeg me af of die verklaringen wel betrouwbaar waren. Zelfs zonder te liegen maakte het voor hen weinig uit of ze hem wel of niet gezien hadden, één schim meer die ze tegenkwamen tijdens hun doelloze zwerftocht.

'Waar halen ze geld vandaan om van te leven?' vroeg ik aan Yolanda toen we weer in de auto zaten.

'Ze bedelen, bespelen een instrument op straat, krijgen wat geld van liefdadigheid. Ze hebben niet veel nodig, vooral de daklozen niet. Die gaan het meest naar de eetzalen van de bedeling en buiten een maaltijd… hebben ze niet veel meer nodig. Ze hebben geen vrouw of kinderen… ze vegeteren alleen.'

'Vertel eens, hoe werkt de steun van de overheid voor deze mensen?'

'Er zijn opvanghuizen, openbare en particuliere. Als men denkt dat er een mogelijkheid tot rehabilitatie bestaat, is er ook nog sociaal werk. Ik geloof dat ze niet langer dan twee weken in een opvanghuis mogen slapen, opdat ze niet "chronisch" worden.'

'Geweldig!' liet Garzón zich ontvallen. 'En als ze eruit moeten, worden ze zeker weer opgenomen in de maatschappij?'

'Ze krijgen geen uitkering. Bovendien zien ze hen niet meer als ze vertrekken en dat is het belangrijkst, dan zijn ze geen sta-in-de-weg meer. Ik heb het zelf meegemaakt, altijd als de gemeentepolitie wordt ingeschakeld in verband met drop-outs is dat om hen te laten verdwijnen: wanneer het 's winters te koud is, wanneer er belangrijk bezoek naar de stad komt of wanneer er een of ander openbaar evenement is… Soms krijgen ze van de gemeente de helft van een treinkaartje vergoed om naar een andere stad te gaan.'

'Mooi is dat. Luister eens, Yolanda, ik vrees dat ik nog eens met uw chef moet praten. Ik had niet gedacht dat we alle opvangcentra in Barcelona zouden moeten afgaan, maar ik zie dat er niets anders opzit. We hebben u nodig, u weet ontzettend veel over deze mensen.'

Ze lachte trots en keek naar de brigadier om te zien of ook hij blij was met haar hulp. Maar die onuitstaanbare brigadier van me keek serieus en stuurs zoals altijd.

'Ik zou het heerlijk vinden om met u samen te werken, inspecteur. Daar heb ik veel meer zin in dan in het werk dat ik nu doe.'

Zoals ik al verwachtte, protesteerde Garzón toen we alleen waren: 'Daar heb ik meer zin in... Wat betekent "daar heb ik meer zin in"? Sinds wanneer heb je zin in je werk alsof het een ijsje of een gebakje is?'

'Kom op, Fermín, je zou de grond moeten kussen waarop dat meisje loopt! Ze was heel kalm tijdens het werk en ze heeft ons geholpen zonder tegensputteren.'

'Omdat ze graag onderzoek doet. Zo lijkt het alsof ons werk een soort amusement is.'

'Denk je nou echt dat ze het leuk vindt om met een paar chagrijnige oudgedienden zoals wij op te trekken?'

'Verdomme, inspecteur, dat is echt een zwartgallige omschrijving!'

'Maar waar. Denk je eens even in wat zo'n jong meisje van ons denkt. Wij kunnen weinig enthousiasme meer opbrengen voor ons werk, Fermín, en zijn vaak slechtgehumeurd.'

'Het was niet bij me opgekomen dat er enthousiasme voor nodig is om een moord op te lossen. O, wat leuk, laten we eens kijken wie die vent de hersens heeft ingeslagen! Ik verheug me nu al op de resultaten van de autopsie, dat zie ik wel zitten!'

'Je bent onmogelijk, beste collega. Het baart me zorgen dat je niet door hebt dat we intussen twee sikkeneurige oude rotten zijn geworden.'

'Tja, we leven nu eenmaal in een slappe, dwaze maatschappij, een maatschappij vol leugens. Je moet je werk leuk vinden, er plezier in hebben, en alles enthousiast en opgewekt ondergaan. Glimlachen, altijd maar glimlachen! In mijn jeugd zou het zelfs bij de duivel niet zijn opgekomen dat werken plezierig moest zijn. Je werkte omdat het nu eenmaal moest. Als het je beviel, prima, zo niet, pech gehad.'

'Ach, Fermín, doe me een lol, we gaan toch niet zeuren, hè? Waarom trakteer je me niet op zo'n walgelijk biertje, of is dat misschien te veel van het goede?'

We gingen een kroegje in en dronken bier. Na alles wat we hadden gezien, had de sfeer van werklui die een borreltje dronken na hun werkdag iets rustgevends. Het waren gewone mensen die een gezin hadden, een plek om te wonen en een baan. Niet te vergelijken met die kolonie uit de steentijd waar de mensen zich warmden bij kampvuren en aten wat er voorhanden was.

'Wat vind je van deze zaak, Fermín?'

'Eerlijk gezegd gaat het niet erg goed. We rennen van hot naar her en komen niet veel verder. Als de journalisten geen druk uitoefenden, zou commissaris Coronas de zaak in de doofpot stoppen.'

'Zou die man ergens bij betrokken zijn geweest, iets illegaals?'

'Als het geen zwerver betrof, zou ik meteen zeggen van wel. Het feit dat een paar gasten hem ergens dood achterlaten en hem afranselen met het oog op eventuele getuigen duidt op een afrekening. De mannen met wie hij twee maanden geleden contact had... ik zou denken aan drugs, een onbetekenende dealer, zelfs aan illegale immigratie, een contact... maar omdat de dode zo'n makkelijke prooi was...'

'We vermoeden dus dat het geen skins waren die hem vermoord hebben. Goed, gaan we er dan ook niet aan denken dat hij geen dakloze was?'

'Je hebt gezien hoe hij eruitzag, zijn kleding, zijn geur. Dat geloof ik eigenlijk niet, inspecteur. Ze hadden hem als dakloze kunnen vermommen, hem vuile kleren aandoen, zijn haar laten groeien. Maar je hebt zelf gezien dat de ellende te lezen staat op de gezichten van de mensen die zo leven. Het lijk had dat ook, en dat is moeilijk na te bootsen.'

Hij had gelijk. Op het gezicht van zwervers tekent zich niet alleen armoede af. Eenzaamheid, waanzin, volledige verwaarlozing viel meteen al op. Hoe komt het zo ver? Welke persoonlijke omstandigheden leiden ertoe dat iemand op het punt komt dat hij zegt: het interesseert me allemaal niets meer?'

'Zal ik je eens wat zeggen, Garzón? Ik weet niet wat ik meer voel voor deze mensen, medelijden of nieuwsgierigheid.'

'Ik geloof niet dat iemand in zijn jeugd een toverprins is geweest, als je daaraan denkt.'

'Dat maken ze ons allemaal wijs als we jong zijn, het is alleen niet waar.'

Garzón schudde nadenkend zijn hoofd, hij riep de ober en bestelde meer bier, zonder het mij zelfs te vragen.

'We nemen er nog eentje, Petra, ik merk dat je niet vrolijk wordt van deze zaak.'

Het kwam absoluut niet bij me op hem tegen te spreken. Ik dacht altijd dat mijn werk weinig invloed had op mijn gemoedstoestand, maar deze zaak toonde aan dat ik me daarin vergiste. Zelfs een zuurpruim als mijn collega maakte zich zo ongerust over mijn mogelijke inzinking dat hij me op nog een biertje trakteerde. Mijn matheid was overduidelijk.

Een half uur later namen we afscheid en terwijl Garzón huiswaarts keerde, ging ik langs het hoofdbureau. Het autopsierapport van de naamloze dode lag ongetwijfeld op mijn bureau.

Ik was amper binnen toen de agent bij de ingang naar mij toe kwam.

'Inspecteur, die dokter van laatst is zojuist weer geweest. Hij wilde u spreken. Hij heeft zijn privénummer achtergelaten zodat u hem kunt bellen.'

Ik knikte een paar keer en keek alsof ik met mijn gedachten bij een lastige zaak was. Waarom? Omdat ik zeker wist dat dokter Crespo me niet voor iets officieels wilde zien. Die vent was stapelgek, wie haalt het in zijn hoofd om het politiebureau als een ontmoetingsplek te gebruiken? Ik moest lachen bij de gedachte. Ik liep mijn werkkamer in, opende mijn mailbox, bekeek de paperassen… Toen besefte ik dat ik er met mijn hoofd niet bij was. Lag het rapport van de lijkschouwer er al? Ik keek opnieuw. Ja, het lag er. Ik was verstrooid, dat was zeker, en niet omdat ik moe was van de zware dag, maar door het bericht dat ik zojuist had gekregen. Ik keek naar het papiertje dat de agent me had gegeven: zijn privénummer, dus moest hij alleen wonen. Een excentrieke psychiater die op mij viel. Ik voelde me enigszins gestreeld. Het was lang geleden dat iemand zo achter me aan had gezeten. Hij was natuurlijk ook geen normaal iemand. Misschien was hij wel een mafkees die het probeerde aan te leggen met iedere vrouw die hij voor het eerst ontmoette. Het kon ook wetenschappelijke nieuwsgierigheid zijn. Iemand die zich met de psyche bezighoudt moet wel geïnteresseerd zijn in de aspecten van een beroep waar hij nog niet eerder mee te maken heeft gehad. Nou ja, dat maakte niet uit, ik wilde liever denken dat ik grote indruk op hem had gemaakt, dat hij me fascinerend, mooi, interessant, een droomvrouw vond. Waarom niet? Ik dacht er echter niet aan hem te bellen, en gezien mijn depressieve toestand wilde het er bij mij niet in dat ik na één ontmoeting een verovering had gemaakt.

Ik sloeg het autopsierapport open. Goed, blijkbaar was onze man geen drugsgebruiker, wat de mogelijkheid nog meer uitsloot dat het om een verkapte dealer ging. Zijn ingewanden zagen er normaal uit, behalve zijn lever. Vanwege een beginnende cirrose dacht de lijkschouwer dat we te maken hadden met een fervente drinker. Dat kwam geregeld voor bij daklozen. Uitgerekend mijn bewonderaar, de psychiater, had verteld dat veel van hen leden aan zware drankzucht. Had hij in een of andere polikliniek een kuur gevolgd? Die hardnekkige anonimiteit begon irritant te worden! Hoe kon een man in een stad wonen zonder ergens geregistreerd te staan? Hij hoefde niet huiverig te zijn voor de overdreven controle van de instanties op de moderne burgers. Onze man stond op geen enkele lijst, had geen vast adres, betaalde geen belasting, en had ongetwijfeld nooit een identiteitsbewijs gehad. Mag dat van de autoriteiten? Het was duidelijk dat de autoriteiten je alleen willen registreren als ze daar een of ander voordeel uit kunnen halen. Als je geen geld hebt, heb je niets. Zelfs honden staan op een lijst vanaf het moment dat ze een microchip in hun oor krijgen. Natuurlijk is een hond van iemand die van hem houdt, hem verzorgt en met hem naar de dierenarts gaat als hem iets mankeert. Niet te vergelijken met een zwerver. Hoewel ik niet wist of ik jaloers op hem moest zijn. Een man zo vrij als een vogel.

Ik pakte mijn spullen en verliet mijn werkkamer. Vroeger thuiskomen dan normaal zou me goed doen. Ik was gewend altijd te werken en hield steeds minder rekening met de werktijden van een normaal mens. Als ik zo doorging zou ik zo'n smeris worden die totaal geen privéleven kent en die alleen geniet als hij zich volledig op een bepaalde zaak stort. Ik heb er een paar gekend. Ik geloof dat ze allemaal de trieste werkelijkheid die hun thuis wachtte ontvluchtten. Maar dat was in mijn geval niet zo: ik vond het fijn om thuis te komen, ik had altijd iets te doen, prettige, leerzame, gezellige dingen.

Die avond bijvoorbeeld was ik van plan een heerlijke uiensoep te maken en een fles somontano die ik voor een speciale gelegenheid had bewaard open te trekken. Wat vierde ik? Dat ik mezelf hielp onthouden alert te blijven en dat je zelf verantwoordelijk bent voor je persoonlijke plezier.

Eenmaal rustig op eigen terrein, schonk ik een glas voor mezelf in en begon met koken. Op de maat van een symfonie van Mozart sneed ik vlug de ui. Alles ging naar wens. Het zou een probleem worden als ik na het eten ging lezen, dan zou ik hoogstwaarschijnlijk in slaap vallen. Ik was te vaak te vroeg opgestaan. Ja, ik verwaarloosde mijn privéleven en dat was niet goed. Ik had een van mijn vrienden voor het eten moeten uitnodigen. Natuurlijk heeft iedereen door de week zijn werk en wil niemand zijn nachtrust opofferen voor een vriendschappelijk etentje. Het zou iets anders zijn als het om een romantisch etentje ging. Ik had zelf een romantisch etentje kunnen organiseren met die malle psychiater als ik had gewild. Een romantisch etentje is sterk uitgedrukt, maar het was niet zo moeilijk geweest om een ontmoeting te arrangeren. Misschien was het wel interessant om met hem van gedachten te wisselen en het was vleiend dat iemand zo aanhield om alleen maar met mij te praten. Ik deed de gesneden ui in een braadpan en dacht na. Het was nog niet te laat om hem te bellen en uit te nodigen voor het eten. Ik waste mijn handen onder de kraan. Het kon riskant zijn zoiets te doen, een beetje labiel persoon zou het misschien als een versierpoging zien als hij zo'n uitnodiging kreeg. De ui begon er al goed uit te zien. Sinds wanneer was ik een preutse vrouw die omzichtig te werk gaat opdat de mannen 'er niets achter zoeken'? Nooit had ik mannelijk gezelschap geschuwd om misverstanden uit de weg te gaan. Als er misverstanden ontstonden, loste ik die gewoonlijk zelf op door de persoon in kwestie de situatie precies uit te leggen. Als die persoon vervelend werd, hoefde ik hem er alleen maar uit te gooien en dat was dat. Bovendien kon ik in geval van nood altijd mijn dienstpistool gebruiken. Onwillekeurig verscheen er een lachje om mijn mond. Ik zag het gezicht van de malle psychiater voor me als ik mijn Glock op hem richtte. Ik wenste bijna dat zoiets zou gebeuren. Ik schaterde het uit, arme dokter Crespo! Eigenlijk was hij wel charmant, chaotisch, maar charmant. Er was een tijd dat ik op zulke mannen viel: verstrooid, weinig georganiseerd maar met iets mallotigs. En nu? Dat zou ik niet weten! Ik had al een tijdje geen relatie en dacht er niet aan me te binden. Ik had het te druk met mijn vaste gewoonten en mijn verantwoordelijke baan. Er is maar een stap voor nodig om je volledig te laten gaan, dacht ik. Maar mogelijk zou ik mijn neuronen een gunst bewijzen als ik mijn dagelijkse leven een avontuurtje toestond. Meer energie, meer creativiteit… het zou mijn werk zeker ten goede komen. Ik deed water over de al goed gebakken ui. Dat was het toppunt: nog nooit in mijn hele leven had ik zo veel argumenten nodig gehad om iemand te bellen. Ik zette het vuur wat lager en liep vastbesloten de kamer in.

'Dokter Crespo? Met Petra Delicado, de politie-inspecteur met wie u hebt gesproken.'

'Hallo, wat een verrassing!'

'Verrassing? U hebt een berichtje achtergelaten op het bureau dat ik u moest bellen.'

'Ja, dat klopt, maar ik had niet gedacht dat u dat zou doen.'

'Ik zie niet in waarom niet. Is er iets nieuws in de zaak?'

'Niets belangrijks.'

'Maar wel iets?'

'Nou… ik dacht dat ons gesprek over de psychologie van de "daklozen" onvolledig en onafgerond was en dat het, kortom, toelichting behoefde.'

'Dat is met elk gesprek zo. Waarom komt u hier niet eten? Ik heb net lekkere soep gemaakt.'

'Prima, maar ik heb net gegeten!'

'In dat geval…'

'Nee, onzin, als ik zeg dat ik heb gegeten betekent het dat ik mijn honger heb gestild met wat frustratie. Wat ik doe kun je geen koken noemen. Mijn menu van vandaag is een blikje tonijn geweest, omdat ik geen zin had om te koken.'

'Goed, dan verwacht ik u. Noteer mijn adres.'

Terwijl hij dat deed had ik al spijt, zoals altijd na een impulsieve actie.

'Petra, bent u daar nog?'

'Ja, zeg het eens.'

'U moet niet denken dat ik uw uitnodiging accepteer alleen om gastronomische redenen. Al had ik fazant gegeten, dan kwam ik nog naar u toe. Al met al zult u nooit te weten komen of ik fazant heb gegeten in plaats van een blikje tonijn.'

Mijn wroeging verdween, hij had gevoel voor humor en wanneer iemand gevoel voor humor heeft, kan hij er wel tegen als er een pistool op hem wordt gericht.

Hij had beslist geen fazant gegeten. Naarmate ik hem alles zag verorberen wat ik hem voorzette, leek de versie van het blikje tonijn steeds waarschijnlijker. Hij was een waardige plaatsvervanger van brigadier Garzón, en al zei Crespo helemaal niets over de heerlijke maaltijd, hij stak wel tussen de gangen door een sigaret op. Hij was grappig, spottend en nogal sceptisch, waardoor hij bijna niets serieus nam. Hij was leuk, waarom zou ik dat ontkennen, hij was echt leuk. Na de maaltijd tutoyeerden we elkaar, maar wisten we nog steeds weinig van de ander. Bij de koffie werden we wat persoonlijker.

'Ik vraag me steeds af waarom een vrouw als jij bij de politie gaat.'

'Ik beantwoord geen enkele vraag.'

'Vragen is mijn beroepsdeformatie.'

'De mijne ook.'

'Ja, maar jij bent alleen geïnteresseerd in zwervers. Je hebt me nog niets over mijzelf gevraagd.'

'Wat wil je me vertellen?'

'Niets wat jou interesseert.'

'Ik ben al wat over jou aan de weet gekomen. Dat is mijn tweede beroepsdeformatie.'

'Dat is ook mijn tweede.'

'Dus je weet al wat over mij.'

'Ik zie dat politieagenten en psychiaters veel gemeen hebben. Wie begint met opbiechten, jij of ik?'

'Begin jij maar, jij wordt betaald door je gesprekspartners, die van mij hebben er een hekel aan te horen wat ik over hen te weten ben gekomen.'

'Goed, ik zal beginnen. Je bent geen eeuwige vrijgezel, dat is duidelijk te merken aan je houding en je manier van optreden. Dus je bent gescheiden. Bovendien is iedereen met een beetje eigenbelang tegenwoordig gescheiden. Ogenschijnlijk ben je koel, maar je verbergt een vurige kant. Je zit vol tegenstrijdigheden, je bent ongeduldig, soms driftig, gevoelig en houdt van alleen-zijn. Nu ben jij aan de beurt.'

'Vooruit dan: achter jouw grappige voorkomen zit een verbitterde man. Ik vermoed dat je gescheiden bent, anders zou je niet zo geïnteresseerd zijn in degenen die dat ook zijn. Je houdt van mensen, maar soms haat je het als ze te veel praten. Je bent zenuwachtig, intelligent, keurt de levensstijl van de meeste mensen af... ik weet niet, je hebt een marginale kant.'

We keken elkaar lachend en wellustig, al duidelijk flirtend aan.

'Petra, gezien de overeenkomsten: mag ik veronderstellen dat je me hebt uitgenodigd met dezelfde reden als waarom ik ben gekomen?'

Hij ging te snel, veel te snel misschien, ik was er nog niet aan toe, ik was het verleerd, ik had nog een afspraak nodig, nog een gesprek, wilde me op dat moment terugtrekken, uitrusten, nadenken. Ik kon amper iets uitbrengen, maar ik deed mijn best sterk en beslist over te komen.

'Ricard, ik geloof niet dat we te ver moeten gaan. We hebben lekker gegeten, gepraat…'

Heel serieus en drastisch onderbrak hij me: 'Ik mag dan overkomen als een dwaas en kinderlijk persoon, maar zo ben ik niet. Ik ben hier niet gekomen om met je naar bed te gaan, en jij hebt me niet uitgenodigd met die gedachte, maar op dit moment is dat wel wat we allebei willen, en het zou waanzin zijn om daaraan voorbij te gaan.'

Hij stond op, liep om de tafel heen en kwam naar me toe, pakte mijn hand en trok me overeind. Toen we tegenover elkaar stonden, keek hij me strak aan en kuste me zo gretig en resoluut als nog nooit iemand had gedaan.

'Als je me niet naar je slaapkamer brengt, moet ik je wel naar de bank sleuren.'

Ik ging met hem naar mijn slaapkamer, hoewel het moeite kostte. Hij had het magere, soepele lichaam van een man van twintig, maar de erotische kennis van een van vijftig. Ikzelf vergat mijn eigen leeftijd, verloor mijn zintuiglijke besef, smolt samen met zijn huid, met zijn mond en was een tijdlang slechts een deeltje van een grote vuurbol van genot.

Na de opzienbarende strijd, waarin we beiden zegevierden, ging ik naast hem liggen en rook de aangename geur van zijn sigaret. Ja, ik had te lang niet gevreeën, of ik vond hem geweldig. Ik bekeek hem van opzij. Ik was een beetje van slag, want gewoonlijk neem ik het initiatief en dat was nu niet het geval geweest. Als er zoiets gebeurt heb ik altijd het gevoel overrompeld te worden, zoals Europa die werd ontvoerd door een stier, en trek ik me in mezelf terug. Alsof hij mijn gedachten had geraden, zei Crespo: 'Een ongenode gast in je bed?'

'Lijkt dat zo?'

'Ja, je kijkt vanuit een ooghoek naar me alsof je je afvraagt wie ik ben.'

'Dat klopt, ik weet niet wie je bent.'

'Ik ben een man van jouw generatie.'

'Duik jij meteen het bed in met alle vrouwen van je generatie die je kent?'

Hij begon zachtjes te lachen.

'Lieve inspecteur, even dacht ik dat jij anders was dan de anderen, maar nee, dat ben je niet, waarom zou je, en gelukkig maar dat je dat niet bent.'

Alle vezels in mijn lichaam, nog slapjes en vol genot, stonden meteen weer gespannen. Ik schoof een beetje opzij om hem aan te kijken.

'Kun je dat uitleggen?'

'We willen allemaal uniek en speciaal zijn. We bedrijven de liefde als wilde dieren, maar daarna vragen we ons af of we tot een kudde behoren of de absolute, uitverkoren hoofdpersoon zijn.'

Ik ging rechtop zitten. De verontwaardiging die in mij naar boven kwam gaf me voldoende tijd om te bedenken wat ik hem ging antwoorden.

'Ben je bezig met een psychologisch onderzoek of leek het je zo'n geniale gedachte dat je die niet voor je kon houden?'

'Vond je het vervelend dat ik dat zei, vond je dat echt vervelend?'

Hij schaterde het uit, sprong boven op me, rolde me om, probeerde me te kussen en kietelde me.

'Kom op, Petra, doe niet zo flauw! Je gaat me toch niet vertellen dat je er eentje bent die van lieve woordjes houdt: "O, het was geweldig, ik waande me in de zevende hemel!"'

'Goede manieren zijn nooit weg.'

'Je bent verrukkelijk, echt waar, de dappere en ervaren vrouw die toch fatsoenlijk blijft! Ik mag je wel, ik mag je echt.'

Ik werd geplet in zijn sterke armen. Ik was woedend, maar tegelijkertijd ontkwam ik niet aan de enorme aantrekkingskracht van zijn lach, de speelse ironie, de aangename sigarettengeur en de levenslust die hij uitstraalde.

'Laat me los! Ben je gek geworden? Je ligt in het bed van een politieagente, ik doe aan karate!'

Zijn schaterlach moet zelfs tot op straat te horen zijn geweest. Ik begon ook te lachen, en mijn weerstand nam af. Toen kuste hij me teder op mijn mond en zei zachtjes: 'Nee, Petra, ik ga niet met iedereen naar bed. Het zal je verbazen als ik je vertel dat ik tot nu toe nog maar weinig interessante vrouwen heb ontmoet. Maar ik viel meteen op jou. Jij bent bijzonder.'

'Je kunt naar de hel lopen, maar ik geloof dat je daar nog even mee moet wachten.'

We raakten weer in elkaar verstrengeld, trager deze keer, zinnelijker, zonder haast, zonder angst, met als enig doel de intense beleving, de innerlijke kracht van iets wat niet van buiten komt, wat zomaar ontstaat.

Ik had geen idee van tijd toen ik me weer bewust werd van de buitenwereld. Ricard lag naast me te woelen als iemand die de ideale slaaphouding zoekt. Ik probeerde hem niet te laten opschrikken van mijn stem toen ik zei: 'Ricard, ik moet je iets zeggen en ik hoop dat je het me niet kwalijk neemt.'

Hij lag heel rustig en stil en toen hij begon te praten merkte ik dat hij klaarwakker was.

'Nou, wat is er?'

'Niets, iets onbenulligs. Ik kan er namelijk niet tegen om thuis wakker te worden naast degene met wie ik... nou ja, je weet wel, goedemorgen, het ontbijt... het is een afwijking, maar...'

Het bleef stil. Ik dacht dat hij het misschien als een grap opvatte, maar dat was niet zo. Volkomen neutraal antwoordde hij: 'Maak je geen zorgen, ik blijf even liggen en dan ga ik.'

En dat gebeurde. Toen ik 's morgens wakker werd, was hij verdwenen. Hij moet heel zachtjes zijn vertrokken, want ik had niets gehoord. Ik had heel vast geslapen en sprong opgewekt uit bed. Mijn lichaam voelde behaaglijk maar pijnlijk aan. De douche leek een heerlijke waterval van thermaal water en ik genoot buitengewoon van de koffiegeur en van de intense kleur van het sinaasappelsap toen ik het perste. Ik had zelfs zin om naar het bureau te gaan! Daaruit bleek ontegenzeggelijk dat mijn humeur uitstekend was.

4

Brigadier Garzón leek wel een altaarstuk van een of andere vreemde godsdienst, zoals hij over de papieren gebogen aan zijn bureau zat.

'Goedemorgen, Fermín. Hoe is het hier, zo vroeg in de ochtend?'

'Helaas is het niet meer zo vroeg.'

'Nee toch, ben ik zo laat? Slordig van me, ik zal toch wat beter op de tijd moeten letten.'

'Het doet me goed je zo opgewekt te zien, tenminste iets waar ik blij om ben.'

'Is er wat vervelends gebeurd?'

'Inspecteur, een agente hoort zoiets niet te vragen.'

Ik kan 's morgens vroeg weinig hebben en het slechte humeur van mijn ondergeschikte werd me iets te veel. Ik vertrok mijn mond: 'Weet je wat een van de redenen is waarom ik heb besloten om voorgoed ongetrouwd te blijven?'

Garzón keek me nieuwsgierig en enigszins triomfantelijk aan, ik denk dat hij me alleen op stang wilde jagen.

'Nou, om 's morgens andermans slechte humeur niet te hoeven verdragen.'

'Je hebt makkelijk praten, maar als je wist hoe ik de afgelopen twee uur heb doorgebracht, zou je begrijpen waarom ik een pesthumeur heb.'

'Vooruit ermee, vertel en dan hebben we dat ook gehad.'

'Als je me gaat aanhoren als louter formaliteit…'

'Hoe kom je erbij! Ik zal een en al oor zijn, het kantoor geluiddicht maken en de deur vergrendelen zodat niemand ons kan storen. Wil je me nu wel of niet vertellen wat er aan de hand is?'

'Nee, als het zo moet vertel ik niets.'

Hij boog zich als een mokkend kind weer over zijn papieren. Ik schoot niets op met mijn gelofte van celibaat; Garzón gaf me het gevoel een echtgenoot, vader, grootvader en ook een klein kind te hebben. Ik bracht al het geduld op dat de omgang met zo'n meute familieleden vergde.

'Brigadier, zullen we opnieuw beginnen?'

'Zoals je wilt, wat mij betreft…'

'Goedemorgen, Fermín. Hoe gaat het, hoe waren de afgelopen twee uur van je dienst?'

'Ze waren rampzalig. De commissaris heeft gebeld dat we haast moesten maken. Er is een journaliste die elke dag een artikel schrijft over de aanval van de skins op de arme zwerver en de incompetente politie die ze niet te pakken krijgt. Typisch zo'n figuur die zich hier bij gebrek aan iets beters in heeft vastgebeten en niet loslaat, maar de chef is er niet blij mee. Hij wil dat we haar een bombrief sturen of iets anders om haar bezig te houden. Ik heb hem niet durven zeggen wat ik zelf zou doen. Daarna ben ik gebeld door die agente van de gemeentepolitie, die jij zo onmisbaar vindt, en ze hing twee uur aan de lijn om te vertellen wat ze me per e-mail zou sturen. Twee uur, echt waar, hoe kun je zo lang van stof zijn? Ze kletst je de oren van je hoofd, een akelige vrouwelijke gewoonte. Heb je wel eens op zo'n stel vrouwen gelet die samen koffie zitten te drinken? Ik heb het nooit kunnen begrijpen, maar ze praten allemaal tegelijk, allemaal door elkaar heen. Raar maar het is zo, nietwaar? Nou goed, dus Yolanda, de spraakwaterval, e-mailt me een lijst, het enige wat niet zo veel voorbereiding vroeg, en op die verdomde lijst staan minstens vijftig locaties waar hulp wordt verleend aan drop-outs. Vijftig! Had ze niet een selectie kunnen maken?'

'Hoor eens, Garzón, er zitten je zo veel dingen dwars dat je ze maar beter in de Klaagmuur kunt stoppen en dan zal God het verder wel regelen. Uit alles wat je me vertelt concludeer ik dat de enige oplossing in de lijst van hulpcentra ligt.'

'O ja, en welke oplossing is dat?'

'Ze een voor een bezoeken.'

'Mooie oplossing, zeg, die had ik ook al bedacht!'

'Zijn we het eindelijk een keertje eens! We nemen de lijst en we gaan aan het werk.'

'Dan stellen we lukraak een onderzoek in, inspecteur, terwijl we nu eigenlijk al getuigenverklaringen zouden moeten natrekken.'

'Uitcraard, maar wat wil je verdomme als die nog nergens toe hebben geleid? We zullen toch moeten doorgaan en volhouden. Goed, zorg dat je klaar bent, we vertrekken. Ik ga nog even naar mijn kamer.'

Na dit ochtendbezoekje aan mijn collega was ik net zo moe als na tien uur werken. Als we niet allemaal ons gevoelsleven mee naar kantoor namen, zou er heel wat tijd bespaard worden. Natuurlijk kwam het juist door mijn gemoedstoestand dat ik die dag in een uitstekend humeur naar het politiebureau was gegaan. Ik dacht terug aan de vorige avond en kreeg kippenvel. Nee, die gemoedstoestand was zo slecht nog niet: het kon een prikkel en een stimulans zijn voor een lange werkdag.

Ik ging achter de computer zitten en opende mijn mailbox, maar op dat moment kwam er een agent binnen.

'Inspecteur. Er is zojuist iets voor u gebracht.'

'Goed, uitstekend, en waar ligt het?'

'Ja, ziet u… ik heb het zolang in het toilet gelegd, in afwachting van uw orders.'

'Mijn god, Domínguez, wat hebben ze dan gebracht dat er zo veel discretie voor nodig is, een lijk of zo?'

'Ik heb liever dat u zelf gaat kijken.'

Snuivend van woede liep ik achter hem aan naar het toilet. Hij deed de deur open en toonde me de ongepaste zending. Mijn god, die knul had groot gelijk met zijn discretie! Op de wasbak lag een reusachtige bos rode rozen met een gekleurd lint erom. Ik voelde dat ik bloosde.

'Verdomme!' riep ik uit de grond van mijn hart.

'Ja, ziet u, inspecteur, het leek me iets persoonlijks en omdat er op het bureau zo veel geintjes worden uitgehaald en wordt gekletst…'

'Heel goed van je om het hier te verstoppen, Domínguez, uitstekend. Weet je wat we gaan doen? Heb je een vrouw?'

'Een verloofde.'

'Dan neem je ze mee voor je verloofde en klaar.'

'O nee, geen sprake van, als ze me daarmee zien lopen ben ik de klos!'

'Ik begrijp het. Is er een kerk in de buurt?'

'Ja, de kathedraal.'

'Dan gaan ze naar de Maagd. Laat de dienstdoende agent van de wacht ze brengen. Als iemand ernaar vraagt is het een gift van het politiebureau, waar we zeer godvruchtig zijn.'

Hij knikte, wat overdonderd door mijn vlotte leugen. Ik pakte de kaart die bij de bloemen zat en zag de agent mokkend weglopen, een bloemist in uniform. Snel ging ik terug naar mijn kamer. Ik vermoedde wel van wie de bloemen waren, maar maakte toch nieuwsgierig de envelop open.

Lieve Petra,

Hartstochtelijke rozen voor een fantastische vrouw. Ik blijf een keer bij je slapen, let maar op.

Jouw Ricard

Dat was het toppunt! Dacht die idioot soms dat een politiebureau een soort hoerentent was? De duivel zou het niet eens in zijn hoofd halen me bloemen op mijn kantoor te sturen! De agent had alert en met meer gezond verstand gereageerd dan ik van hem had verwacht, maar dan nog, wie weet hoeveel mensen dat lasterlijke boeket hadden gezien. Het eventuele commentaar van mijn collega-inspecteurs kon me niets schelen, maar alleen al de gedachte dat Garzón, laat staan

Coronas, de bloemen had gezien bezorgde me kippenvel. Ik kon me de ironische en stekelige opmerkingen van de brigadier al voorstellen. Dat misplaatste geschenk kon ik op twee manieren opvatten: Ricard had louter willen provoceren om te kijken hoe ver hij met me kon gaan, of hij had er niet eens bij stilgestaan dat het ongepast was. In het eerste geval was hij werkelijk een hufter; als ik voor de tweede optie koos kwam hij er evenmin goed van af. Iemand die niet nadenkt bij wat hij doet, vormt een gevaar waartegen je je nauwelijks kunt wapenen. Ik ijsbeerde door de kamer en probeerde mijn gedachten te ordenen. Ik moest op mijn hoede zijn, ik zat er absoluut niet op te wachten dat mijn leven op zijn kop werd gezet en Ricard Crespo dreigde dat te doen. Een man die door zijn medewerkster gekenschetst werd als 'heel bijzonder' was absoluut niet te vertrouwen, te impulsief, te zelfverzekerd. Bovendien was hij, zij het zijdelings, bij deze zaak betrokken en dan zat je als het ware op een kruitvat. 'Ik blijf een keer bij je slapen, let maar op', wat denkt hij wel, die arrogante kwast! Ja, hij kon zeker bij mij blijven slapen, languit op de mat bij de voordeur, misschien. Ik móést wel een eind maken aan die beginnende relatie. Verdorie, ontmoette ik eens een keer een interessante kerel...! Want interessant was hij en we hadden fantastisch gevreeën, maar al mijn vriendinnen zeiden het al, het was een algemene klacht: mannen zijn een ramp de laatste tijd. Wie bindingsangst heeft, moet zo nodig zijn veroveringen rondbazuinen of ziet je als zijn moeder, of heeft zelf behoefte aan de vaderrol... Nee, de man als liefdespartner is een herinnering uit vervlogen tijden.

Ik pakte de telefoon om hem te bellen. Het was jammer, want het overkomt je tenslotte niet elke dag dat iemand je een 'fantastische vrouw' noemt. Had hij die rozen nu maar naar mijn huis gestuurd in plaats van naar het politiebureau... Maar waar had ik het over? Sinds wanneer werd ik geroerd door zulke decadente attenties als rode rozen? Ik vind het sturen van dit soort attenties achterhaald en helemaal als het rode rozen zijn. Ik heb liever dat ze me twee ons ham sturen.

'Met het Clínicoziekenhuis.'

'Kunt u me doorverbinden met dokter Ricard Crespo, alstublieft? U spreekt met inspecteur Petra Delicado.'

Ik wachtte terwijl ik nerveus naar de deur keek. Straks zou Garzón me nog op heterdaad betrappen bij het verbreken van een relatie.

De stem van Ricard klonk opgewonden aan de andere kant van de lijn.

'Petra, wat leuk! Hoe gaat het met je?'

'Een beetje verrast door wat je hebt gestuurd.'

'Ach, dat stelt niets voor.'

'Meer dan je denkt, Ricard.'

'Als dat zo is stuur ik je elke dag een boeket.'

'Laat je me even uitpraten?'

'Ga je gang, lieverd, ik luister.'

'Maar snap je dan niet dat je me niet zomaar bloemen kunt sturen? Het politiebureau is geen gewone, alledaagse plek.'

'Waarom niet?'

'Omdat het dat niet is. Ik ben politieagente, mocht je dat vergeten zijn, en dat is een heel serieuze en heel speciale zaak.'

'Dat is een psychiatrische praktijk ook. Ik zie het verband niet.'

'Juist wel! Hoe zou je het vinden als ik je… ik weet niet, een onderbroek naar je werk zou sturen?'

'Dat zou ik leuk vinden, en zelfs een heel intiem en subtiel gebaar. Heb je dat gedaan?'

'Hoe kom je erbij? Hoor eens, Ricard, ik waardeer je gevoel voor humor, maar ik verzeker je dat ik geen grapjes maak. Ik vind het van weinig respect getuigen dat je mijn beroepsleven en mijn privéleven over één kam scheert.'

'Dat is jouw interpretatie.'

'Inderdaad.'

'Eigenlijk ben ik degene die moet interpreteren wat er achter normale handelingen zit, en weet je hoe ik het interpreteer? Je laat je leiden door gemeenplaatsen en absurde conventies zonder te denken aan wat het meest voor de hand ligt. Ik had er niet aan gedacht, het kwam niet eens bij me op dat een politiebureau zo'n… officiële plek is.'

'Het is de meest officiële plek die er is.'

'Oké, het was een misser, klaar. Weet je hoe ik het ga goedmaken? Je mee uit eten vragen vanavond.'

'O nee, dat kan onmogelijk!'

'Waarom is dat onmogelijk?'

'Ik heb tot heel laat dienst, met mijn collega, brigadier Garzón.'

'Goed, morgen dan.'

Garzón stak juist zijn hoofd om de deur. Ik was meteen op mijn hoede.

'Luister, ik moet ophangen.'

'Ik bel je later.'

'Nee, dat hoeft niet, ik bel jou wel.'

Hij kreeg geen kans om nog wat te zeggen. Garzón keek zo zuur als azijn.

'Inspecteur, als we nu niet meteen gaan, sta ik niet voor mezelf in.'

'Wat is er aan de hand?'

'Die Yolanda zit op mijn kamer en ze lijkt wel een boswachter in plaats van een agente.'

'Hoezo?'

'Ze blijft maar bomen opzetten.'

'Als je nog grapjes kunt maken zal het wel meevallen.'

'Laten we gaan, Petra, mijn god, ik word gek van die meid. Ik ben ouder dan zij, nietwaar, en heb uiteraard meer ervaring. Maar uitgerekend zij zit me al twee uur lang te vertellen wat ze allemaal op haar afdeling hebben opgelost. Zelfs dat ze eens bij een overstroming een hond hebben gered!'

'Dat is heel mooi, daar kun je wat van leren voor als je je in hetzelfde schuitje bevindt.'

'Heel geestig. Gaan we?'

'We gaan.'

Ik trok mijn regenjas aan en liep zonder achterom te kijken de kamer uit. Ik wilde er flink tegenaan, zodat ik niet meer zou denken aan wat er zojuist was voorgevallen.

Yolanda was inderdaad een kletskous, maar mij maakte het niet uit, eerlijk gezegd kalmeerde haar jonge, vrolijke stem me. Anders had ik waarschijnlijk de stiltes die tijdens onze bezoeken aan de hulpcentra vielen nauwelijks kunnen verdragen. De aanblik van die eetzalen vol kansloze mensen, van die rommelige slaapzalen waar bedelaars en immigranten bivakkeerden, had voor ons een tragischer dimensie dan voor de hulpvaardige agente. Ik denk dat wij op onze leeftijd iets van onszelf zien in die angstwekkende zalen. Niemand wordt zonder tegenslagen veertig jaar en bij iedere man of vrouw die een half leven achter de rug heeft, rijst de beklemmende twijfel: 'Het had mij ook kunnen gebeuren'. In de tegenspoed van die drop-outs zat iets wat we deelden: vervlogen dromen, een hoop frustraties, toenemende onverschilligheid om zonder al te veel verdriet verder te kunnen leven.

Het personeel in de opvanghuizen van de gemeente was enthousiast en vriendelijk en ontving ons welwillend, maar ons werk verliep niet zonder slag of stoot. We moesten de foto van de dode niet alleen aan het dienstdoende personeel laten zien, maar ook aan iedereen die in het opvanghuis verbleef, en die lui ondervragen was echt deprimerend. Degenen met wie ik sprak keken me afwezig aan, alsof ze mijn vragen niet begrepen, alsof het niet uitmaakte of ze wel of niet antwoordden. Er werd hen nooit iets gevraagd, hun mening of belevenissen deden er niet toe. Ze waren het niet gewend dat iemand wat ze zeiden belangrijk vond. Ze leefden op een andere planeet, ze spraken een andere taal, we hadden niet hetzelfde realiteitsbesef.

Ik voelde me beschaamd toen ik op hen toeliep, het schuldgevoel dat een overgevoelige toerist krijgt bij een bezoek aan de derde wereld. Er lagen geen lakens op de bedden, alleen een soort legerdekens. Iedere dakloze had zijn bezittingen naast zich liggen. Een van de personeelsleden vertelde ons dat geen van hen zijn spullen wilde afgeven.

'In die zakken zitten al hun aardse bezittingen. Je moet niet van ze verlangen dat ze die in een kast of ergens in een hoek leggen. Ze willen ze voortdurend in de gaten houden. En gelijk hebben ze. Ze bestelen elkaar, uiteraard, niemand anders wil die vodden toch hebben?'

Ik dacht weer aan alle straatzwervers die ik had gezien en ze hadden inderdaad altijd een hoeveelheid karretjes, dozen en tassen bij zich. Ook al ben je nog zo arm, je hebt altijd wel iets wat je koestert, dacht ik.

Tijdens de bezoeken werd ons duidelijk dat van de kansarmen de daklozen onder aan de ranglijst stonden. Bij de jonge immigranten zonder papieren leefde de hoop op werk, op sociale acceptatie, maar de aan de drank verslaafde oude bedelaars leken de hoop te hebben opgegeven, zij waren de laatste bladzijde van de stadskroniek en, naar wat de sociaal werkers vertelden, leken ze zich zelfs van elke hulpverlening af te keren.

'Het maakt ze niet uit als je ze wegstuurt, ze vinden wel een andere plek. En als je aanbiedt opvang in een residentiële instelling te regelen weigeren ze dat. Ze willen niets weten van verplichtingen.'

'Het zijn net trotse prinsen,' flapte ik eruit.

Het meisje keek me onverschillig aan.

'Zo ongeveer.'

Garzón reageerde natuurlijk ironisch op mijn opmerking.

'Beginnen we weer met die verhalen over mystiek, inspecteur?'

'Verhalen over goddeloze mannen laat ik aan jou over.'

Die arme Yolanda snapte weinig van ons gehakketak, ze was echter zo verstandig te zwijgen. Maar beter ook, ik zou haar nauwelijks kunnen uitleggen dat dit ook een manier was om met elkaar om te gaan.

Zes uur werken had nog niets opgeleverd, het bleef onduidelijk en werd steeds vager. Er waren namen op onze lijst doorgestreept, maar er bleven er nog heel wat over.

'En we hebben alleen maar de openbare centra gehad, de particuliere komen nog, kunt u nagaan.'

'Hoor eens, Yolanda, bent u hier om ons op te peppen?'

'Wees gerust, brigadier, we gaan ze allemaal af en bovendien zegt mijn intuïtie me dat we dit keer succes zullen hebben. Gaat u nooit volgens uw intuïtie te werk?'

'Ja, ik heb aangevoeld dat…'

De intuïtie van Garzón kennende onderbrak ik hem onmiddellijk.

'Nou ja, het is al laat, we kunnen beter morgen verdergaan.'

'Uitstekend, ik heb hier vlakbij afgesproken met mijn vriend. Ik veronderstelde al dat dit onze laatste locatie zou zijn. Ziet u, inspecteur, dat ik er al aan wen om met u samen te werken?'

'Ja, u doet het heel goed, Yolanda.'

'Heb ik u verteld wat mijn vriend doet, brigadier? Ik vertel het u morgen, u zult het leuk vinden.'

'Ja, ik vind het vast enig,' mopperde Garzón binnensmonds.

We zagen haar kwiek en met lichte tred weglopen. Ik draaide me om naar mijn collega en wist wat er zou komen. Ik had gelijk.

'Nou, wat zei ik? Mijn oren tuiten! Ze zit alleen maar tegen mij te zeuren, tegenover jou houdt ze zich in. Waarom wil ze me verdomme over haar vriend vertellen?'

'Misschien doe je haar aan haar vader denken.'

'Misschien wel aan haar grootmoeder, hou op, zeg! Haal haar van het onderzoek, inspecteur, we hebben haar helemaal niet nodig.'

'Zij brengt ons rechtstreeks naar de centra, ze heeft in tegenstelling tot jou en mij alle informatie over de gemeente en ze kent de stad.'

'Nee maar, een soort ontdekkingsreizigster!'

'Of, zo je wilt, een sherpa uit de Himalaya, maar zolang we Barcelona moeten uitkammen, blijft ze bij ons.'

Ik haalde mijn mobiel tevoorschijn, die al die tijd uitgeschakeld was geweest en keek of er berichten waren. Het was inderdaad geen overbodige voorzorgsmaatregel geweest hem uit te zetten. Ik had zeven berichten en allemaal van Ricard. En elk bericht kwam op hetzelfde neer: hij stond erop dat we nog die avond uit eten gingen. Ik deed de mobiel weer uit en vond het een slimme zet om tegen Garzón te zeggen: 'Je moet maar even ophouden met al dat gemopper, dus ik nodig je uit mee te gaan eten.'

Hij was van zijn stuk gebracht, keek op zijn horloge, keek naar mij en zei weifelend: 'Nu?'

'Ja natuurlijk, laat niet staan tot morgen wat je vandaag kunt eten. Heb je een afspraak?'

'Een afspraak? Nee, maar ik dacht dat er een voetbalwedstrijd op tv kwam die ik...'

'Niet te geloven! Als ik je eerder wel eens voorstelde mee te gaan eten had je al verheugd ja gezegd voor ik was uitgesproken en nu ga je liever naar dat vervloekte voetballen kijken dan…'

'Jij bent degene die me nooit laat uitspreken! Ik wilde zeggen dat het een interessante wedstrijd is, maar dat ik veel liever met jou ga eten.'

'Welnee, zit maar niet over mij in, ik ga in mijn eentje eten en klaar.'

'Petra, hou op, we lijken wel geliefden.'

'Erger nog, we lijken wel een echtpaar.'

'Dan gaan we dus nu eten. En ík nodig je uit.'

Ik had me bezwaard moeten voelen omdat ik Garzón eigenlijk gebruikte. Ik had geen zin om naar huis te gaan en overstelpt te worden met telefoontjes van Ricard en in mijn eentje in een restaurant zitten eten wilde ik ook niet. Maar daarvoor heb je vrienden, dat ze zich voor je opofferen, ook zonder dat ze weten waarom.

We gingen naar een heel exclusief Frans restaurant. Uit schuldgevoel zag ik me daartoe verplicht. Zoals verwacht vergat de brigadier zijn voetbalfrustratie zodra hij de rijk beladen tafel voor zich zag. Zijn eetlust was om jaloers op te worden, hij veranderde in een discrete herkauwer bij een salade en werd een wild roofdier bij een goed stuk gebraden vlees. Eigenlijk zou ik hem altijd voor de maaltijd moeten uitnodigen, want het was een lust voor het oog hem te zien eten. Na een eerste explosie van genot, zoals altijd wanneer hij at, keek hij me nieuwsgierig aan alsof hij me nu pas aan tafel zag zitten: 'Hebben we wat te vieren, inspecteur?'

'Nee, niet echt, maar als je een idee hebt…'

'Op dit moment staat mijn hoofd beslist niet naar festiviteiten.'

'Mag ik vragen waarom niet?'

Hij wierp me een blik toe die een geheim agent niet zou misstaan, schraapte zijn bord grondig leeg en zuchtte een paar keer alvorens te antwoorden.

'Als we hier niet hadden zitten eten zou ik het niet verteld hebben, maar mijn zoon komt een paar dagen over uit New York.'

'Fantastisch, wat fijn!'

'Hij komt met zijn partner, die ik nog niet ken.'

'Des te beter, een goede gelegenheid om haar te leren kennen.'

Hij keek strak naar zijn servet en begon het zorgvuldig op te vouwen, legde het toen abrupt weg en zei luid: 'Petra, die partner is een man. Mijn zoon is homo.'

Hij keek me aan en wachtte op een adequate reactie op die hoogst vertrouwelijke mededeling.

'Ik neem aan dat je zoiets al wist.'

'Ik? Hoe moet ik dat weten? Hij heeft hier heel normaal medicijnen gestudeerd, is toen in de Verenigde Staten gepromoveerd en daar gebleven. Al die keren dat we elkaar hebben gezien is het onderwerp gezin nooit ter sprake gekomen. Hij was niet getrouwd, dat is zo, maar dat vond ik heel normaal. Ik nam aan dat in New York de mensen niet aan dat ouderwetse gedoe doen. Ik vergiste me dus. De mensen in New York trouwen wel, allemaal behalve homo's.'

Het gesprek nam een onverwachte wending, die me een onbehaaglijk gevoel gaf. Wat verwachtte de brigadier van mij, een van die opbeurende praatjes over de algemene acceptatie van welke seksuele voorkeur dan ook? Die man kreeg het altijd voor elkaar me in zijn leven te betrekken zodat ik absurde rollen moest spelen die niet strookten met mijn persoonlijkheid. Maar ik zat eraan vast, en bereid om de rol van koningin van het therapeutisch gezond verstand op me te nemen stak ik van wal.

'Is dat een probleem voor je? Niemand zit daar tegenwoordig nog mee.'

'Ik ben tot de conclusie gekomen dat sommige bergen me te hoog zijn, Petra.'

'Wat wil je daarmee zeggen?'

'Ik heb mettertijd geaccepteerd dat het beroep van politieagent niet meer zaligmakend is, dat ik in deze moderne tijd zo'n klotemobiel bij me moet hebben en mijn verslagen op de computer moet maken. Ik heb zelfs, en vergeef me dat ik er zo de nadruk op leg, de absolute gelijkheid van de vrouw geaccepteerd. Maar dat mijn zoon samenwoont met een kerel gaat me te ver. Ik weiger het te begrijpen.'

'Goed, aanvaard het dan zonder te begrijpen, dat is niet strikt noodzakelijk.'

'Geen sprake van. Mijn zoon wil zolang ze hier zijn bij mij logeren.'

Mijn voornemen om me correct en fatsoenlijk te gedragen verdween als sneeuw voor de zon.

'Allejezus, Garzón, je gaat het niet in je hoofd halen om ze de deur te wijzen…'

'Nee, dat zou ik niet kunnen. Het is per slot van rekening mijn zoon. Ik zorg wel dat ik weg ben.'

'Waar ga je dan naartoe?'

'Naar een pension of zo. Ik zal zeggen dat ze over mijn appartement mogen beschikken omdat het te klein is voor ons drieën en daarmee uit.'

'Dat zullen ze je kwalijk nemen, Fermín.'

'Nee hoor, ik zal een paar avonden met ze gaan eten, ik zal ze de stad laten zien, maar samen onder één dak, geen denken aan.'

'Wat een belachelijk vooroordeel!'

'Dat is het niet, inspecteur. Luister, ik ben bereid ze te ontvangen, geen scènes te maken noch kwaad te worden. Mijn zoon is homo, oké, daar zal ik niets over zeggen. Maar het maakt wel verschil of je het weet of dat je hem 's morgens in pyjama de slaapkamer ziet uitkomen met een kerel, ze goedemorgen wenst als ze samen aan het ontbijt zitten te kletsen, dat je ziet hoe ze als een echtpaar naar elkaar kijken en elkaar ook nog… ik krijg het nauwelijks over mijn lippen, ook nog zoenen als ze denken dat ik even niet oplet.'

Ik was bijna in een daverende lach geschoten, maar kon me met een stoïcijns gezicht inhouden. In feite begreep ik hem, ik snapte waar hij het over had, en zijn betoog, afgezien van het zoenen dan, wekte zelfs wat medelijden op. Garzón probeerde de situatie te aanvaarden zonder zijn gevoel van fatsoen geweld aan te doen.

'Maak er geen drama van, Fermín.'

'Dat probeer ik ook. Toen mijn zoon belde en het vertelde alsof het de gewoonste zaak van de wereld was, deed ik alsof het dat ook was. Ik kan je wel zeggen dat ik het nauwelijks opbracht. Hij had het steeds over "mijn partner" en toen ik hem belangstellend vroeg hoe zijn partner heette en hij "Alfred" antwoordde, was ik met stomheid geslagen. Zoiets zeg je toch niet op die manier. Je kunt niet zomaar tegen je ouders zeggen dat je met "Alfred" samenwoont, alsof er niets aan de hand is.'

'Soms durf je uit respect iets niet te zeggen en daarna wordt het steeds moeilijker erover te beginnen. Maar hij heeft het in elk geval gedaan, al is het wat laat. Hij zal het je vast beter uitleggen als hij hier is. Zoiets moet je ook niet telefonisch bespreken.'

'Afijn, hij komt dus met die… Amerikaan en ik smeer hem.'

'Waar blijf je zolang?'

'Ik ga naar mijn vroegere pension. Ik vind het verschrikkelijk, want ik ben graag op mezelf en een pension is deprimerend. En dan is er ook nog de financiële kant, dat bezoek gaat me een smak geld kosten. Ik zal Coronas om een voorschot moeten vragen: de huur, het pension en de keren dat ik ze mee uit neem…'

'Hoe lang blijven ze?'

'Een week.'

Ik pakte mijn glas, keek naar de rode, fonkelende, verkwikkende wijn. Zacht en soepel voelde ik hem door mijn aderen stromen. Wijn is de enige drank die het gevoel van vriendschap versterkt, van geborgenheid, van tot dezelfde groep te behoren, tot hetzelfde ras, hetzelfde hart. Sterke drank heeft een onvoorspelbare uitwerking. Wijn niet, wijn harmoniseert zielen, verbindt ze.

'Waarom kom je niet bij mij in huis, Garzón?'

Hij keek met zijn goeiige ogen naar me op. In een flits zag ik verbazing, vreugde, dankbaarheid.

'Dat kan niet, inspecteur, maar ik vind het heel vriendelijk van je, echt waar.'

'Waarom kan het niet?'

'Omdat het geen pas geeft en niets oplost. Jij bent mijn meerdere en bovendien een vrouw.'

'Je komt toch niet met oneerbare voorstellen zodra ik mijn nachthemd aantrek?'

'Mijn god, hoe kom je erbij, inspecteur!'

'Dan zie ik niet in waarom je het niet zou doen. Je spaart geld uit, je hebt rust en je hoeft je niet bezwaard te voelen tegenover je zoon. Zeg hem dat je hier bij mij geconcentreerder en intensiever aan een zaak kunt werken.'

'Maar jij bent graag alleen, ik zou je tot last zijn.'

'Het is maar voor een week. Mijn huis heeft twee verdiepingen, zoals je weet. Beneden een slaapkamer en badkamer voor logés en ik slaap boven. Ik zou niet eens merken dat je er bent.'

'Maar ik…'

'Klaar, ik ga niet soebatten.'

'Al goed, inspecteur, oké, ik doe het. Maar als je van gedachten verandert, moet je…'

Ik deed mijn best om zijn starre opvatting van fatsoen te bagatelliseren. Uiteindelijk kwam het voor elkaar, sommigen gaan naar ontwikkelingslanden als vrijwilliger voor inentingscampagnes van een hulporganisatie, en ik zou mijn ondergeschikte voor een week onderdak verlenen. Je moet iets doen voor de wereld nu de walvissen met uitsterven worden bedreigd. Bij het afscheid gaf hij me twee zoenen die in heel Barcelona nagalmden. Hopelijk was dat niet een van zijn gewoonten voor hij ging slapen.

Ik parkeerde de auto tegenover mijn huis. Het was een vochtige, donkere avond. Poblenou lag er verlaten bij. Ik liep naar de deur, ik had het koud en was blij dat ik thuis was. Ik stak de sleutel in het slot en voelde een hand op mijn schouder. Zonder na te denken reageerde ik zoals mij was geleerd in zo'n situatie: ik haalde het pistool uit mijn tas, draaide me om, drukte de man die in het donker stond tegen de muur en zette het pistool op zijn borst terwijl ik hem met mijn volle gewicht in bedwang hield. De verbaasde ogen van Ricard Crespo lichtten op in het donker.

'Petra! Wat doe je?'

Mijn hart sloeg over en mijn adem stokte.

'Petra, ik stond op je te wachten. Ik wilde je alleen maar verrassen.'

Ik draaide me om zonder wat te zeggen. Ik opende de deur en knikte met mijn hoofd dat hij binnen mocht komen. Ik deed het licht aan, trok mijn jas uit en gooide mijn tas op de bank.

'Nu moet je eens even goed luisteren, Ricard. Je bezorgt een politieagent niet dit soort verrassingen en je stuurt ook geen bloemen. Een politieagent is niet de eerste de beste, snap je? Dat kun je wel denken maar het is niet zo. Begrijp je dat?'

'Ja,' zei hij ernstig.

Hij draaide zich om en wilde weggaan. Ik liep naar hem toe en pakte hem bij zijn arm: 'Ga niet weg, alsjeblieft. Het spijt me. Je liet me schrikken, meer niet. Dat is toch een normale reactie, of mag ik niet schrikken?'

'Je zei net dat een politieagent niet de eerste de beste is.'

'Oké, maar wel als hij bang is. Ga niet weg, ik ben echt blij je te zien.'

'Dat laat je wel op een rare manier blijken.'

'Ik kan het je op een betere manier tonen.'

Ik kuste hem op zijn mond. Hij rook lekker, naar medicijnen en tabak, man, huid, hartstocht. We lieten ons op de bank vallen en hij fluisterde me hartstochtelijk in mijn oor: 'Petra, ik moest je zien, ik had je nodig, ik wilde bij je zijn, je zien, je aanraken, je ruiken, ik hield het niet meer…'

Zijn vurige woorden wonden me mateloos op en voor de tweede keer die avond stortte ik me op hem met mijn volle gewicht. Vervolgens kwamen we overeind en trok ik hem mee naar de trap, die we in een zinnelijke roes tree voor tree opgingen. Het bed kon niet langer wachten. We gooiden onze kleren van ons af alsof ze in brand stonden. Geen enkel moment meer zonder hem, was mijn enige gedachte. Het moment was kort en ik liet hem ten slotte bij me binnendringen, verwelkomde hem als een langverwachte regenbui.

Nadat we hartstochtelijk hadden gestreden, geslapen en weer gestreden, vroeg hij om vijf uur 's ochtends zachtjes: 'Zal ik blijven of moet ik gaan?'

Alleen omdat ik zo verdomd trouw wilde blijven aan mijn principes vroeg ik hem weg te gaan. Hij werd niet boos. Ik zag hoe hij zich in het donker aankleedde. Hij zwaaide me gedag en zei lachend: 'Tot ziens, politieagente.'

De volgende morgen keek Garzón me nieuwsgierig aan toen ik zei dat ik slaap had. Hij kon zich niet voorstellen dat ons etentje van de vorige avond reden was om me meteen al vol koffie te gieten om wakker te worden. Toen Yolanda arriveerde had ik al vier koppen op. Ik keek met een weemoedige blik naar haar. Ze zag er fris en stralend uit als een pasgeboren baby. Ik bedacht dat zij misschien ook een liefdesnacht met die vriend van haar had beleefd, maar op haar leeftijd liet dat ongetwijfeld geen sporen na. Ik vroeg me af of ik er wel goed aan deed me overhaast in de liefde te storten, of een overzichtelijke, innige vriendschap of zelfs absolute kuisheid niet beter bij me paste. Maar al die hartstocht en haast in deze relatie was niet door mij ingeblazen. Ricard leek niet erg bescheiden noch beheerst. De lichte onrust die hij met zich meebracht stond een serieus gesprek in de weg over hoe en op basis waarvan onze ontmoetingen te arrangeren. Die gedachte benauwde me, want spelletjes speel ik graag volgens mijn eigen regels. Met moeite kwam ik tot de werkelijkheid terug. Het drong vaag tot me door dat Yolanda al een tijdje tegen me stond te praten. Ik had geen idee waar het over ging maar het leek belangrijk, af en toe las ze wat op van een vel papier dat ze in haar hand had. Het is bekend dat soldaten met liefdesaffaires hun hoofd niet bij de strijd hebben. Dat was ook het geval met Marcus Antonius, die geen gewone politieagent was maar een Romeinse veldheer. Ik probeerde mijn hoofd er weer bij te houden.

'Goed, uitstekend, het is misschien beter dat u me in het kort vertelt waar we moeten beginnen.'

'Dat is aan u, de gemeentelijke eetzalen zijn hier in de buurt. Dan beginnen we, als u wilt, bij Caritas.'

'Vooruit, daar gaan we naartoe.'

Mijn geveinsde enthousiasme kwam geloof ik niet overtuigend over op mijn kleine team, maar er kwam tenminste beweging in.

Onze actieve politieagente zorgde voor uitleg onderweg. Ze praatte aan één stuk door over de problemen waar de politie overal waar we langskwamen mee te maken had. Haar geklets kwam goed uit, ik kon me aan mijn gedachten overgeven en de meest zinderende momenten van de vorige avond herbeleven, maar ik merkte dat Garzón zich liep te verbijten. Jammer voor hem, nu ik hem een slaapplaats bij me thuis had aangeboden, stond hij bij me in het krijt en zou hij vast niet aan mijn kop gaan zeuren.

Opnieuw begonnen we aan die helse ronde langs troosteloze locaties. We bezochten zonder enig resultaat twee eetzalen van de bedeling, maar bij de derde gebeurde er iets. Het was lunchtijd, zodat de tafels klaarstonden en mannen en vrouwen kwamen binnendruppelen. Ik keek bevreemd naar de tafels zonder tafelkleed, metalen waterkannen in diverse kleuren, mandjes met stukken brood. Het rook er naar soep en koffie, een ouderwetse geur die me aan mijn schooltijd deed denken. De moderne tijd was hier nog niet aangebroken. Garzón en Yolanda gingen de foto's aan de eters laten zien en ik maakte een beleefdheidspraatje met de sociaal werkster die de leiding had. Ineens kwam de brigadier met een verheugd gezicht naar me toe.

'Inspecteur, wil je even komen. Er is iemand die de man op onze foto zegt te herkennen.'

De sociaal werkster vroeg wie het was en Garzón wees naar een mannetje op leeftijd dat lachend onze kant op keek. De vrouw trok een smalend gezicht.

'Ach wat, Anselmo! Dat is een stamgast. Hij drinkt als een Maleier en is zo gek als een deur. Ik zou maar niet afgaan op wat hij zegt. Hoe dan ook, ondervraagt u hem alstublieft niet hier, komt u mee naar mijn kantoor.'

Anselmo maakte redelijkerwijs bezwaar.

'Maar ik ga net eten. Als ik met u moet praten mis ik mijn maaltijd. En bovendien wil ik niet naar het kantoor van de directrice. Daar kom je alleen binnen om op je donder te krijgen.'

'En als we u nu eens uitnodigen om in een café wat te gaan eten?'

'Met bier en na afloop een *carajillo*?'

'Uiteraard.'

'Dat verandert de zaak.'

Ik bekeek hem eens goed toen hij opstond. Hij was mager, klein van stuk en droeg een versleten jack, een katoenen broek en sportschoenen. Hij had ondeugende, lachende oogjes en grote, stevige oren. Hij leek wel wat op die slimme laboratoriummuisjes die altijd de uitgang van de doolhof vinden. We namen hem mee naar een eetcafé in de buurt. Eerst moest hij zich op zijn gemak voelen en ons volledig vertrouwen voor we hem vragen gingen stellen. Hij bestelde de maaltijd. Ik had gedacht dat hij zich, zoals vroeger van armen werd gezegd, op het eten zou storten en het naar binnen zou schrokken, maar hij zat er wat in te prikken en liet het bijna onaangeroerd door het gebrek aan eetlust dat alcoholici eigen is. Zijn bierconsumptie was een ander verhaal. Hij goot het eerste glas in één keer achterover en zijn gezicht klaarde op. Hij genoot ervan met zijn tandeloze mond: 'O, wat lekker! In die verdomde eetzalen krijg je alleen maar water. Hoe komen ze erbij? Een mens heeft wat brandstof nodig, zeker in de winter. En als je dan weer buiten staat heb je natuurlijk trek in een neut. Maar als ik een glaasje wijn of een biertje bij het eten krijg, hoef ik de rest van de dag geen druppel meer. Mag ik er nog een?'

Ik knikte, maar realiseerde me dat hij met de spijsvertering van een alcoholicus binnen de kortste keren dronken zou zijn. We moesten hem zo vlug mogelijk ondervragen.

'Hoor eens, Anselmo, hoe heet de man van de foto, wie was hij, waar woonde hij? Vertel ons alles wat u van hem weet, tot in detail.'

'Dat is Tomás de Wijze, arme drommel, ik vermoedde al dat hij dood was, want ik had hem al dagen niet gezien, maar ik vind het erg dat ze hem hebben vermoord, snapt u, want ik ben een rechtschapen mens.'

'Tomás de Wijze?'

'Zo werd hij genoemd omdat hij een wijs man was, heel onderlegd, die rekensommen kon maken en zelfs Latijn kende.'

'Waar woonde hij?'

'Overal en nergens.'

'Waar zag u hem dan?'

'We bivakkeerden altijd samen op een plek, maar ik weet niet meer waar.'

'Hoezo? Was u dan niet steeds op dezelfde plek?'

'Jawel, we zaten altijd op een terrein in La Sagrera. Zeg, waar blijft mijn biertje?'

We vroegen het aan de ober. Ik zag hoe de handen van de arme kerel trilden. Hij stortte zich op het tweede glas als was het zijn redding. Hij haalde diep adem om verder te praten.

'Het enige wat ik in het leven verlang, ik bedoel, als iemand me zou zeggen: "Vraag maar wat je wilt hebben", dan zou ik graag een schip vol rijst willen.'

We keken elkaar alle drie niet-begrijpend aan. Garzón wierp me even een blik toe die beduidde dat ik hem het woord moest geven.

'Nou goed, Anselmo, we hadden het over Tomás de Wijze en dat ze die arme kerel hebben gedood. U moet ons helpen om erachter te komen wie dat is geweest en daarom moet u ons alles, maar dan ook alles, over hem vertellen.'

'Wel, Tomás de Wijze heeft me wat gegeven. Hij gaf graag dingen weg. En ik kreeg ook af en toe een biertje van hem.'

'Beschikte hij over geld?'

'Hij had nieuwe laarzen, maar hij zei dat geld hem niet kon schelen, omdat geld niet gelukkig maakt. Geloof het of niet, maar mijn moeder kon erg goed kegelen en speelde altijd op een heel chique kegelbaan in Barcelona en ze is zelfs kampioen van Frankrijk geweest. Niet van Spanje, van Frankrijk!'

Hij keek ons, zijn vinger in de lucht, met levendige pretogen trots aan.

'We hebben het over Tomás, vertel ons over Tomás.'

'Tomás was een wijze, zoals koning Alfonso X de Wijze, en toen ze een keer zijn laarzen wilden jatten zei hij: "Laat ze maar, zij weten niet wat ze doen." En dat zei Jezus ook. Ik heb Jezus een keer met eigen ogen gezien, hij was in het geel en had krullen in zijn haar en ik…'

Hij kon onmogelijk nu al dronken zijn. Waarschijnlijk drukte hij zich altijd zo onsamenhangend en absurd uit. Garzón probeerde hem bij de les te houden.

'Werd Tomás wel eens met iemand gezien, met mensen die hem opzochten?'

'Een vriend van mij heeft een badkamer voor zichzelf gemaakt met kranen in de vorm van slangen.'

Hij dwaalde steeds verder van ons onderwerp af, hij leek volledig op te gaan in een verhaal waar geen touw meer aan vast te knopen was. Ik bedacht dat als ik hem een tijdje naar de mond zou praten, ik wellicht een voor ons belangrijk aanknopingspunt zou vinden.

'Goh, wat interessant! Een vriend die zulke moeilijke dingen kan maken?'

'Ik zal u laten zien wat ik van Tomás de Wijze heb gekregen. Ik heb het hier.'

We zwegen, met ingehouden adem, terwijl de oude man in een rugzak rommelde. Hij haalde er absurde kleine voorwerpen uit die hij op tafel legde: een schelp, een speldenkussen, gekleurde knopen... Ik dacht opnieuw dat we onze tijd zaten te verdoen, maar ineens had hij een opgevouwen papiertje in zijn hand dat zo te zien lange tijd verfrommeld in die tas had gezeten. Hij vouwde het zorgvuldig open en reikte het me aan. Er stond een met de hand geschreven wiskundige berekening op, misschien een vergelijking, die ik met mijn geringe kennis van de materie niet kon thuisbrengen.

'Kijk eens wat schitterend. Dit kon Tomás en hij zei een keer tegen me: "Hiermee schenk ik je een beetje wijsheid, want kennis is het belangrijkst in het leven." Nou, wat vindt u ervan?'

Ik wist niet wat ik ervan moest vinden. Het waren berekeningen van een ontwikkeld persoon. Ik keek Garzón aan. De brigadier pakte de man bij zijn arm.

'Luister eens, Anselmo, nu breng je ons naar de plek waar Tomás verbleef. We gaan met de auto, oké?'

'En wat geeft u me dan, een schip vol rijst?'

'Nog een biertje, je krijgt nog een biertje en jij geeft ons zolang dat papiertje.'

'Goed, ik weet hoe het hoort en wanneer iemand me vraagt "Hoe gaat het?" zal ik nooit liegen en als ik me die dag niet goed voel, dan zeg ik dat ook. Ik zeg: "Ik voel me niet goed, dank u wel, maar morgen zal het beter gaan." Ik ben een man van mijn woord. En ik wil dat dat meisje met me mee naar huis gaat, want ze lijkt op zo'n mooie dochter van wie de mensen thuis foto's hebben staan.'

Hij wees op Yolanda en greep haar vervolgens stevig bij haar arm. Ik keek naar haar om te zien of ze ontdaan of geschrokken was, maar ik zag dat ze de situatie heel goed onder controle had, ze was duidelijk gewend met bedelaars om te gaan. Ze klopte de man vriendelijk op zijn hand.

'Natuurlijk ga ik met je mee, alsof ik echt je dochter ben en als je wilt mag je zelfs een foto van me maken!'

Ik ging aan de bar betalen en vroeg Garzón mee te gaan om even te overleggen.

'Wat vind je van die vent?'

'Jezus, inspecteur, wat een zeikerd! Hoe komen we te weten wat er waar is van alles wat hij uitkraamt?'

'Maar ik heb de indruk dat er toch een kern van waarheid in zit.'

'Misschien wel en misschien ook niet.'

'En wat denk je van het papiertje? Volgens mij is het echt een wiskundige berekening, maar zeker weet ik het niet.'

'Er is vast iemand op het bureau die het weet. Hoe dan ook, wat maken we hieruit op?'

'We kunnen concluderen dat Tomás de Wijze wiskunde kende.'

'Een weinig interessante conclusie. Wie is Tomás de Wijze eigenlijk?'

'Tomás is niet zo'n veel voorkomende naam. We zouden weer alle gezondheidscentra en opvanghuizen langs moeten, ook de eetzalen, op zoek naar mensen die Tomás heten.'

De brigadier liet zijn ogen rollen, maakte een overdreven slikbeweging en trok een martelaarsgezicht: 'Besef je wel dat Tomás de Wijze een bijnaam kan zijn?'

'Jawel, en ook dat onze goede vriend Anselmo die zelf bedacht kan hebben, maar ik wil je erop wijzen dat we verder niets hebben.'

Hij zuchtte gelaten, hij baalde van onderzoeken waarin je duidelijke gegevens niet mag laten meetellen, maar ik wilde niets aan het toeval overlaten, dus zei ik met mijn hand op zijn schouder domweg: 'Kop op, Fermín, het leven van een politieagent is nu eenmaal geen pretje!'

'Geen pretje? Het is eerder klote, zou ik zeggen. Ah, daar komt Yolanda met het oudje. Die kerel kletst maar door, hij is de enige die haar de mond kan snoeren. Waarom betrek je hem ook niet bij het onderzoek? Dan kan ik even bijkomen.'

De arme drommel liep een beetje te waggelen. Ik kreeg mijn twijfels of hij nog wel wist waar zijn vaste plek was. Het zou een gedenkwaardige tocht worden.

In de auto ging hij achterin naast Yolanda zitten en vervolgde zijn warrige betoog. Hij liet echter af en toe de naam Tomás de Wijze vallen. Yolanda wist hem handig onze bestemming te ontlokken. Hij zei het niet met zoveel woorden, maar zij kon er wijs uit worden. Het was een terrein in de wijk La Sagrera, met bouwketen van de Renfe die tijdelijk niet werden gebruikt.

Opnieuw kregen we dat bizarre schouwspel te zien van drop-outs die als wilde stammen midden in de stad leefden. Toen Anselmo uitstapte, leek hij weer nuchter en met vaste tred liep hij naar een hoek van het gebouw, waar een trapgat zijn domein was. Zijn hele hebben en houden bestond uit een stapel oude tassen en vormeloze zakken. Uit de lappen kwam een grote zwarte straathond tevoorschijn die woest tegen ons gromde. Anselmo aaide hem over zijn kop en het dier toonde hem zijn genegenheid.

'Dit is Tristán, mijn hond. Dankzij hem blijft iedereen van mijn spullen af. Het wemelt hier van de dieven, weet u. Je kunt niemand vertrouwen en ik heb dingen hier die veel waard zijn. Tristán krijgt altijd te eten. Ik maak soep voor hem met stukjes vlees. Ik eet dan wel eens alleen een blik erwten, maar Tristán krijgt elke dag warm eten. Hij heeft een goed leven, Tristán. De hond is de beste vriend van de mens. Mijn moeder, die jonger was dan ik, zei altijd dat wie niet van dieren houdt een ellendeling is, want wij mensen zijn ook dieren en ook kinderen van God. Vogels zijn geen kinderen van God maar alle andere dieren wel.'

'Laat eens zien waar Tomás woonde, Anselmo.'

'Ach, die arme Tomás! Hij is dood, ik heb op een foto gezien dat hij dood is. Hij woonde hier al lang niet meer, maar hij kwam me opzoeken en gaf me mooie cadeaus.'

'Ja, en als hij hier was waar ging hij dan zitten?'

'Daar, op de stenen bank.'

Hij wees onder het afdak van de voorgevel. Er zat niemand op de bewuste bank.

'Weet u waar zijn spullen kunnen liggen? Misschien heeft hij u iets in bewaring gegeven.'

'Iedereen heeft zijn eigen dingen, maar Tomás gaf me cadeaus. In Frankrijk brengt Père Noël cadeautjes maar in Spanje doet de klaverheer dat.'

'Was er hier nog iemand anders bevriend met Tomás, iemand met wie hij sprak, iemand die hem kende?'

'Vrienden zijn het zout in de pap.'

Hij begon in zijn tassen te rommelen en leek zich niet meer bewust van onze aanwezigheid. Garzón fluisterde: 'Het is zinloos, inspecteur, je ziet toch dat hij de kluts kwijt is? We gaan iedereen die we tegenkomen ondervragen.'

'Beginnen jij en Yolanda maar vast. Ik blijf bij hem.'

Ze liepen weg. Ik gaf de hoop niet op dat Anselmo plotseling bij zinnen zou komen en ik moest niet alles wat hij uitkraamde als waardeloos afdoen. Ik sloeg hem gade terwijl hij verwoed in zijn tas zat te graaien. De hond kwam naar hem toe en likte zijn oor, maar hij was zo vol overgave bezig dat hij het niet eens merkte. Hij was gelukkig, dacht ik, zo thuis in zijn wereld, zo beschermd, zo vrij van verlangens of ambities. Wat zou hij in zijn jonge jaren hebben gedaan, was hij getrouwd geweest, zou hij eens een normaal leven hebben gehad? Plotseling verscheen er een triomfantelijke lach op zijn gezicht, hij hield een metalen doosje boven zijn hoofd en riep uit: 'Ha, eindelijk heb ik het gevonden! Kijk eens wat prachtig.'

Hij maakte het doosje open en liet me de inhoud zien. Ik bekeek het nader en zag een heleboel goedkope metalen plaatjes. Het leken sleutelhangers. Anselmo maakte er eentje los uit de kluwen en legde het uiterst voorzichtig in mijn hand. Het waren inderdaad sleutelhangers, spuuglelijke, goudkleurige sleutelhangers met een inscriptie.

'U moet even lezen wat erop staat.'

Ik las hardop: 'Naastenliefde is de spijs der ziel.'

'Mooi, hè?'

'Ja, heel mooi.'

'Die heb ik ook van Tomás gekregen. Hij was een goed mens, hij gaf me altijd cadeaus. Nu geef ik het aan u, want u bent ook een goed mens. Dat meisje zou mijn dochter kunnen zijn, maar als ik getrouwd was, had ik een vrouw als u gehad.'

Daar wist ik niets op te zeggen. Het was een aandoenlijk compliment dat die zonderlinge man, die geen cent te makken had, me maakte en ik stelde het op prijs.

'Het is een heel mooi cadeau, Anselmo. Ik zal het altijd bij me dragen, misschien brengt het me geluk.'

'Het zal u het geluk van de engelen brengen, let maar op.'

'Weet u hoe uw vriend aan die prachtige sleutelhangers kwam?'

'Een vriend heb je nodig, en een hond ook. En bij tegenspoed, een cobra. In het buitenland worden vrouwen bruin door 's nachts spiernaakt op het dakterras in de maan te gaan zitten.'

Ik begreep dat er nu geen zinnig woord meer uit hem zou komen.

'Ik moet weg, Anselmo, ik neem aan dat we je hier altijd kunnen vinden, of in de eetzaal van de bedeling.'

'Hier, in de hoop dat ik een keer een schip vol rijst krijg.'

Ik draaide me om en terwijl ik Anselmo met zijn bizarre waandenkbeelden achterliet, hoorde ik hem met alle verstand zeggen: 'Inspecteur, u moet erachter komen wie Tomás heeft gedood. Die kerels zijn schoften.'

Ik keerde meteen weer om, pakte hem stevig bij zijn schouder en dwong hem me aan te kijken.

'Welke mannen, Anselmo? U weet iets, nietwaar? Vertel me wat u weet en ik zal de moordenaars van Tomás te pakken krijgen.'

Zijn levendige oogjes straalden, maar zijn gezicht verloor verder elke uitdrukking.

'U moet weggaan, ik ben moe, ik wil slapen.'

Het was zinloos, hij was werkelijk niet meer aanspreekbaar. Ik zocht het terrein af naar Garzón en Yolanda. Ik trof ze niet erg tevreden aan.

'Niets, inspecteur, ze zijn allemaal gek of ze willen niet praten.'

'Volgens mij hebben een paar hem herkend, maar hoe krijg je die arme drommels zover dat ze toegeven het slachtoffer van een moord te kennen? Sommigen hebben geen verblijfsvergunning, anderen doen het in hun broek van angst alleen al bij de aanblik van een politieagent. Het is ondoenlijk, inspecteur, geloof me.'

Duidelijk gefrustreerd stapten we in de auto. Garzón gaf een woedende klap tegen het stuur.

'Wat een klotezaak is dit, we komen geen millimeter verder! Het is ook geen wonder, we hebben niet met normale mensen te maken, het lijkt of je op Mars bent als je met die kerels praat. Wat heeft jouw wonderbaarlijke gek gezegd?'

'Dat hij graag met me had willen trouwen. Moet je kijken, dit kreeg ik van hem. Hij had er een doos vol van. Hij had ze van Tomás de Wijze gekregen, zei hij. Zou het een spoor kunnen zijn?'

'Hoogstens een dwaalspoor, want we doen maar wat in het wilde weg. Natuurlijk niet, inspecteur, een reclamesleutelhanger in handen van een mafkees is een aanwijzing van niks.'

'Reclame? Er staat helemaal geen bedrijfsnaam op.'

'Het zal wel van een campagne of loterij van de liefdadigheid zijn, weet ik veel, daar schieten we niets mee op.'

'En toch, die man… kraamt onzin uit en dan ineens zegt hij iets wat misschien wel waar is.'

'Hij is knettergek, dat is het enige wat waar is.'

Yolanda legde respectvol haar hand op Garzóns schouder.
'Rustig nou, brigadier, niet zo negatief. Wij krijgen altijd te horen dat een negatieve benadering van het werk meer problemen genereert.

Zal ik uw nek even masseren? Ik heb zelf een korte cursus massage ge- volgd en de docent zegt altijd dat we…'

Ze was heel subtiel de rug van mijn collega gaan masseren toen hij als door een wesp gestoken opsprong en schreeuwde: 'Niemand hoeft me te masseren, mijn nek niet en ergens anders ook niet en niemand hoeft me wat te vertellen over mijn negatieve benadering, daar ben ik heel trots op. Maar bovenal, agent, hoef ik niet te weten wat uw do- cent zegt, begrepen? Ik wil er niets meer over horen!'

Ik keek tersluiks naar Yolanda, die wat benepen haar schouders op- trok. Een beleefde bemiddelingspoging van mijn kant zou misschien op zijn plaats zijn, hoewel ik eigenlijk om de situatie moest lachen. Ik verkoos mijn mond te houden, ze zochten het maar uit, nu de klaag- zang van Garzón een keer niet tegen mij was gericht…

Terug in mijn werkkamer bereidde ik me voor op de vervelende klus een rapport te schrijven over acties die nergens toe hadden ge- leid. Ik haalde de sleutelhanger uit mijn tas en legde hem op tafel. Even later kwam Fernández Bernal binnen met wat papieren. Het verbaasde me dat hij ze zelf kwam brengen maar ik begreep onmid- dellijk waarom.

'Ik wist niet dat je zo'n diepe verering hebt voor de Maagd, Petra. Pasgeleden zag ik een agent je kamer uitkomen met een bos bloemen en ik vroeg of hij hulp nodig had. Hij zei dat hij die namens jou bij de kerk moest afgeven.'

Ik keek hem aan met een glimlach die niet veel goeds voorspelde.

'Gewoon verering, snap je.'

'Ja, ik snap het.'

Met een spottend gezicht pakte hij de sleutelhanger op en bekeek hem.

'Wat een kitsch, Petra!'

'Die heb ik gekregen.'

'Die kun je ook aan de Maagd schenken, als Ze hem tenminste wil accepteren.'

'Fernández, heb je me iets concreets te melden?

'Nee, ik ga al. Tot ziens, beste collega.'

Ik snoof toen hij weg was. Had die kerel wat tegen mij? En zo ja, waar was dat dan aan te danken, alleen aan het feit dat ik was zoals ik was, dat ik bestond? Wat kon je doen aan een onsympathieke uitstraling die je onbewust op anderen had? Een dergelijk probleem zou me koud moeten laten, maar integendeel, het ergerde me, ik kreeg het gevoel dat ik begon te malen. Had ik een psychiater nodig? Ja, maar om een andere reden. Ik draaide het nummer van Ricard.

'Petra, wat leuk, eindelijk bel jíj!'

'Ik moest nodig met een aardig iemand praten.'

'Gaat er iets niet goed?'

'Gedoe op mijn werk. Je weet toch dat werk niet altijd even bevredigend is. Het is echter wel vanwege het werk dat ik je bel.'

'Dat is ook een tegenvaller!'

'Waarom?'

'Omdat ik dacht dat je met me wilde gaan eten.'

'Het een sluit het ander niet uit.'

'En mag ik na het eten met je mee naar huis?'

'Ja, dat is goed, Ricard, maar je weet dat ik...'

'Ik weet het. Als het zover is pakt Assepoester haar schoen en gaat terug naar waar ze vandaan kwam, oké?'

'Wil je niet weten waarom ik je professionele hulp inroep?'

'Natuurlijk wel, maar ik wilde er eerst zeker van zijn dat er niets ernstigs was. Nu ben ik een en al oor. Barst maar los, je bent niet voor niets een handhaver van de wet, altijd ten dienste van de gemeenschap. Huiver, criminelen!'

Met zo'n dag achter de rug wist ik niet goed of ik de grap kon waarderen of niet.

5

Met Anselmo naar de praktijk van Ricard gaan, bleek makkelijker dan ik had verwacht. Hem bier beloven deed wonderen. Iemand verleiden met een maaltijd en wat drank vond ik beneden alle peil, maar het was geen tijd voor scrupules, ik had ergere dingen gedaan en ik moest er niet aan denken wat me nog te wachten stond.

De hele weg naar het Clínicoziekenhuis was hij dermate in de war dat de afspraak die ik had gemaakt zinloos leek. Toch bleef ik van mening dat hij met Ricard moest praten. Als iemand wist of we de dingen die de man vertelde voor zeker konden aannemen, was het wel een specialist in mentale stoornissen. Hoe dan ook, alleen Anselmo had bewezen Tomás de Wijze te kennen, dus ik kon hem niet zomaar laten gaan.

Ricard ontving ons in zijn rommelige spreekkamer. Hij zag er aantrekkelijk uit in zijn officiële witte jas. De asbakken zaten nog steeds vol peuken en de stapels boeken en papieren waren nog iets hoger geworden dan de vorige keer. Ik vermoedde dat Anselmo zich thuis zou voelen in zo'n zwijnenstal. Ik kreeg gelijk, zodra hij voor het bureau zat, vroeg hij onmiddellijk om zijn bier. Ik moest hem uitleggen dat we na afloop zouden gaan eten en gelukkig vond hij dat goed. Ricard legde uit wat de bedoeling was.

'Eerst praten Anselmo en ik even en dan komt de inspecteur binnen om je ook een paar vragen te stellen. Is dat goed?'

Hij gaf niet aan dat hij het ermee eens was of niet, hij lachte schaapachtig en wreef een paar keer in zijn ogen. Ik verliet het vertrek en ging op de gang zitten wachten. De bereidwillige receptioniste bracht me een roddelblad als tijdverdrijf.

'We leggen geen tijdschriften neer omdat ze in een mum van tijd zijn stukgelezen. Er komen hier zo veel mensen! Dit is van mijzelf.'

'Dank u wel'

'Geen dank, u bent immers de vriendin van de dokter…'

'Ik geloof dat er een misverstand is. Ik ben politieagente.'

'Ja, dat weet ik.'

'Zei de dokter dat ik zijn vriendin was?'

'Hij zei met een knipoog dat ik u een voorkeursbehandeling moest geven.'

'Nou, beschouw dat dan maar als een grapje van de dokter.'

Ze knikte lachend, weinig overtuigd, en ging terug naar haar plaats, terwijl ik opeens woedend werd op Ricard. Die vent was een zielige, loslippige exhibitionist, of… misschien nog iets ergers. Dit was een mooie gelegenheid om erachter te komen wat voor een losbol hij was. Ik liep naar de receptioniste.

'Mag ik u wat vragen?'

'Natuurlijk, vanzelfsprekend!'

'Heeft de dokter veel vriendinnen gehad?'

'Nou, ik weet niet of ik…'

'U kunt het wel vertellen, vrouwen onder elkaar.'

Ze fluisterde en probeerde vertrouwelijk over te komen, terwijl ze me guitig aankeek.

'Ja, hoeveel vriendinnen hij heeft gehad weet ik niet, maar vrouwen zijn weg van hem. Eigenlijk is dat vreemd, toch? Ik geloof dat door zijn verstrooidheid en onverzorgd uiterlijk alle vrouwen denken dat ze hem onder hun hoede moeten nemen.'

'Ons moederinstinct komt boven.'

'Precies! U lijkt ook wel een psychiater. Nou, ik kan u verzekeren dat meer dan één vrouwelijke arts voor hem gevallen is, en verpleegsters… bij de vleet! Menigeen zal zeggen dat hij een vrouwengek is, ik kan u echter verzekeren dat de vrouwen achter hém aanlopen.'

'Ik snap het.'

'Maar hij is nog nooit zo enthousiast over iemand geweest als vandaag over u. Dus, dan weet u het, laat hem niet lopen.'

Nu gaf zij mij een vette knipoog. Ik nam niet de moeite onze liefdesrelatie te ontkennen, ging zitten, verborg mijn gezicht achter het tijdschrift en probeerde mijn verontwaardiging mentaal te verwerken.

Een uur later ging de deur open en liet die liederlijke donjuan met het wetenschappelijke tintje me binnen. Ik deed mijn ogen dicht en hielp mezelf eraan herinneren dat ik aan het werk was en persoonlijke aspecten niet mocht laten meespelen. Ik keek beroepsmatig naar Ricards gezicht. Hij leek niet erg tevreden en maakte een vaag gebaar waaruit ik begreep dat er geen duidelijke resultaten waren.

'Nou, Petra, Anselmo is bereid antwoord te geven op je vragen.'

'Eigenlijk heb ik die al een keer gesteld, hè, Anselmo? Maar misschien hebt u vandaag een beter geheugen. Laten we ze nog eens doornemen. U zei dat Tomás laatst met een paar mannen sprak. Wie waren dat, waar kwamen ze vandaan? Weet u nog hoe ze eruitzagen en of hij al eerder over hen had gesproken?'

'Overal zijn mannen, maar ook vrouwen. Ik ben heel ruimdenkend, ik hoop dat u dat begrijpt, en dat wil zeggen dat ik de vriend kan zijn van een man maar ook van een vrouw.'

Ricard kwam tussenbeide, ging voor hem staan en zei zachtjes: 'Dat is goed, dat mag. Tomás was je vriend, hij was een man, maar andere vrienden waren misschien niet goed voor hem. Heb je erover nagedacht dat zij hem misschien hebben gedood?'

'Om gelukkig te zijn heb ik alleen maar een schip vol rijst nodig. Dat is genoeg voor mij, maar deze maand is er weinig rijst.'

'Anselmo, probeert u zich alleen maar te herinneren wat de volledige naam van Tomás de Wijze was. Dat is voldoende, daar zou u ons echt enorm mee helpen.'

'Ik werd Anselmo genoemd, en mijn broer, Antón, de Koning van Rome. Ik heb een broer gehad die is gestorven, maar die is niet vermoord. Anderen wel, die gooien zich voor de trein, dat is niet goed. Inspecteur, gaan we nog niet eten? Ik heb zo'n honger dat ik een hele koe op zou kunnen.'

Ik keek Ricard moedeloos aan. Hij schudde zijn hoofd, stond op en deed de deur open.

'Wacht buiten even op de inspecteur, Anselmo, zij en ik hebben nog iets te bespreken.'

Dat deed hij en we bleven samen achter.

'Zie je, dat is het enige wat hij zegt.'

'Is hij gek?'

'Ik weet niet in welke mate, maar het is duidelijk dat hij niet normaal is. Hij moet aan een van die aandoeningen lijden die het gevolg zijn van jarenlang alcoholgebruik en verwaarlozing.'

'Je kunt er niet van op aan wat hij zegt.'

'Dat klopt, je had gelijk, plotseling lijkt hij zijn verstand helemaal terug te hebben. Hij is bang, dat is duidelijk, toen jij binnenkwam werd hij nerveus en ging hij nog meer wartaal uitslaan.'

'Verbergt hij iets?'

'Wie zal het zeggen! We kunnen maanden met hem praten zonder dat er iets uitkomt.'

'Ik vraag me af of hij het slachtoffer echt heeft gekend.'

'Daar is moeilijk achter te komen.'

'Nou, we moeten er maar van afzien, we kunnen onze tijd niet verdoen met een arme gek. Ik ga.'

'We zien elkaar vanavond.'

'Ik geloof niet dat dat een goed idee is.'

'Hoezo, waarom niet?'

'Ik heb net gehoord over je enorme succes bij de vrouwen. Wat ben ik, een exotisch beroep op je liefdeslijstje? En geef niet meteen dat meisje buiten op haar kop. Ik heb haar aan het praten gekregen. Daar ben ik bedreven in, zuiver beroepsdeformatie. Tot ziens, het was me aangenaam.'

Ik rende naar buiten zodat hij geen tijd had om te reageren. Ik pakte Anselmo bij zijn arm en sleurde hem in looppas de straat op.

'Hè, wat is er, inspecteur?'

'We hebben haast, het is al laat.'

We lieten het ziekenhuis een eindje achter ons.

'Waar gaan we eten? Ik heb honger.'

Ik pakte mijn tas en gaf hem dertig euro.

'Ik kan niet met u mee. Hier hebt u geld, betaal zelf wat u wilt gebruiken.'

Hij bleef naar het geld staren.

'Ja, maar ik weet niet of dit wel genoeg is, want ik neem twee bier en dan…'

Ik pakte nog tien euro en stopte het in zijn hand.

'Dat is het enige wat u interesseert, hè? Dat verdomde geld, dan bent u niet gek. Hier, eet smakelijk.'

Ik draaide me om en liep snel weg. Ik was kwaad, teleurgesteld, verbitterd over de hele mensheid, maar het mannelijke geslacht in het bijzonder. Daarom vond hij mij zo geweldig en daarom probeerde hij me te versieren. Natuurlijk, evenals tweehonderd andere vrouwen. Ik haatte het stereotype van de verleider, maar kwam hij voor de dag met zijn verleidingstechnieken, complimentjes, zoetsappige praatjes, goedverzorgde uiterlijk et cetera, dan was ik daar toch ontvankelijk voor. Wat ik niet kon uitstaan was het onhandige, weerloze en kinderlijke type dat doet alsof hij favoriet is bij de meisjes. Maar zo kon het wel weer, niet langer denken aan die ijdele gek. Ik had het leuk met hem gehad, dat was alles. Het enige waar ik spijt van had was dat ik door mijn slechte humeur die arme zwerver, die niet goed bij zijn hoofd was en nergens schuld aan had, naar de hel had gewenst.

Eenmaal thuis deed ik de koelkast open en zag een biefstuk liggen die ik de vorige dag had gekocht. Mooi, die zou ik nemen met wat kruiden en een lekker wijntje voor de gelegenheid. Daarna even lezen, een achtergrondmuziekje en tot slot in een diepe slaap vallen. Dat was mijn ideale programma van de laatste tijd en ik zag geen reden om daar verandering in te brengen. Ik waste de sla, sneed die in stukjes en toen ging de telefoon. Natuurlijk was hij het.

'Petra, je mobiel staat niet aan.'

'Dat weet ik. Ik heb hem zelf uitgedaan.'

'En als je wordt gebeld van je werk?'

'Luister eens, je hoeft je geen zorgen te maken over mijn beroepsverantwoordelijkheid. Dat en al het andere regel ik zelf wel.'

'Ik maakte me alleen zorgen om de burgers. Waarom ben je zo bokkig?'

'Ik ben niet bokkig, ik hoop alleen dat je begrijpt dat het voorbij is. Ik wil geen deel uitmaken van je harem.'

'Mijn harem? Waar heb je het verdomme over? Dat maak je op uit wat lichtzinnige opmerkingen van een secretaresse?'

'Ricard, stop maar, het is niet belangrijk. We hebben een paar leuke dagen gehad en dat was dat.'

'Ben jij nou een geëmancipeerde vrouw? Ik had nooit gedacht dat ik een volmaakt curriculum moest hebben om met je om te mogen gaan. Aan de andere kant heb je me totaal geen kans gegeven serieus te zijn. Je hebt duidelijk laten blijken dat het voor de lol was. Een wipje en adieu, hoepel maar op want je loopt in de weg.'

'We leerden elkaar net kennen!'

'Jezus, en hoeveel testen had ik nog moeten doorstaan om bij de schat te komen?'

'Ik laat mijn vrienden tenminste tegen zichzelf vechten, niet tegen een peloton.'

'Petra, weet je hoe jouw houding in de psychiatrie heet? Gekwetst narcisme... en ook domme onvolwassen jaloezie.'

'Jaloers, ik jaloers? Hoe kun je... Sodemieter op!'

'Dat is een grove opmerking.'

'Politieagenten zijn grof, gewelddadig en corrupt. Kijk je nooit naar de televisie? Dag, Ricard, ik maak een eind aan dit belachelijke gesprek.'

Ik hing op. Was ik bij mijn volle verstand, was ik met die ordinaire ruzie begonnen? Ik bleef mezelf verbazen en dat was in dit geval niet positief. Gekwetst narcisme... mogelijk, maar jaloezie, dat ging te ver! De telefoon rinkelde opnieuw, ik probeerde tot mezelf te komen en schraapte mijn keel voor ik opnam.

'Ja?'

'Petra, als je niet naar me kunt luisteren en ook niet beseft dat je jaloers bent... wat moet ik dan met je?'

'Je hoeft helemaal niets met me, je ziet me niet meer!'

'Petra!'

Ik hing weer op, deze keer onbesuisd. Ik haalde drie keer diep adem, kwam overeind, wat was ik ook alweer aan het doen vóór dit gedoe? Ik herinnerde me de gekruide biefstuk. Ik liep terug naar de keuken, ogenschijnlijk rustig, en toen ging die rottelefoon voor de derde keer. Ik stortte me op het toestel dat naast het fornuis stond, pakte de hoorn niet maar greep hem en brulde: 'Laat me met rust, is dat duidelijk, ik wil met rust gelaten worden in mijn vrije tijd. Dat is toch niet te veel gevraagd?'

Het bleef lange tijd stil en toen hoorde ik een overbekende stem.

'Jeetje, inspecteur, wat is er aan de hand?'

'Neem me niet kwalijk, Garzón, dat was niet voor jou bestemd.'

'Gelukkig maar! Ik geloof je, maar heb je niet zo'n telefoon waarop je kunt zien wie er belt?'

'Nee, die heb ik niet, ik heb alleen een ontzettend slecht humeur. Bel je me beroepshalve?'

'Nee, het is iets persoonlijks.'

'Dan hebben we het er morgen over als je het niet erg vindt, want vandaag komt het slecht uit, zullen we maar zeggen.'

'Ja, dat lijkt me ook, dus… goedenavond.'

'Tot ziens.'

Nou, dat waren nogal wat stommiteiten: onnodige belediging van een arme oude gek wegens een slecht humeur, een ordinaire amoureuze discussie met een vent die ik amper kende en het nalaten van persoonlijke hulp aan een collega. Geweldig! Wat moest ik nu nog doen: een hond een schop geven, een oud vrouwtje een klap verkopen, naar een baby spugen? Ik keek naar het stukje vlees dat geduldig op de snijplank lag te wachten op een culinaire behandeling. Ik vond het maar een armzalig, bloederig lapje dat ik niet eens wilde aanraken. Naar de hel met die gastronomische heerlijkheden, ik ging over op het tweede deel van het programma: whisky, muziek en lezen op de bank.

Ik schonk een whisky in en zette de Zevende van Beethoven op. Door een mooie symfonie zou ik de dagelijkse muizenissen vergeten. Mijn gedachten dwaalden af en ik kwam langzaam tot rust. Zou Beethoven ook van die onaangename verwikkelingen in zijn leven hebben gekend? Zou een man die zulke gedragen composities maakte als ik nu hoorde, ook last hebben gehad van kleine dagelijkse zorgen: geld, sociale relaties, vermoeidheid? Zou hij ook spijt hebben van onbenullige fouten die hij had begaan? Zou hij ook wel eens zijn heil gezocht hebben in drank in plaats van een maaltijd klaar te maken? Het deed er niet toe, hij was toch al dood en ik zou nooit componeren, zelfs geen leuk carnavalsliedje. Ik pakte mijn boek. In het begin moest ik elke alinea drie keer lezen voordat ik iets opnam. Daarna ging het lezen en begrijpen als vanzelf. Ik las en las tot ik na een tijdje in slaap viel.

Ik schrok overeind van het geluid van de deurbel, mijn hersens werkten nog niet optimaal. Ik pakte het pistool uit mijn tas en ging opendoen. Voor ik dat deed keek ik door het spionnetje. Het was Ricard. Toen hij tegenover me stond, hief hij zijn handen boven zijn hoofd.

'Niet schieten, inspecteur Delicado, alstublieft.'

'Ik zal niet optreden als een agente als ú geen diagnose stelt, dokter Crespo.'

'Afgesproken.'

We begonnen te lachen. Hij omhelsde me en ik sloeg mijn armen om hem heen. Hij kwam binnen en ik zou liegen als ik zei dat een van ons tweeën aan praten dacht. We wisten heel goed wat de route was en liepen naar de slaapkamer. Maar om drie uur 's nachts was Ricard zo fatsoenlijk zich aan te kleden en te vertrekken. Deze keer protesteerde hij niet en daar was ik hem dankbaar voor.

De volgende dag ging ik slaperig de deur uit en vertrok ik in vliegende vaart naar het bureau, maar ik voelde me voldaan. Het leek mogelijk mijn fouten te herstellen. De vrede met Ricard was getekend en het ongemanierde geschreeuw over en weer vergeten. Later zou ik Garzón opzoeken, hem mijn verontschuldigingen aanbieden en vragen wat hij me de vorige avond wilde zeggen. Wat de arme Anselmo betrof… dat was moeilijker recht te zetten, ik hoopte alleen dat hij zo dronken was geworden dat hij zich mijn kribbigheid niet meer herinnerde. Maar God, mocht hij bestaan, is ongetwijfeld minzaam en edelmoedig en gaf me de kans ook die schade te herstellen. Om tien uur 's morgens was ik druk bezig met het schrijven van een van de rapporten waar ik zo'n hekel aan heb, toen de agent van de wacht binnenkwam.

'Inspecteur, er is een man die u wil spreken.'

Ik geef toe dat ik schrok, want het was dezelfde agent die de bos rozen had aangenomen. Even dacht ik dat mijn minnaar me kwam verrassen, zodat ik terloops vroeg: 'O ja, wie is het?'

'Hij zegt dat hij Anselmo en nog wat heet en dat u hem kent. Maar ik waarschuw u dat hij eruitziet als een bedelaar, een pauper, bedoel ik.'

'Laat hem meteen binnenkomen.'

Kon een mens zo veel geluk hebben? Hij kwam vast om me nog meer bier af te troggelen, maar vandaag zou ik met hem meegaan naar het café, en ook al had ik daar weinig zin in na mijn waanzinnige nacht, ik zou met hem meedrinken en proberen hem niet te vernederen en zijn fantasieën over het schip vol rijst aanhoren. Ik was echt blij toen ik zijn gezicht, als van een middeleeuws keuterboertje, in de deur zag verschijnen.

'Kom alstublieft binnen, Anselmo! Hoe gaat het?'

'Nou, ik zal u eerlijk zeggen wat ik dacht nadat u wegging. Ik dacht: Anselmo, je bent een rotzak, want die vrouw is beter dan de golven van de zee en jij hebt haar kwaad gemaakt. Want u dacht dat ik alleen maar op geld uit was en geld, dat zweer ik bij God die in de hemel is, ik geef niet om geld. Ik doe niets voor geld, begrijpt u? Mijn vader, die zogenaamd notaris was, heeft me geld nagelaten, daar kon ik mee doen wat ik wilde en dat heb ik allemaal uitgegeven.'

Ik moest lachen. Volgens mij zou hij succes hebben met een onemanshow.

'Heel goed, Anselmo, ik ben niet kwaad, echt niet. Als u wilt, gaan we ontbijten in het café hiernaast en nemen we een biertje.'

Hij bedankte als een gekrenkte edelman.

'Nee, geen sprake van. 's Morgens drink ik niet. Maar als u hetzelfde doet als gisteren … ik bedoel dat u me wat geld geeft om te eten, zou me dat wel uitkomen. Ik ben hier immers om mijn verontschuldigingen aan te bieden… is dat een goed idee?'

Ik knikte inschikkelijk en ging mijn tas van de kapstok pakken. Ik haalde er dertig euro uit en gaf het hem: 'Is dit voldoende?'

'Dit? Hiermee koop je alle lakens voor een hospitium. Hiermee kan God de wereld opnieuw scheppen.'

'Laat God met rust, maar vertel eens, ik ben nieuwsgierig. Waarom zegt u altijd dat u met een schip vol rijst gelukkig zou zijn? Wat zou u daarmee doen?'

Zijn gezicht klaarde op, hij lachte gelukzalig, alsof hij beschenen werd door een vreemd licht.

'O mevrouw de agente, als u eens wist wat ik ermee zou doen! Weet u wat ik zou doen? Ik zou naar de zeeën in het zuiden gaan en een eiland zoeken vol inboorlingen en wilden die geen zin hebben in vechten. Dan zou ik paella, rijst met spek en zwarte rijst voor hen maken. Dat zouden ze opeten en ze zouden gelukkig zijn, en ik ook als ik dat zag en daarna zouden we rustig en tevreden de hele avond naar de zee kijken.'

Soms worden we onverhoeds gegrepen door ontroering. Ik kreeg tranen in mijn ogen en een brok in mijn keel zodat ik niets kon uitbrengen. Anselmo zag het en toen begon hij als door de bliksem getroffen, zenuwachtig en druk te gebaren: 'Nee, niet huilen, alstublieft, niet huilen. Ik zal het zeggen, ik zal vertellen wat u wilt weten, maar niet huilen. Hij heette Tomás Calatrava Villalba en hij at altijd bij de jezuïeten van Sarría, daar kennen ze hem. En ik zweer u dat dat alles is wat ik van hem weet, ik zweer het, inspecteur, dat is alles. Maar niet huilen, alstublieft, niet huilen.'

Mijn ontroering ging over in verbijstering. Ik keek hem eens goed aan en wist meteen dat hij op dat moment bij zijn volle verstand was, dat hij de waarheid sprak. Ik pakte mijn spullen en ging de deur uit zonder hem gedag te zeggen. Ik liep naar de agent die in de gang stond.

'In mijn werkkamer zit een man Domínguez, laat hem niet gaan.'

Ik ging op zoek naar Garzón en zag hem op de gang staan praten met Yolanda, die net was aangekomen.

'Kom, we vertrekken, ik wacht op jullie in de auto. Ik vertel het zo.'

Yolanda zei ons dat de jezuïeten evenals andere geestelijke orden een broodje en een appel uitdeelden aan de armen die op een bepaalde tijd voor de poort van het klooster stonden te wachten.

'Maar ik betwijfel of ze een lijst met namen hebben,' voegde ze eraan toe.

'Maar oké, misschien kennen ze hem, weten ze iets meer over hem, zijn adres… Kent u de weg naar dat klooster, Yolanda?'

'Natuurlijk.'

Ze begon Garzón, die aan het stuur zat, aanwijzingen te geven. Dat deed ze zo gedetailleerd en precies dat, zoals ik al vreesde, Garzón het er niet mee eens was en ze een onzinnige discussie begonnen over de verschillende routes naar de plaats van bestemming. Tot ik er genoeg van kreeg: 'Hé, kom eens tot overeenstemming, verdomme! Het is geen wedstrijd, we willen er alleen zo spoedig mogelijk zijn.'

Garzón uitte met een hoofdbeweging zijn onvrede en Yolanda keek me beteuterd aan. Het arme kind was er inmiddels achter gekomen dat het geen lolletje was om met de rijkspolitie samen te werken.

Hiërarchische organisaties bieden voor- en nadelen bij een onderzoek. Het grootste nadeel is dat je voordat je iemand te spreken krijgt altijd toestemming moet vragen aan zijn superieur. Bij de monniken was dat de prior van het klooster. Het voordeel komt daarna, want de baas weet meteen wie je moet hebben, ook al is het er slecht georganiseerd. Bij de kloosterlingen was het broeder Antón die precies om zes uur een kleine maaltijd naar de bedelaars bracht. Hij was een sympathiek, sullig oudje dat duidelijk geen belangrijke taken had. Hij keek onthutst naar de foto en sloeg een kruis: 'God behoede ons voor het kwaad. Beseft u wel, inspecteur, hoe beschermd we hier zijn? God geeft ons monniken een eenvoudig leven, maar voorkomt ook dat we het kwaad zien.'

Zijn stijl was even retorisch en hij haalde even vaak de naam van God aan als die arme Anselmo, bedacht ik.

'Herinnert u zich hem, vader?'

'Broeder, noem me alstublieft broeder.'

Toen hij de juiste benaming had aangegeven, knikte hij. Het viel me op dat hij een Aragonees accent had.

'En of ik hem ken, inspecteur, en of! Hij kwam bijna elke avond eten halen. En het vreemde is dat het hem niet kon schelen of hij at of niet. Soms vergat hij het zakje. Ik geloof dat hij vooral kwam om met broeder Salvador te praten.'

'Wie is broeder Salvador?'

'Die gaat over de bibliotheek.'

'Kunt u hem roepen? We willen graag met hem praten.'

'Dan heb ik toestemming nodig van de prior.'

'Goed, u weet hoe dat opgelost kan worden.'

'Een ogenblik, ik ben zo terug.'

Hij liep weg met snelle, schichtige muizenpasjes. Yolanda keek naar de muren van de sobere zaal waar we stonden. Het was koud.

'Wat een ellende om hier te wonen, hè?'

'Ze hoeven in ieder geval geen huur te betalen,' antwoordde Garzón.

Ik kwam tussenbeide voor ze weer aan een nutteloze discussie konden beginnen: 'Ze hoeven niet alleen geen huur te betalen, ze hoeven ook geen beslissingen te nemen, ze weten altijd hoe ze zich moeten gedragen, ze raken niet verwikkeld in liefdesperikelen, ze maken de werkloosheidslijsten niet nog langer en daar komt bij dat er als ze oud zijn iemand is die voor hen zorgt. Het lijkt me wel wat.'

Yolanda maakte een duidelijk schamper gebaar en gooide er ongegeneerd uit: 'Ja, maar ze kunnen niet neuken. Stel je eens voor, terwijl neuken zo fijn is.'

Ik zag dat Garzón zijn hoofd met een ruk naar het meisje draaide en zijn ogen wijd opensperde. Gelukkig kwam er op dat moment een lange, magere monnik binnen die ons verontrust aankeek, maar daar bleef het bij.

'Dames en heer, ik geloof dat u mij wilt spreken. Ik ben broeder Salvador.'

'Broeder, ik ben Petra Delicado, politie-inspecteur, u weet al dat…'

'Ze hebben het me verteld, ik… ik ben diep getroffen, echt waar. Weet u waarom ze die goede man hebben gedood?'

'Wij weten niet waarom noch wie hem heeft gedood, daarom kan alles wat u zich herinnert ons enorm helpen.'

'Ik sprak hem wel eens. Niet vaak, maar af en toe vroeg hij naar mij. We leerden elkaar kennen toen broeder Antón ziek was en ik hem verving, en ik moet zeggen dat hij me altijd verbaasde.'

'Had dat een speciale reden?'

'Hij was geen bedelaar zoals de anderen die hier komen. Hij was een ontwikkelde, intelligente man. Hij vertelde me dat hij economie had gestudeerd en dat hij jarenlang bij een bedrijf had gewerkt.'

'Welk bedrijf?'

'Dat weet ik niet, hij noemde geen bijzonderheden en ook geen namen.'

'Vertelde hij hoe hij in zijn benarde situatie was terechtgekomen?'

'Hij zei op een keer dat zijn vrouw hem had verlaten. Daar raakte hij blijkbaar zo door uit zijn evenwicht dat hij zijn gewone leventje opgaf.'

'Wat vertelde hij verder?'

'Lieve hemel, dat weet ik niet meer, we hadden het over het leven in het algemeen, over de ellende van de mens… Ik nam altijd aan dat hij graag met mij van gedachten wilde wisselen om op een bepaald niveau te praten. Ik verzeker u dat het milieu waarin hij zich bewoog niet het zijne was. Ik probeerde hem te overreden troost te zoeken bij God, zijn leven weer op de rails te krijgen… maar dat had geen zin, hij dronk te veel en zei altijd dat hij er in de verste verte niet aan dacht de drank te laten staan. Het vreemde is dat het hem niet aan geld ontbrak.'

'Hoezo?'

'Ik had altijd de indruk dat het soort leven dat hij leidde zijn eigen keuze was, of dat hij ze niet allemaal op een rijtje had, hoewel hij zich altijd als een verstandig mens uitdrukte. Af en toe kwam hij hier en gaf me geld om te verdelen onder de armen.'

'Hoeveel geld?' flapte de brigadier eruit.

'Nou, geen enorme hoeveelheden, veertig-, vijftigduizend peseta's.'

'Dat is veel voor iemand die op straat leeft. Zei hij waar hij dat vandaan haalde?'

'Nee, en ik heb het hem ook niet gevraagd. Ik dacht dat hij nog wat spaargeld uit zijn vorige leven had.'

'Hoeveel geld zou het in totaal zijn geweest?'

'Ik weet niet, durf ik niet te zeggen... honderd-, honderdvijftigduizend peseta's, niet veel meer.'

'Gelooft u dat Tomás Calatrava Villalba zijn echte naam is?'

'Hij stelde zich nooit voor met een andere naam.'

'Zei hij waar hij woonde, of waar hij tijdelijk verbleef?'

'Ik meen me te herinneren dat ik hem op een keer... voorstelde iets te regelen in een tijdelijke opvang van Caritas. Hij bedankte ervoor, hij bleef liever op straat. Hij noemde een verlaten gebouw, maar zei niet waar het was.'

'Een gebouw in La Sagrera, of misschien de kazerne van Sant Andreu?'

'Het heeft geen zin, ik weet het niet meer, beide plekken zeggen me niets.'

'Had hij het over bepaalde activiteiten, of met wat voor soort mensen hij omging?'

'Nee, nooit, hij was heel gereserveerd.'

'Denkt u dat hij gestoord was?'

'Gestoord? Wie zal het zeggen, ik weet niet eens wat dat is, gestoord zijn.'

'Ik eigenlijk ook niet. Ik laat ons telefoonnummer achter. Denk erover na en als u zich iets herinnert, hoe onbeduidend ook...'

'Dan bel ik u, dan bel ik beslist. Hebt u de schuldige al?'

Geen van ons drieën antwoordde. Het bleef te lang stil. Ten slotte zei ik: 'We zullen hem vinden, dat is absoluut zeker.'

Ik meende te zien dat Yolanda ietwat trots glimlachte. Ja, zij had nog de leeftijd om te geloven in de chef, gestimuleerd te worden door de teamgeest. Ik keek naar Garzón, die daarentegen met een onverschillig gezicht het plafond bestudeerde. Toen we het klooster uitliepen zei ik tegen Yolanda dat ze kon gaan en ik bleef alleen achter met mijn collega. Meteen barstte hij los: 'Zie je hoe die meisjes van tegenwoordig zijn? Ze hebben het doodleuk over neuken! En dan op die plek!'

'Kom op, Fermín, alsof jij je zo fijntjes uitdrukt en geïmponeerd bent door heilige plaatsen!'

'Nou nee, inspecteur, maar het schokt me dat een jong meisje zulke taal uitslaat.'

'Ze neemt geen blad voor de mond. Maar je wilt haar nu eenmaal afkraken en ik begrijp niet waarom. Eerst zei je dat ze te veel praatte, nu praat ze minder, maar ben je het niet eens met de inhoud. Nou ja, we willen haar ook niet als woordvoerster!'

'Ze is opdringerig! Soms lijkt het wel of zíj de chef is.'

'Daar komt de territoriumdrift van het mannetje naar boven!'

'Wat, wat zeg je daar? Goeie genade, onbegrijpelijk dat je er een feministische draai aan geeft.'

'Ik licht iets toe, dat feministische haal jij erbij.'

'Hou op, inspecteur, alsjeblieft!'

'Laat maar zitten, dat je het met Yolanda aan de stok hebt is erg genoeg. Zullen we eens wat professionaliteit aan de dag leggen en het over de zaak hebben?'

'Zoals je wilt.'

'Hoe denk je over onze vriend Tomás na wat we zojuist te horen hebben gekregen?'

'Nou, opmerkelijk. Een bedelaar-econoom die aan liefdadigheid doet, dat zie je niet elke dag. Het verbaast me wel dat hij poen had om uit te delen. Misschien was hij ergens bij betrokken.'

'Daar heb ik ook aan gedacht, maar aan de andere kant kun je van zo'n weinig alledaagse man van alles verwachten. De broeder hoeft er niet eens naast te zitten, hij kon geld achter de hand hebben, en als hij arm was uit eigen wil…'

We waren aangekomen bij het bureau. Voordat ik naar mijn kamer ging, zei ik tegen Garzón: 'Kijk eens of de naam van het slachtoffer in ons bestand voorkomt. Ik ga proberen of ik nog iets uit die goede Anselmo krijg.'

'Tot uw orders, inspecteur.'

Na een akkefietje over de strijd tussen de seksen liet Garzón altijd merken dat hij het alleen maar beroepsmatig met me volhield. Het was stom van mij om hem uit te dagen. Ik ging naar het toilet. Ik moest even bedenken hoe ik Anselmo het best kon aanpakken. Hij was gevoelig voor tranen, dus kon ik nog wat huilen om te zien of hij meer wist. Als hij echt gevoelig was, had hij in zijn eerlijke bui alles al gezegd wat hij wist. Nou ja, ik zou wel zien.

Tot mijn verbazing was Anselmo niet waar ik hem had achtergelaten. Ik ging op zoek naar de agent die ik de opdracht had gegeven hem te bewaken. Hij stond voor de kamer van Coronas en kwam direct al naar mij toe.

'Inspecteur, daar bent u eindelijk! Die man is vertrokken.'

'Wel verdraaid, ik heb u toch gezegd hem te bewaken?'

'Ja, maar nadat ik met u had gesproken moest ik even bij de commissaris komen en toen ik uw kamer binnenging om tegen die man te zeggen dat hij op de gang moest wachten, was hij verdwenen. Ik heb hem gezocht maar hij was hem gesmeerd.'

'Nou ja, zo belangrijk was het ook weer niet. We weten hem te vinden.'

Dat soort dingen bedoelt men dus als men het heeft over inefficiëntie bij de politie. Eigenlijk was er niets aan de hand, ik liet er geen traan om en dacht ook niet dat dat zou helpen.

Ik belde inspecteur Sangüesa intern.

'Petra, ik was blij met dat papiertje van je dat ik moest ontcijferen.'

'Waarom?'

'Ik heb genoeg van ingewikkelde financiële onderzoeken. Dit was betrekkelijk gemakkelijk. Het is een eenvoudige tweedegraads vergelijking.'

'O ja, en heb je hem opgelost?'

'Ja, grappig dat je een eenvoudige tweedegraads vergelijking niet herkent.

'Zo zie je maar.'

'Vrouwen zijn slecht in wiskunde.'

'Sodemieter op, Sangüesa.'

Hij begon uitbundig te lachen. Ik hing op. Ik kreeg een koekje van eigen deeg en dat smaakte niet. Misschien moest ik me wel verontschuldigen bij Garzón, maar niet te opvallend. Toen herinnerde ik me dat ik hem niet had gevraagd naar de persoonlijke kwestie die hij met me wilde bespreken. Vanmiddag zou ik dat beslist doen, misschien kon het als een soort excuus dienen.

Goed, Tomás de Wijze had zijn lotgenoot een tweedegraads vergelijking geschonken. Die kennis had hij; als hij gedichten had kunnen schrijven, zou het cadeau minder ongewoon zijn geweest. Maar de informatie van Sangüesa kwam te laat, we wisten inmiddels al dat de dode een universitaire opleiding had. Het was allemaal even vreemd, goedfunctionerende mannen die verpauperen en wat wijsheid schenken, zwervers die een vrouw niet kunnen zien huilen. Misschien leefden we toch niet in zo'n moreel verloederde wereld. Je zou zelfs kunnen denken dat zwervers aantoonbaar in een zekere vrijheid leefden, met een bepaalde zwier die wij misten.

Ik maakte het verslag van de verhoren van die dag. Ik had geconstateerd dat als we hem regelmatig op de hoogte hielden van ons werk, Coronas tevreden was en niet ging zeuren. Naarmate ik de gebeurtenissen beschreef en zag wat we over de zaak hadden, besefte ik dat het tot nu toe allemaal erg langzaam en moeizaam ging, en het meest opmerkelijke was dat we nog nauwelijks hypotheses hadden gesteld. Meestal was het andersom, elke aanwijzing die we hadden gaf een heleboel mogelijkheden en dan was het moeilijk niet vooruit te lopen op de echte bewijzen. In de zaak van Tomás de Wijze was dat echter niet zo, we waren net achter zoiets fundamenteels als zijn naam gekomen, maar veel schoten we er niet mee op. Er waren geen aanwijzingen: geen drugs, geen passies... geen traditionele motieven. Toch zat er een luchtje aan, waardoor we de aanvankelijke verklaring niet serieus namen: een paar skins die in een gruwelijke opwelling een dakloze uit de weg ruimen. Zelfs zonder vermoedens gingen we niet van die mogelijkheid uit. Hij was zozeer volgens het boekje om het leven gebracht dat het onaannemelijk leek.

Ik was moe en mijn frustratie begon sporen na te laten, zodat ik de computer afsloot en me gereedmaakte om naar huis te gaan. Maar eerst liep ik langs het bureau van Garzón om aan mijn vriendendienst te voldoen, hij was echter al vertrokken. Ik zou hem de volgende dag wel spreken. Op dat moment had ik alleen maar dringend behoefte aan slaap. Eenmaal in de auto gaf ik plankgas.

Toen ik uit de auto stapte had ik het gevoel dat ik werd bespied. Ik keek naar rechts en naar links, maar er was niemand op straat. Toch kreeg ik dezelfde indruk toen ik voor mijn deur stond. Er ging een tinteling door me heen. Mijn mallotige psychiater hield zich niet erg aan de regels en zou misschien vanuit het donker opduiken. Ik stak de sleutel in het slot en ja hoor, ik voelde een hand op mijn schouder. Ik draaide me lachend om, maar werd meteen tegen de grond geslagen. Twee figuren begonnen me te schoppen terwijl ik mijn gezicht probeerde te beschermen. Ik kon niet overeindkomen of iets terugdoen, ik werd geschopt en geslagen. Ik merkte dat mijn krachten me in de steek lieten, ik werd misselijk, maar probeerde met uiterste krachtsinspanning hun gezichten te zien. Dat was onmogelijk, ik zag alleen twee silhouetten in lompen, met lang haar, en petten op hun hoofd. Ik ging languit liggen en gaf het op. Op dat moment stopten ze met schoppen en slaan. De twee mannen vertrokken. Moeizaam haalde ik mijn tas van mijn schouder en pakte het pistool eruit. Ik richtte zo goed ik kon en schoot. Ik hoorde een kreet. De twee mannen renden weg, eentje hinkend. Ik keek om me heen. Er was niemand, ik was alleen. De smaak in mijn mond werd bitterder en mijn blik wazig. Ik dacht dat ik ter plekke zou sterven en de absurde gedachte kwam bij me op dat dat jammer was, want nog twee stappen en ik had in mijn eigen huis kunnen sterven en niet eenzaam in de nacht, als een hond zonder baas.

6

Ik kwam weer bij op een brancard, met alleen een ziekenhuishemd aan. Ik keek om me heen maar er was niemand. Er kwam een verpleegkundige binnen die zag dat ik wakker was.

'Kijk aan, eindelijk! Hoe voelt u zich?'

'Goed.'

Het klonk zwak, ik had een droge mond.

'Logisch dat u zich goed voelt, we hebben u een injectie Nolotil gegeven, maar u zult nog wel pijn krijgen. Ze hebben u bont en blauw geslagen. Weet u dat nog?'

'Maar waar ben ik, wat is er gebeurd? Ik wil hier af, ik moet nu meteen weg.'

'Nee, nog even wachten. U ligt op de eerste hulp van het Del Marziekenhuis. Ik ga de arts roepen en zij zal het u vertellen. Maakt u zich in ieder geval geen zorgen, uw collega's zijn hier en wachten buiten. Als de arts het goedvindt, mogen ze naar u toe.'

'Welke collega's, hoe heten ze?'

'Zo, meisje, dat zijn heel wat vragen! Wel, twee politieagenten, net als u, want ze zeiden me dat u politieagente bent. Wat een beroep, hè, die ellende die je ziet.'

'Nou ja, hier ziet u ook niet bepaald romantische films.'

Ze moest lachen. Ze knikte, kwam naar me toe en streek met een moederlijk gebaar over mijn gezicht, wat me enorm goed deed.

'Uw kleur is al beter. U had uw gezicht moeten zien toen u werd binnengebracht! Ik zal de arts halen.'

Ik ontspande me en keek naar het raam. De zon scheen. Ik wist nog precies wat er was gebeurd: de dreunen, de twee kerels die wegrenden... ik moest onmiddellijk iemand van het bureau spreken, ik had een man verwond en waarschijnlijk wist niemand dat. Ze hadden allang naar hem op zoek moeten gaan. Ik lag niet rustig op die ongemakkelijke brancard. Ik keek of ik mijn kleren zag, maar die waren er niet. Er kwam een jonge vrouwelijke arts binnen die me koeltjes aankeek.

'Hallo, hoe voelt u zich?'

'Het gaat goed. Luister, ik hoorde dat mijn collega's hier zijn. Ik moet ze dringend spreken.'

'Ja, ze komen eraan. Wilt u niet weten wat er met u aan de hand is?'

'Straks, maar laat ze nu binnenkomen alstublieft. Ik ben politie-agente.'

Ze haalde haar schouders op en liep met een sceptisch gezicht de deur uit. Even later kwamen Garzón en Coronas binnen. De laatste opende zijn armen in een vaderlijk gebaar.

'Verdomme, Petra, je jaagt ons wel de schrik op het lijf! Hoe gaat het nu?'

'Commissaris, ik heb op een van mijn aanvallers geschoten en hij is geloof ik in zijn been geraakt. Ze waren met zijn tweeën.'

'Ja, dat weten we, maak je geen zorgen. Je had je pistool in de hand toen je werd gevonden en half bewusteloos zei je het al. Een buurman heeft de politie gebeld. Alle ziekenhuizen zijn gewaarschuwd.'

'En?'

'Nog niets. De kogel lag bij de stoeprand voor je huis. Waarschijnlijk was het maar een schampschot en het kan zijn dat hij uit angst niet naar een arts is gegaan. We zullen nog even moeten wachten.'

'Ze waren met zijn tweeën. Type bedelaars.'

'Bedelaars?'

'Ik weet bijna zeker dat ze lompen en oude troep aanhadden.'

Garzón, die nog geen mond had opengedaan, vroeg ten slotte heel ongerust: 'Oké, Petra, maar hoe is het met jóú? Het gaat nu allereerst om jouw gezondheid.'

'Hou op met die onzin. Is bekend waarmee ze me geslagen hebben?'

'Daarvoor zul je naar de forensisch arts moeten.'

'Waar wachten we dan nog op?'

'Dat ze je ontslaan, bijvoorbeeld,' zei Coronas.

'Commissaris, ik voel me goed. Ik heb geen breuken of verwondingen, ik weet echt niet wat we hier nog doen.'

'Je kunt het ziekenhuis niet uit zonder een ondertekende ontslagbrief van de arts.'

'Zegt u ze dan dat ik weg moet, dat u me dringend nodig hebt.'

Hij moest lachen en voelde zich gevleid.

'Denkt u dat mijn overwicht overal geldt?'

'Dat idee heb ik altijd.'

'Nou, dan is dat nu verknald! Ik ga met de arts praten, als je je werkelijk goed voelt…'

Hij liep de kamer uit terwijl de brigadier me een woedende blik toewierp.

'De arts zei dat je op zijn minst vierentwintig uur ter observatie moet blijven. Het lijkt me niet verstandig dat je zomaar weggaat. De commissaris kan het geen donder schelen, sterker nog, hij zit erop te wachten dat je terugkomt, maar ik zeg het nog eens, je zou echt nog een nachtje hier moeten blijven.'

'Blijf je dan bij me om me als een vader in te stoppen? Ik verzeker je dat het me wel wat lijkt om wees te zijn.'

'Je bent net een nukkig muildier, inspecteur, als je even niet oplet krijg je een trap.'

'Ik ben een merrie die jarenlang heeft moeten draven. Trek het je niet aan.'

'Wie zou je in elkaar hebben geslagen?'

'Ik weet het niet, Fermín, maar het kan er bij mij niet in dat het echt twee bedelaars waren. Ze renden als ware atleten, wat je normaal niet ziet bij drop-outs.'

Coronas kwam met een glimlach om zijn lippen binnen.

'Dat is geregeld. De arts zegt dat je een formulier moet ondertekenen dat je op eigen verantwoording weggaat. Ze zal je een recept geven voor ontstekingsremmers.'

'Prima. Wanneer jullie willen.'

Ze keken me stupide aan.

'Wanneer jullie willen, wat?'

'Mijn kamer uitgaan. Dat we als politiemensen vriendschappelijk met elkaar omgaan, houdt niet in dat jullie me in mijn blootje hoeven te zien.'

'Nee maar, wat ben jij ongelooflijk bot, Petra!' riep Coronas uit terwijl hij naar de deur liep. Garzón, die hem op de hielen volgde voegde er betweterig en duidelijk hoorbaar aan toe: 'U moest eens weten, meneer.'

De forensisch arts keek me vriendelijk aan. Ze haalde het verband dat om mijn linkerbovenbeen zat eraf.

'Dit zal wel pijn doen, hè Petra?'

'Ja, ik begin het nu te voelen.'

'In ieder geval ben ik blij dat ik je mijn minst ingrijpende dienst kan verlenen.'

'Wie weet moet je binnenkort mijn autopsie verrichten als ik al die pillen heb ingenomen die ze me in het ziekenhuis hebben voorgeschreven.'

Ze lachte een beetje, het gezwollen gebied was zichtbaar, ze zette er een felle lamp op en bekeek het zwijgend. Eindelijk gaf ze zonder haar blik af te wenden in korte bewoordingen haar bevindingen, of dacht hardop: 'Goed, ik moet me vergissen of… nee, ik geloof er niet ver naast te zitten, eigenlijk ben ik er bijna zeker van… absoluut zeker.' Ze keek omhoog naar me: 'Het is allemaal nog wat gezwollen maar vaststaat dat je een fikse trap hebt gekregen. Als je goed kijkt zie je, ondanks het feit dat het rood is, duidelijke lijntjes, een afdruk.'

'De afdruk van een stevige laars, nietwaar?'

'Ja, dat is ook mijn idee.'

'Ik weet genoeg, Silvia. Meer heb ik niet nodig.'

Garzón zat knikkebollend van de warmte en vermoeidheid in de gang te wachten.

'Wie kan er makkelijk in je computer komen, Fermín?'

'Eens kijken… Castillo, als ik hem mijn wachtwoord geef.'

'We vragen hem of hij een adres wil opzoeken en ons dat wil doorbellen. Dan verliezen we geen tijd.'

Dat was makkelijk en snel en duurde maar een paar minuten. De brigadier kreeg de informatie van Castillo toen we al in vliegende vaart van het forensisch laboratorium wegreden. Ik wist wat ik deed.

Ik belde zelf aan en op de vraag van een vrouw antwoordde ik ook zelf 'Politie!' Ze deed open en ik nam aan dat zij de moeder was: vijftig jaar, gewoontjes… een willekeurige huisvrouw uit een arbeiderswijk. Ze schudde ontkennend haar hoofd toen we naar Matías Sanpedro vroegen.

'Hij is er niet. Nou ja, hij is er wel maar hij ligt ziek in bed. Hij kon vandaag niet eens gaan werken.'

'Ik begrijp het. Hij heeft pijn in zijn been, toch?'

In haar ogen stonden vrees, ontkenning, aarzeling te lezen, maar ze koos onmiddellijk voor de aanval.

'Luister eens, mijn zoon is arbeider en, zoals u wel zult begrijpen, als hij in de ziektewet loopt…'

Ik onderbrak haar bits maar bleef kalm: 'Mevrouw, het is menens. Als u ons niet binnenlaat om met uw zoon te praten, krijgt hij een nog groter probleem. Hij speelt een vies spelletje, dus u moet het zelf weten. Als we hier met auto's, politieagenten en de hele santenkraam verschijnen komt iedereen in de buurt het te weten.'

'Mijn zoon heeft niets gedaan, hij heeft zijn enkel verstuikt toen hij uit de werkplaats kwam.'

Ik stapte de hal in en deed behoedzaam een paar passen naar voren. Toen ik merkte dat de vrouw zich niet verzette, liep ik zelfverzekerd verder. Garzón volgde en de moeder van mijn dierbare skin, die geen moment haar mond hield, sloot de rij. Ik opende een deur waarachter elektronische muziek te horen was en daar lag hij in bed met een verband om zijn been. Hij keek me eerder angstig dan vijandig aan.

'Zo zien we elkaar weer,' zei ik.

'Wat wilt u van me?'

De moeder kwam haastig en nog nerveuzer de kamer binnen.

'Mati, ze zijn van de politie. Ik heb ze verteld dat je een ongelukje hebt gehad en gezegd dat…'

'Ga weg, mama, er is niets aan de hand.'

'Maar ze zeggen dat…'

'Donder op!'

Ik zag dat Garzón hem nauwlettend in de gaten hield voor het geval hij een wapen verborg maar de knul bleef languit in bed liggen. De lakens waren bedrukt met hondjes.

'Dus je hebt een ongelukje gehad.'

'Inderdaad.'

'In welk ziekenhuis ben je behandeld?'

'In geen enkel, het is niet ernstig.'

'En er is natuurlijk ook geen arts bij geweest.'

Hij gaf geen antwoord. Zijn mond trilde.

'Kleed je aan, we gaan. En vergeet je laarzen niet aan te trekken.'

'Waar gaan we naartoe?'

'Naar het politiebureau. Je bent gearresteerd.'

'Waarom, wat heb ik gedaan?'

'Sta op, stuk ongeluk, je wilde me mijn aframmeling betaald zetten, maar we zullen wel eens zien wie het laatst lacht.'

'Ik heb je niet geslagen, dat was de ander, ik heb het niet gedaan.'

Garzón greep hem stevig bij zijn arm en dwong hem op te staan.

'En lopen, want dat kun je best! In de auto vertel je wie die ander is.'

We baarden opzien toen we het huis uitkwamen. Ik had de moeder helemaal niet hoeven dreigen met inbreuk op haar privacy, want het geschreeuw van haar zoon had de hele buurt gealarmeerd.

We zetten hem geboeid in de auto en reden naar het politiebureau. Oké, hij had wraak op me genomen, maar zo onbeholpen dat hij er nu voor zou boeten. De minkukel zat op de achterbank te jammeren.

'Ik deed het alleen maar om u duidelijk te maken dat niet iedereen die eruitziet als een skin dat ook is en opdat u eens stopt ons alle doden in de schoenen te schuiven.'

'Ja hoor, je bent een martelaar. Hou nu je kop, ik heb hoofdpijn.'

'Het was niet uit wraak, ik zweer u dat…'

Garzón draaide zich bruusk om en brulde zo hard dat ik me een beroerte schrok: 'Hou je bek, heb je niet gehoord dat de inspecteur hoofdpijn heeft, eikel?'

Opnieuw constateerde ik dat, hoe agressief ik ook optrad, mijn collega me daarin overtrof.

Toen we de straat van het politiebureau insloegen, zagen we tot onze verbazing dat er zich op de stoep aan de overkant een groep mensen stond te verdringen. Het waren journalisten, die zich op ons stortten zodra de auto stilstond. De dienstdoende agenten kwamen ons naar binnen geleiden, zodat we niet onder de voet werden gelopen door de horde fotografen die onophoudelijk flitsten. Onze arrestant hield zijn jack voor zijn gezicht en kwam nauwelijks vooruit, terwijl Garzón op die typische politietoon verzocht ruimte te maken. Ik snapte niet wat er aan de hand was en helemaal niet toen we in het bureau tegen Coronas opbotsten, die naast Yolanda stond. De agenten voerden Matías weg en de commissaris gebaarde ons mee te komen naar zijn kamer.

Hij had de deur nog niet achter zich dichtgedaan of hij viel woedend uit: 'Weet je wel dat je niet te bereiken bent op je mobiel?'

'Dat klopt, ik heb hem inderdaad al een tijd uitstaan, omdat we bezig waren met een actie… Wat moesten al die journalisten, meneer?'

'Antwoord voor u wat vraagt. Wie is die vent die je hebt gearresteerd?'

'Dat is degene die me heeft mishandeld.'

'Heeft hij iets met de zaak te maken?'

'Ik vrees van niet.'

'Hoe ben je hem op het spoor gekomen?'

'Dokter Caminal kwam bij me langs en zag in een van de blauwe plekken de afdruk van een laars.'

'En dat leidde je naar de schuldige?'

Ik keek naar Garzón, die een pokerface trok en naar Yolanda, die bedrukt in een hoek stond. Ik aarzelde.

'Eigenlijk… rook ik hem ook.'

'Wat?'

'Ik had die knul verhoord en toen ze me aanvielen, herkende ik de geur van zijn aftershave. De afdruk van een typische skinheadlaars gaf de doorslag.'

Coronas keek me ongelovig aan, nijdig en toch ook welwillend.

'Nou, Petra, mijn gelukwensen. Laten we eens kijken wat je speurneus oplevert bij wat er zojuist is gebeurd.'

Hij knikte uitnodigend naar Yolanda. Ze zag er ontdaan uit en haar stem trilde toen ze sprak.

'De gemeentepolitie heeft Anselmo dood aangetroffen, inspecteur. Hij is vermoord.'

Garzón en ik deden tegelijkertijd een stap naar voren.

'Vermoord?'

'Ja, op de plek waar hij woonde. Ze hebben een plastic zak over zijn hoofd getrokken en hem met een schot om zeep geholpen. De forensische dienst is daar nu onderzoek aan het doen. Uiteraard heeft niemand wat gezien, u weet wat voor lui daar rondhangen. Ze hadden al zijn spullen doorzocht.'

Coronas nam als 'waardig politiechef' weer het woord.

'Ik heb begrepen dat die man gisteren nog hier was.'

'Klopt.'

'Dan hebben we de poppen aan het dansen, inspecteur.'

'Het komt vaker voor dat bedelaars elkaar bestelen en zelfs ombrengen,' zei de brigadier weinig overtuigend.

'Sodemieter op, Garzón, ik kan je op een briefje geven dat dit in verband staat met de zaak die jullie onder handen hebben. Dus je kunt wel nagaan hoe het ervoor staat. Klote, nietwaar? Met al die hufterige journalisten die het leven zo leuk vinden en de boel ophitsen. Bedenk maar waar ze mee aankomen: dat er een seriemoordenaar van bedelaars rondloopt, dat de politie de drop-outs laat stikken omdat ze geen belasting betalen… ik zou die artikelen ook zelf kunnen schrijven. Ga onmiddellijk aan de slag en kom me niet onder ogen voor jullie een schuldige hebben. Begrepen?'

Normaal gesproken zou ik een ironische opmerking hebben gemaakt, me op een af andere manier hebben verweerd tegen die typische sneer van een traditionele chef, maar ik was te geschokt door wat ik net had gehoord. Die arme Anselmo was dood, waarom, wat hadden we onbewust aan het rollen gebracht, waar was hij bij betrokken, wat wist hij, was de geringe informatie die hij ons had gegeven zo waardevol dat ze hem uit de weg moesten ruimen? Waardoor was Tomás de Wijze iemand van strategisch belang? Kende Anselmo zijn moordenaar? Mijn hoofd liep om en ik kon mijn gedachten niet ordenen. Yolanda kwam bij me staan: 'Ik hoorde dat ze u mishandeld hebben, inspecteur. Hoe gaat het nu?'

'Mishandeling? O ja, die mishandeling! Het gaat goed, dank u.'

Toen pas voelde ik dat mijn hele lichaam pijn deed. Ik liep als een automaat naar mijn kamer, gevolgd door Yolanda en Garzón. Domínguez, de politieagent, kwam naar me toe.

'Inspecteur, het spijt me. Het is mijn schuld dat die man vermoord is, ja toch? Ik had hem beter in de gaten moeten houden.'

'Nee, ik zou hem even later toch hebben laten gaan. Wil je me een glas water brengen, Domínguez?'

Ik ging zitten en probeerde na te denken. Garzón begon een beetje te lachen.

'Meende je wat je zei, inspecteur, herkende je die knul echt aan zijn aftershave?'

Ik keek hem wezenloos aan, het drong nauwelijks tot me door wat hij zei. Domínguez kwam met het glas water binnen en ik nam een van de tabletten die ik had gekregen. Toen ik wat had gedronken kwam ik helemaal bij.

'Mag ik weten wat we hier zitten te doen? We gaan nu direct naar de plaats delict.'

Domínguez draaide zich om: 'Inspecteur Delicado, een zekere meneer Crespo heeft al ettelijke malen voor u gebeld.'

'Ja, dat kan ik me voorstellen.'

We liepen snel naar buiten. Ik deed mijn mobiel aan. Er waren een stuk of wat oproepen van Coronas, en ook van Ricard. Ik was zo in gedachten dat Yolanda zich zorgen maakte: 'Wees maar niet ongerust, inspecteur. Ze zeiden dat inspecteur Fernández Bernal en brigadier Iniesta zich met de situatie hebben belast zolang u er niet was.'

'Fernández Bernal!' Ik vervloekte hem inwendig. Yolanda keek me aan als een bezorgde moeder. Ik ontplofte: 'Ik moet niet ongerust zijn? En wie heeft u verdomme gezegd dat ik ongerust ben! Op het werk ben ik niet gediend van enige persoonlijke beoordeling, begrepen? Van geen enkele!'

Ze stond perplex. Om Garzóns lippen speelde een voldaan glimlachje. Ik zag uit mijn ooghoek hoe hij bij het instappen naar Yolanda keek, zijn wenkbrauwen optrok en zijn schouders ophaalde alsof hij wilde zeggen: 'Het is niet allemaal rozengeur en maneschijn bij Delicado, meisje.' Ik haatte hem, ik haatte ook dat onervaren en emotionele meisje, maar vooral haatte ik mezelf omdat ik een gestoorde, weerloze man had laten vermoorden.

Het terrein met de verlaten gebouwen was door de politie afgezet. Fernández ontving me met nauwverholen leedvermaak.

'Nee maar, Petra, we dachten dat je van de aardbodem was verdwenen.'

'Ter zake, Fernández, ik ben niet in de stemming. Vertel wat er hier is gebeurd.'

'Ze hebben de inspecteur aangevallen. Ze moest naar het ziekenhuis,' interrumpeerde Garzón om hem op zijn nummer te zetten. Dat werkte, want Fernández verschoot van kleur.

'Jezus, Petra, het spijt me, dat wist ik helemaal niet. Sorry voor het grapje.'

'Zand erover.'

Garzón was een psychologisch genie: omdat mijn collega zich bezwaard voelde, vertelde hij alles wat hij wist in plaats van ons nog meer stompzinnige verwijten naar het hoofd te gooien.

'Het lijk is al meegenomen. We zullen zien wat er uit de autopsie komt, maar op het eerste gezicht hebben ze die arme drommel lelijk toegetakeld. Zijn hoofd was kapotgeschoten. Ze hadden een vuilniszak over hem heen getrokken, hoogstwaarschijnlijk om zelf niet met bloed te worden besmeurd.'

'Heeft iemand wat gezien?'

'Maak je een grapje? Hier laat geen sterveling een woord los. Wie geen antecedenten heeft, is illegaal in het land en de rest is een bende zuiplappen en gestoorden. Dus je mag het zeggen.'

'Is er al sporenonderzoek gedaan?'

'Nee, ze zijn daar ergens nog op zoek naar haren, maar op zo'n open terrein en met al die mensen levert het weinig op, denk ik.'

'En de spullen van de dode?'

'Die zullen we nu meenemen. Zijn rotzooi lag overal in het rond, de moordenaar had het allemaal doorzocht, maar ik neem aan dat hij niet uit was op een schat.'

'Laat me die spullen even zien.'

'De forensische dienst heeft al onderzoek gedaan naar bewijzen, dus we mogen er wel aankomen.'

Er stond een politieagent bij het trapgat waar Anselmo bivakkeerde. Hij bewaakte een bende kleding, tassen en dozen die over de grond verspreid lagen. Toen viel mijn oog op de hond van de bedelaar die in een hoek zat vastgebonden. Hij lag doodstil. Ik liep naar hem toe en aaide zijn kop.

'Hij is moe van het janken, dat arme beest. Het was zielig om te horen,' merkte de politieagent op.

'Hij heeft niet veel kunnen doen voor zijn baas,' zei Garzón.

'Hij heeft om hem gehuild, dat is al heel wat,' antwoordde ik. 'Wat gaan ze met hem doen?'

'Naar het gemeenteasiel brengen.'

'Wil jij hem niet, Petra?' vroeg Fernández.

'Nee, dank je, zulke trouwe vrienden verdien ik niet.'

Ik begon de schamele en wanordelijke bezittingen van Anselmo te doorzoeken, een ware uitdragerij van bizarre voorwerpen: oude kleren, kalenders van lang vervlogen jaren, lege balpennen, brillen zonder glazen, riemen zonder gesp… dingen die eens hun nut hadden gehad maar daarna onbruikbaar waren geworden, voor de bezitter zelf waarschijnlijk ook. Ik realiseerde me opeens dat een van de weinige dingen die ik van hem had gezien ontbrak: de doos met de messing sleutelhangers die hij van Tomás de Wijze had gekregen.

'Heeft iemand soms iets meegenomen, de forensische dienst misschien?'

'Nee, die hebben alles nagekeken maar niets meegenomen.'

Ik verzocht Yolanda en Garzón me te helpen met zoeken, omdat ik het tussen al die troep misschien over het hoofd zag. Ik beschreef de doos en we doorzochten opnieuw al dat spul.

'Wat zoeken jullie?' informeerde Fernández Bernal.

'Niets bijzonders, we meenden een doosje te hebben gezien toen we hier waren.'

Hij besefte dat hij niet moest doorvragen als hij het leuk wilde houden. Voordat hij zijn nieuwsgierigheid niet verder zou kunnen bedwingen zei ik: 'Dank voor alles, Fernández. Jullie mogen gaan als je wilt. Wij blijven hier tot de forensische dienst klaar is.'

Meteen toen we alleen waren draaide ik me om naar de brigadier: 'De doos met sleutelhangers is weg.'

'Hij kan hem zelf hebben weggegooid.'

'Vergeet dat maar, het was een van zijn grootste schatten.'

'Ik weet het niet, inspecteur, van zo'n geschifte figuur kun je alles verwachten.'

'Ik wil je eraan herinneren dat alleen dat wat van Tomás de Wijze is geweest er niet meer ligt.'

'Wat stond er ook alweer op?'

Ik zocht in mijn tas naar de sleutelhanger die Anselmo me had gegeven. Hij zat tussen de tabaksrestjes en papieren zakdoekjes.

'Naastenliefde is de spijs der ziel,' las ik op.

'Hoeveel liefdadigheidsinstellingen zijn er in Barcelona, Fermín?'

'Geen flauw idee.'

'Ik geloof dat ik er op het bureau van de gemeentepolitie een lijst van heb, die kan ik morgen meenemen… nou ja, als u mij tenminste nog bij de zaak wilt houden.'

'Jawel, ik wil dat u ermee doorgaat.'

Yolanda moest glimlachen. Ik snapte niet wat haar bewoog deel te willen uitmaken van ons kleine team dat haar zo min behandelde. Ik bekeek de sleutelhanger in mijn hand.

'Ja, zo doen we het, we gaan nog een keer iedereen hier ondervragen en onderzoek doen bij de hulpcentra.'

Maar ik had mijn gedachten er niet bij, die waren eigenlijk bij Anselmo. Die arme dwaas zal nooit meer zijn schip vol rijst krijgen, dacht ik en ik had te doen met zijn arme beenderen en met zijn hond, de enige erfgenaam van zijn nagedachtenis.

Ik was kapot toen ik thuiskwam, maar wist niet of het van de aframmeling kwam of van de spanning. Mijn armen deden zo'n pijn dat ik sterretjes zag toen ik de auto moest parkeren. Bij het portiek gekomen zag ik een man op de trap bij de voordeur zitten. Hij haalde een witte zakdoek tevoorschijn en zwaaide ermee.

'Niet schieten, Petra, ik ben het!'

Ricard keek me bezorgd aan. Ik gaf hem een mat glimlachje.

'Wat was er aan de hand? Ik heb de hele dag geprobeerd je te bereiken. En op het politiebureau wilden ze me niets zeggen. Ik maakte me ontzettend ongerust.'

Ik besefte dat een van de redenen waarom ik niet wilde samenwonen was dat ik bij thuiskomst geen uitleg hoefde te geven. Ik deed niet eens moeite om vriendelijk te zijn.

'Het was een rotdag, Ricard. Gisteren werd ik door een paar skins mishandeld en ik zit onder de blauwe plekken, dus ik doe het graag heel rustig aan vanavond. Misschien voel ik me morgen beter.'

Hij kreeg een harde uitdrukking op zijn gezicht en haalde zijn hand van mijn schouder. Op een toon die ik niet van hem kende, zei hij: 'Denk je dat ik alleen maar bij je kom om te neuken, denk je dat echt? Je hebt geen hoge dunk van me, Petra, ik snap dan ook niet hoe je ooit mijn gezelschap hebt kunnen verduren. Goedenavond.'

Hij draaide zich om en liep weg. Ik ging hem achterna: 'Ricard, kom terug. Verlang niet van me dat ik sorry zeg. Ik zou je alleen willen vragen alsjeblieft bij me te blijven.'

Ik pakte hem bij zijn hand en trok hem mee naar binnen. Ik deed mijn jas uit en staarde verslagen naar de grond. Hij sloeg zijn armen om me heen.

'Ik voel me klote omdat ze een oude gek hebben vermoord die alleen een schip vol rijst wilde hebben. Snap je dat?'

'Jawel.'

'En ik voel me klote om zijn hond, snap je dat ook?'

'Ja.'

Die nacht sliepen we bij elkaar, volmaakt vredig en kalm. En toen het ochtend werd ging hij niet weg en dat verlangde ik ook niet van hem.

7

Om zeven uur 's morgens ging de telefoon. Lekker is maar een vinger lang, dacht ik. Het was brigadier Garzón.

'Petra, neem me niet kwalijk dat ik zo vroeg bel, maar ik dacht dat je al op zou zijn.'

'Natuurlijk ben ik op,' zei ik, een been tussen de dijen van Ricard weghalend.

'Ik had iets persoonlijks met je willen bespreken, weet je nog, maar we gingen zo op in ons werk dat het er niet van is gekomen.'

'Dat klopt, vertel maar.'

'Vandaag komt mijn zoon uit New York met je weet wel en... nou, zoals je zei... maar ik heb erover nagedacht en ik geloof dat het beter is dat ik naar een pension ga.'

'Nee, Fermín, geen zorgen. Ik weet heel goed wat ik heb aangeboden en daar blijf ik bij. Ik zal een briefje neerleggen voor mijn hulp dat ze de logeerkamer in orde maakt.'

'Je weet niet hoe dankbaar ik je ben, echt waar.'

'Laat die complimentjes maar achterwege, we zien elkaar zo.'

Ricard rekte zich naast me uit. Hij keek geschrokken op zijn horloge.

'Verdomme, wat laat, ik moet eruit! Ga jij eerst douchen of ik?'

'Ga jij maar eerst, dan maak ik het ontbijt klaar, want jij weet toch niet waar de spullen in mijn keuken staan.'

Terwijl ik koffiezette zag ik duidelijk het belachelijke van de situatie in. Eindelijk had ik een minnaar die mocht blijven slapen en uitgerekend op dat moment zou de brigadier bij me komen logeren. 'Geweldig,' dacht ik. 'De voorzienigheid mag dan over ons waken, maar gevoel voor timing heeft ze niet.'

De uitslag van het ballistisch onderzoek was volkomen duidelijk. We hadden opnieuw te maken met een kogel vol inkepingen die afgeschoten was met een overdruk. Alle inkepingen kwamen overeen. Anselmo was met hetzelfde pistool vermoord als Tomás de Wijze. Niemand kon er nu nog aan twijfelen dat beide gevallen met elkaar te maken hadden.

We gingen terug naar de plek waar Anselmo dood was aangetroffen. Het ondervragen van eventuele getuigen en de steeds kleinere kans dat er familieleden van Tomás de Wijze zouden opduiken, waren de enige mogelijkheden die we hadden. Yolanda ging niet mee. Zij bleef zoeken naar gegevens over liefdadigheidinstellingen, maar ze vertelde ons dat de gemeentepolitie bevel had gekregen van de burgemeester om na het gebeurde het grote vervallen huis met krakers en bedelaars te ontruimen, zodat we maar weinig tijd hadden.

Onze collega's van de forensische dienst waren klaar met het verzamelen van mogelijke bewijzen. Hoewel hun werk heel wat inspanning vergde, was het niet te vergelijken met de extreme vermoeidheid die ongewisse verhoren veroorzaakten, vooral wanneer ze voor de tweede keer plaatsvonden.

Het leven op deze plek was niet erg veranderd, misschien liepen er wat minder mensen rond dan de vorige keer. We begonnen opnieuw. Weer zagen we de afschuwelijke kring met blinde ogen, dove oren en tongen die niets losslieten. Twee uur later was het mysterie door wie en hoe Anselmo was vermoord nog even duister als daarvoor.

'Laten we een cafeetje opzoeken voor een kop koffie, inspecteur. Ik kan niet meer.'

We gingen naar een armoedig café in de buurt. De koffie was bitter en sterk als olifantshuid, maar wel te drinken. Er waren weinig klanten op dit uur, dus toen er een zwarte jongeman binnenkwam die naast ons aan de bar plaatsnam, viel ons meteen zijn vreemde gedrag

op. Hij keek naar Garzón, daarna naar mij, maar zat niet op zijn gemak op de barkruk toen hij een mineraalwater bestelde. De brigadier
en ik wisselden een blik van verstandhouding. Ik draaide me om en
zei lachend: 'Bestel ook maar koffie, wij trakteren.'

De eigenaar van het café begreep niet goed wat er aan de hand was,
maar zette toch wat achterdochtig het kopje neer voor de zwarte man.

'Dank u wel, ze hebben hier lekkere koffie,' zei hij in redelijk
Spaans. 'Zullen we daar gaan zitten?' voegde hij eraan toe en wees op
een tafeltje ver weg van nieuwsgierige blikken. Prima, we waren op de
goede weg. Ik probeerde die voor hem te effenen.

'U bent ons gevolgd, hè?'

'Jullie zijn van de politie?'

'Ja.'

'Ik weet het. Ik heb wat gezien en daar wil ik over praten, maar hier
en niet op straat met al die agenten.'

'Uitstekend, vertel maar.'

'Ik wil een ruil doen, het een voor het ander. Ik vertel bepaalde dingen en jullie geven me papieren om in Spanje te blijven, ja, is dat oké?'

Hij had een pikzwarte huid, verschrikte en schuwe ogen. Garzón
reageerde meteen.

'Man, ben jij gek of zo? Wat nou ruil, verdomme, geen denken aan!
Besef je wel dat we je kunnen arresteren voor wat je daarnet zei?'

De jongeman was niet erg onder de indruk. Hij schudde fel van nee
met zijn grote hoofd.

'Als jullie me het land uitgooien, kom ik weer terug maar dan weten jullie niet wat ik heb gezien.'

'Dan ben je een klootzak, vertel nu wat je weet als je niet wilt dat...!'

Hij was absoluut niet bang en de uitval van mijn collega deed hem
niets. Ik meende van tactiek te moeten veranderen: 'Kijk, het zit zo...
Hoe heet u?'

'Mijn naam doet er niet toe.'

'Wij kunnen u namelijk de papieren niet geven. Dat hangt van de
rechters af, van de immigratieautoriteiten, van duizend andere dingen
waar wij absoluut geen invloed op hebben. Wat we wel zouden kunnen

doen is een papier ondertekenen waarin staat dat u uw goede wil hebt getoond voor dit land door samen te werken met de politie bij het ophelderen van een misdrijf. Als bij het verlenen van verblijfsvergunningen uw geval dan ter sprake komt, werkt dat in uw voordeel.'

Hij dacht even na. Het leek hem beter dan niets. Opeens kwam hij met nog wat op de proppen.

'Maar dan wil ik nog iets.'

'Wat?'

'Ik weet niet, iets.'

Opeens begreep ik het.

'We kunnen u twintig euro geven, als kleine beloning.'

'Nee, honderd.'

'Honderd is te veel.'

Garzón kwam er tamelijk kwaad tussen: 'Maar inspecteur, je weet toch dat die vent wettelijk verplicht is om te praten? Laat hem maar aan mij over, dan leg ik hem de duimschroeven aan.'

'Dertig euro, meer niet,' zei ik.

'Vijftig.'

'Oké.'

Hij knikte instemmend en wachtte op het geld. Ik gaf het hem. Garzón stond naast me te koken van woede.

'Ik zag dat twee mannen die ouwe neerschoten. Toen doorzochten ze zijn spullen, pakten er maar één ding uit en namen dat mee.'

'Vertel eens iets meer over die mannen. Zou je ze herkennen?'

'Nee, het was donker en ze hadden helmen op.'

'Waren ze jong, lang, sterk?'

'Normaal, lang.'

'Spraken ze met hem?'

'Nee, ze schoten zonder iets te zeggen.'

'Kwamen ze op een bromfiets?'

'Dat weet ik niet. Ze liepen weg, maar niet hard.'

'Heeft iemand anders ze ook gezien?'

'Nee, ik stond achter een vrachtwagen, ik was bang.'

'Kan het een doosje zijn geweest dat ze meenamen?'

'Dat kan, het was klein.'

'Heb je ze horen praten?'

'Weinig. Ik hoorde alleen: "Daar is het."'

'Spraken ze Spaans?'

'Alleen: "Daar is het" en daarna gingen ze verder in een vreemde taal.'

'Goed, ik geef je ons adres zodat je de positieve verklaring voor je medewerking kunt komen ophalen.'

'Nee, dat hoeft niet, ik ga nu.'

Hij rende het café uit. Ik vond het merkwaardig dat hij niet geïnteresseerd was in het beloofde document. Dat zei ik tegen Garzón, maar mijn collega scheen het allemaal niet grappig te vinden.

'Zo graag willen ze nou integreren in dit land.'

'Jezus, Garzón, wat wil je dan, dat hij het volkslied gaat zingen? Die vent zit in de nesten, is verdoemd sinds zijn geboorte. En gek is hij niet, want hij weet dat ik hem een waardeloos vodje papier aanbied.'

'Ja, oké, maar van papiergeld is hij niet vies.'

'Je bent wel naïef.'

'Naïviteit is jouw talent, arme sloebers geld geven. En ik weet zeker dat je dat niet declareert bij Coronas.'

'Dat is mijn liefdadige bijdrage, ik behoor tot geen enkele organisatie… Maar goed, zullen we het over iets concreets hebben of blijven we in de ruimte kletsen?'

'Oké, geloof je dat de informatie die je hebt gekocht van belang is?'

'Objectief gezien waarschijnlijk niet, maar subjectief gezien zeer zeker.'

'Kun je dat uitleggen?'

'Met genoegen. Ik deel je plechtig mede dat ik er nu van overtuigd ben dat Tomás de Wijze betrokken was bij een louche zaakje dat te maken heeft met deze sleutelhanger hier. Een zogenaamde liefdadigheidsinstelling, een bende oplichters? Dat weten we nog niet, maar voor het eerst sinds we aan deze rotzaak zijn begonnen, geloof ik dat we op de goede weg zitten.'

'Dat kan zijn, maar als zo'n armzalig type als Tomás zich met een louche zaak bezighield, waarom kwam hij de armoede dan niet te boven?'

'Dat wilde hij niet, maar door met zo'n louche zaakje bezig te zijn, had hij genoeg reserves om zich te kunnen redden en bovendien kon hij schenkingen doen aan de kapucijner monniken.'

'Zoals jij schenkingen doet aan alle verslaafden.'

'Het kan ook zijn dat hij op een of andere manier werd gechanteerd.'

'En wie zou zo'n vent willen chanteren?'

'Ik herinner je eraan dat hij een gestudeerd man was. Een econoom kan van groot nut zijn bij een illegaal zaakje.'

'Het begint allemaal te lijken op een hallucinatie, inspecteur: bedelaars die aalmoezen geven en zogenaamde liefdadigheidsinstellingen die stelen... De wereld op zijn kop.'

'De wereld staat altijd op zijn kop, Fermín, alleen in de geest van de mens staat hij in de juiste positie.'

'Dat is al iets.'

De journalisten begonnen amusante maar verontrustende verhaaltjes te verzinnen voor de lezer. Een bende skinheads voelde zich gerechtigd de stad van bedelaars te zuiveren. Bij gebrek aan informatie werden pagina's gevuld met de ideologische karakteristieken van Europese neonazigroeperingen. Af en toe gaf Coronas een inhoudsloze persverklaring vol gemeenplaatsen: 'We hebben nieuwe aanwijzingen, er worden diverse onderzoeksmethoden gehanteerd, we kunnen geen nieuwe gegevens verschaffen om de rechercheurs niet voor de voeten te lopen.' Toch kreeg de zaak geen enkele prioriteit en wij kregen geen extra assistentie. Dat er bedelaars werden vermoord riep in de publieke opinie duidelijk een vaag verlangen naar sociale rechtvaardigheid op, maar het vormde geen bedreiging. De mensen konden nog rustig over straat lopen en naar hun werk gaan. Hun kinderen noch hun veiligheid waren in gevaar, zodat alles onder controle bleef. Dergelijke omstandigheden noopten niet tot extra maatregelen. Desondanks oefende Coronas een enorme druk op ons uit, ook omdat de pers erover bleef schrijven. Tegen het eind van de middag kwam hij naar mijn kamer.

'Luister eens, Petra, wat vind je ervan als ik tegen de media zeg dat we een skin hebben opgepakt?'

'Hij heeft niets met de zaak te maken, commissaris.'

'Dat weet ik, maar als we die persjongens een bot voorhouden, hebben ze iets om op te kluiven.'

'Ik vind het eerlijk gezegd iets te ver gaan om de moord op twee mensen in de schoenen van een arme drommel te schuiven.'

'Wat kan jou de reputatie schelen van de rotzak die jou heeft aangevallen?'

'Hij heeft familie.'

'Kanonnenvoer, evenals de bedelaars, allemaal één pot nat…'

'U moet doen wat u niet laten kunt, maar het maakt het misschien alleen erger. Voor hetzelfde geld beschuldigen ze ons ervan met onterechte verdachten te komen.'

'Ik weet het niet, ik ga nadenken over wat het beste is. Vooralsnog laat ik het zo. Kan de zaak snel gesloten worden?'

Hij keek me strak aan maar zonder intimiderend te willen zijn, hij was alleen benieuwd. Om hem op te beuren antwoordde ik tamelijk overmoedig: 'Ongetwijfeld. Het is een kwestie van dagen.'

'Hoe minder hoe beter. Die ellendige publieke opinie daargelaten, baal ik ervan dat jij en Garzón alleen maar met dit bedelaarsgedoe bezig zijn. Bovendien is Llorente met ziekteverlof en… nou ja, dit bureau krijgt het wel te verduren.'

Mompelend en naar de grond kijkend liep hij weg. Hij was moe, had er waarschijnlijk even genoeg van. Hij zat in een dip, daardoor was hij nu natuurlijk minder autoritair dan gewoonlijk.

Het was tijd om te vertrekken. Ik sloot de computer af en pakte mijn spullen. Opeens dacht ik aan Garzón. Als alles volgens plan ging, zou hij vannacht bij mij logeren. Ik ging op zoek en vond hem nog steeds aan het werk.

'Ben je er nog?'

'Ik haal mijn tijd in, ik ga eten met mijn zoon en zijn…'

'Partner.'

'Dat is het, zijn partner.'

'Ik hoef je niet te zeggen, Fermín, dat mijn huis tot je beschikking staat, niet alleen om te slapen. Hier heb je een reservesleutel. Ga ernaartoe, rust uit, zet de televisie aan, ga naar de keuken en pak uit de koelkast wat je wilt... Gebruik mijn huis deze week alsof het je eigen huis is, zonder rekening met mij te houden. Oké?'

'Je bent een uitzonderlijke chef.'

'Dat moet wel met zo'n ondergeschikte.'

'Ik vraag maar niet wat je daarmee bedoelt.'

Lachend liep ik weg. Het zou een hele tijd duren voor die arme, conventionele Garzón begreep dat hij zich niet hoefde te schamen voor de seksuele geaardheid van zijn zoon. Eenmaal buiten belde ik Ricard.

'Wat vind je ervan als we vanavond uit eten gaan?'

'Goed en noodzakelijk.'

'Ik kom je ophalen en ik betaal. Wat wil je nog meer?'

'Daarna naar jouw huis.'

'Het was een retorische vraag.'

'Die ik heb beantwoord.'

Ik giechelde onnozel, die man was bijzonder, ik mocht hem wel, een beetje chaotisch, maar chaos heeft altijd komische kanten.

Na de heerlijke maaltijd in een Libanees restaurant kwam ik mijn belofte na. Tijdens de rit naar mijn huis vond ik dat ik de situatie moest uitleggen.

'Vandaag kun je niet blijven slapen.'

Van opzij zag ik dat zijn gezicht betrok.

'Nou, ik ben mijn privileges ook snel weer kwijt!'

'Ik heb een logé en ik vind het niet prettig als hij je 's morgens ziet.'

'Ik dacht dat je over bepaalde vooroordelen was heen gestapt.'

'Het is brigadier Garzón, mijn naaste collega. Hij logeert een week in mijn huis en ik heb geen zin hem uitleg te geven.'

'Prima.'

'Begrijp je het of leg je je er alleen bij neer?'

'Maakt dat enig verschil voor jou?'

'Ricard, laten we geen problemen creëren waar ze niet zijn.'

'Het verbaast me dat een geëmancipeerde vrouw als jij…'

'Ik ga mijn beslissingen niet verdedigen.'

'Dat klopt, daar ben je niet toe verplicht.'

Er ontstond een ongemakkelijke en vervelende stilte. Ik bedacht hoe moeilijk het was een relatie zonder spanningen tussen man en vrouw te hebben. Ricard moet mijn gedachten hebben gelezen.

'Ik wil niet dat je mijn aanwezigheid als een last ziet, neem me niet kwalijk.'

'Zullen we het maar vergeten?'

'Dit zou niet gebeuren als we besloten te gaan samenwonen.'

'Dan zou het nog veel erger zijn.'

'Toe nou! Ik zou elke morgen als een artilleriekorporaal je pistolen schoonmaken.'

We lachten het weg voor de stemming kon verslechteren en de kwestie die Ricard aansneed verdween op het juiste moment naar de achtergrond. Het was veel te vroeg om aan enig langdurig samenwonen te denken.

Om een uur 's nachts, na een heftig liefdesspel, hoorden we vanuit mijn bed de voordeur open- en dichtgaan.

'Is dat je collega?' fluisterde Ricard.

'Ja.'

'Ik hoop niet dat hij zich als een militair of zoiets bij je komt melden.'

'Dat is niet zijn gewoonte.'

We omhelsden elkaar lachend en probeerden geen geluid te maken. Daarna viel ik in een diepe, aangename en zorgeloze slaap. Op zeker moment merkte ik dat Ricard opstond, maar ik was niet wakker genoeg om dat te betreuren. Dat duurde echter niet lang. Door een vreselijk geschreeuw leek het of ik uit mijn eigen lichaam werd losgerukt. Ik sprong uit bed zonder te weten wat er gebeurde en rende de kamer uit. Ik keek naar de benedenverdieping maar daar was het stil en donker. Nog wat ongecoördineerd reageerde ik.

'Wie is daar?'

Ik deed het licht aan en voor mijn ogen ontvouwde zich een scène die ik van mijn leven niet meer zal vergeten. Ricard stond met zijn handen in de hoogte midden in de kamer en Garzón stond tegenover hem met zijn pistool op hem gericht. Meteen begreep ik het misverstand, mijn opkomende woede voor die twee indringers werd daardoor niet minder.

'Mijne heren, wat zijn jullie in godsnaam aan het doen?'

Beiden stamelden wat als betrapte schooljongens.

'Ik liep de trap af en omdat er wat licht van de straat naar binnen viel, deed ik het in huis niet aan en toen ik beneden kwam...'

'Het spijt me, het spijt me enorm. Toen ik aankwam ben ik even in de huiskamer gaan zitten en ingedommeld. Ik zag in het donker een man door de kamer lopen en... nou ja, mijn eerste reactie was mijn wapen pakken.'

'Oké, oké, heren, het is allemaal één groot misverstand zullen we maar zeggen. Jullie begrijpen dat het niet de gelegenheid is jullie aan elkaar voor te stellen. Wij zijn allemaal vredelievend, dat is het belangrijkst. Kom, Ricard, ik loop met je mee naar de deur.'

'Ik ga naar mijn kamer, inspecteur. Het spijt me, echt waar, het was niet mijn bedoeling meneer schrik aan te jagen noch...'

Ik pakte Ricard bij zijn arm en liep met hem naar de voordeur. Toen pas realiseerde ik me dat ik in pyjama was, op blote voeten, ongekamd en vermoedelijk wallen onder mijn ogen had. Ik zat niet te wachten op nog meer beleefdheidsformules. Ricard wees met zijn vinger naar me toen we alleen waren en fluisterde: 'Het zou geweldig zijn om bij je thuis te kunnen komen zonder dat iemand een pistool op me richt.'

'Je weet dat het leven van een minnaar beroerd is.'

'Het mijne begint op een horrorverhaal te lijken...'

'Ik zou zeggen dat het meer weg heeft van een goedkope klucht. Kom, ga maar, ik bel je morgen.'

Ik kuste hem lichtjes op zijn rusteloze, zachte lippen voordat ik hem de straat op duwde. Ik wachtte een minuut om er zeker van te zijn dat Garzón weg was. Ik keek de kamer in… niemand. Ik liep de trap op, deed het licht uit en ging naar bed. Spontaan kreeg ik een enorme lachbui, die ik moest smoren onder mijn kussen.

De volgende morgen verging het lachen me. Garzón zat in de keuken al kant-en-klaar te wachten alsof hij de hele nacht als een blok had geslapen. 's Morgens vroeg in mijn eigen keuken verplicht met iemand te moeten praten vond ik moeilijk te verteren. De brigadier onthield zich van commentaar over het nachtelijke gedoe, maar toch, nadat we elkaar beleefd begroet hadden en hij me zeer behulpzaam was bij het zetten van de koffie, kreeg ik het ongemakkelijke gevoel hem een verklaring schuldig te zijn. Te kunnen ontsnappen aan dit soort stilzwijgende verplichtingen die niemand openlijk toegeeft, maar die wegen als bakstenen, was nog een reden dat ik graag alleen woonde. Rustig alleen ontbijten, de koffiegeur die zich mengt met wat vluchtige gedachten, de gebruikelijke geluiden van kopjes en borden, het mes waarmee ik het brood snijd… alles zonder te hoeven vragen: 'Heb je goed geslapen?' O wat een genot, daar verlangde ik naar nu ik tegenover mijn collega zat! Ontbijten met een vreemde is bovendien dé manier om te constateren dat volwassenen hun eigen gewoonten hebben: ik drink heel sterke koffie, ik doop mijn biscuitjes daarin, ik kan niet eten voor ik een glas water heb gedronken… vaste gewoonten waar ik ontzettend van geniet. Een gedoe. Garzón was niet veeleisend in dat opzicht. Hij ging opgewekt tegenover me zitten en begon even gretig als gewoonlijk te eten.

'Hoe was het gisteravond, Fermín?'

'Och, wat zal ik zeggen!'

'Hoezo?'

'Hij had een oorbel.'

'Je zoon?'

'Nee, die ander.'

'Luister, we kunnen er ook over ophouden.'

'Waarom?'

'Omdat het wel op het verhoor van een verdachte lijkt: veel vragen maar weinig informatie.'

'Er is niet veel te vertellen. Die ander heet Alfred en hij werkt als reclameadviseur bij een bedrijf. Hij spreekt redelijk Spaans.'

'Is hij aardig?'

'Hij lacht te veel.'

'Amerikanen zijn opgewekt en argeloos.'

'Dat wordt gezegd. Maar deze lachte te veel en had een oorbel. Gelukkig was hij discreet, maakte geen toestanden.'

Ik had me voorgenomen geen commentaar te geven, maar ik kon het niet laten: 'Kom op, Garzón, doe niet zo vervelend! Je bent toch niet iemand die denkt dat alle homo's idioten of dragqueens zijn.'

'Het kan mij niet schelen wat ze wel of niet zijn. Ik heb alleen maar gezegd dat die Alfred een oorbel had. En ik vind het walgelijk dat mijn zoon, een echte man en chirurg bovendien, samenwoont met een man met een oorbel die voortdurend lacht, wat moet ik anders zeggen!'

'Dat is een vooroordeel.'

'Heb jij geen vooroordelen, inspecteur?'

'Ik? Absoluut niet. Mijn huis was gisteravond vol mannen die heen en weer liepen als op de Puerta del Sol!'

Hij keek alsof hij op de bus stond te wachten en veegde als een beleefde pensiongast zijn mond opnieuw af aan het servet.

'Het was een betreurenswaardig incident,' zei hij laconiek.

Ik besefte dat ik degene was die iets wilde uitleggen, dus riep ik mezelf snel tot de orde en kwam overeind.

'We gaan, het is al laat.'

'Ik spoel de kopjes even om.'

'Geen denken aan, dat doet mijn hulp.'

De stakker wilde zich nuttig maken, misschien om zijn ongelukkige intrede goed te maken. Toen ik mijn jas pakte en langs zijn kamer liep, zag ik dat hij zijn bed keurig had opgemaakt. Ik moest proberen aardig en vriendelijk tegen hem te zijn, per slot van rekening had ik hem zelf uitgenodigd.

Op het bureau wachtte ons een aangename verrassing: een zus van Tomás de Wijze, Teresa Calatrava Villalba, had zich gemeld. Ze woonde in Sarriá en was getrouwd met een bekende weg- en waterbouwkundig ingenieur. Een vriendin had haar naderhand verteld dat de eerste gevonden dode bedelaar haar broer was. Ze had haar gegevens achtergelaten zodat ik haar kon ondervragen. Ik belde haar en vroeg of ze naar het bureau wilde komen. Ze kwam stipt op tijd en ik vroeg Garzón aanwezig te zijn bij het verhoor.

Ze was een bescheiden, elegante dame van in de vijftig, die met een bezorgd gezicht mijn kamer binnenkwam. Om haar op haar gemak te stellen bood ik koffie aan en dat accepteerde ze meteen. Ze was zichtbaar nerveus. Ik begon volgens de regels: 'Het spijt ons bijzonder van uw broer.'

'Dank u,' prevelde ze.

'Is het lang geleden dat u elkaar hebt gezien?'

'Twee of drie jaar.'

'Wat is er met uw broer gebeurd, mevrouw Calatrava?'

'Noem me alstublieft Teresa.' Toen begon ze opeens stilletjes te huilen. 'Mijn god, ik... neem me niet kwalijk, ik...!'

'Rustig maar.'

Garzón en ik keken naar het plafond, wat we altijd doen als familieleden volschieten, terwijl zij tot zichzelf kwam en geruisloos haar neus snoot.

'Het spijt me, maar ik weet het pas een paar uur, ik heb het mijn man niet eens kunnen vertellen. Mijn vriendin dacht dat ik het in de kranten had gelezen en begon erover, dus...'

'Voelt u zich wel goed, zullen we straks verder gaan?'

'Nee, het gaat wel weer. Maar ziet u, mijn broer afgemaakt als een straathond. Hij was zo intelligent, zo briljant!'

'Wat is er gebeurd dat zijn leven zo'n wending heeft genomen?'

'Hij was niet in orde. De dokter constateerde een begin van schizofrenie en vanaf dat moment... deed hij rare dingen, begon hij zijn werk te verwaarlozen. Toen is Magda, zijn vrouw, bij hem weggegaan. Zij kon er niet tegen dat hun relatie verslechterde. Hij stortte volledig in, zakte zo diep, maar dat weet u al. In het begin probeerden mijn man en ik hem te helpen, dat had echter geen zin want hij wilde niets. Tot ik alleen maar met hem afsprak om hem wat geld te geven. Maar hij ging steeds meer achteruit en werd een vagebond. Op een dag zei hij dat hij mijn geld niet nodig had, dat hij werk had als boekhouder bij een klein bedrijf. Hoe verzin je het! Ik verzeker u dat ik heb geprobeerd hem te laten opnemen in een psychiatrische inrichting, dat zou het beste voor hem zijn geweest, maar dat weigerde hij en dat was nog niet alles, want op een dag werd hij zelfs agressief. Hij zei dat ik hem als een gek wilde opsluiten, dat ik hem nooit meer zou zien. En dat gebeurde, hij verdween.'

'Hebt u geprobeerd hem op te sporen?'

Ze schudde bedroefd haar hoofd en kreeg tranen in haar ogen.

'Nee, god nee, ik hield me afzijdig, dat was makkelijker en nu is hij vermoord, eenzaam achtergelaten op straat.'

'Neem het uzelf niet kwalijk mevrouw, u kon niet veel voor hem doen,' zei Garzón troostend.

'Vertelt u eens over zijn echtgenote.'

'Over Magda? Dat was een goed mens. Ik zou haar absoluut de schuld niet willen geven. Er zijn mensen die kunnen lijden, maar zij niet. Ze kon niet tegen een man die de weg kwijt was. Het was een enorm probleem voor haar en dat kwam ze niet te boven.'

'Waar is zij nu?'

'Ze heeft een Franse arts leren kennen en woont met hem samen, ze heeft zich niet eens officieel van mijn broer laten scheiden. Ze woont in Lyon.'

'Teresa, had uw broer bezittingen, geld?'

'Ze hebben het appartement dat van hen samen was verkocht en ik vermoed dat mijn broer daarvan heeft geleefd. Maar meer had hij niet, al het geld dat op hun rekeningen stond heeft hij aan Magda gegeven, omdat ze geen kinderen hadden...'

'Is het mogelijk dat er uit eigenbelang...'

'Bedoelt u dat iemand voordeel heeft van zijn dood? Nee, dat is absoluut niet het geval.'

'Ik bedoel ook… het is moeilijk te zeggen, maar gelooft u dat uw broer zijn ex-vrouw om geld heeft gevraagd, dat hij haar op de een of andere manier heeft lastiggevallen?'

'Nee, geen denken aan! Ze hebben elkaar niet meer gezien, voor zover ik weet natuurlijk…'

'Hebt u haar adres in Frankrijk?'

'Natuurlijk, laat u haar komen?'

'Dat weet ik niet, daar hebben we nog geen beslissing over genomen.'

'Hebt u al aanwijzingen wie het heeft gedaan?'

'We zijn met verschillende onderzoeken bezig.'

'Ik had nooit gedacht dat de man over wie de kranten het in het begin hadden, mijn broer was. Of misschien wilde ik dat niet denken. Blijkbaar werd zijn naam pas later vermeld.'

Voor de derde keer welden er tranen op in haar ogen.

'U zult hem moeten identificeren in het mortuarium. Wettelijk gezien is het van een foto niet voldoende.'

'Ik weet het. En daarna kunnen we hem toch begraven?'

Ik knikte en liep met haar mee naar de deur. Ze was echt aangedaan, hoewel het ook in me opkwam dat de dood van haar broer waarschijnlijk een opluchting voor haar zou zijn. Op een koude nacht zal ze wel aan hem hebben gedacht, of soms bang zijn geweest hem tegen te komen bij het boodschappen doen of bij het verlaten van een bioscoop. Garzón knikte ernstig.

'Ik had nooit kunnen denken dat zo'n gedistingeerde vrouw een dakloze broer zou hebben.'

'Zo zie je maar, geachte collega, ieder huisje heeft zijn kruisje.'

'Vertel mij wat.'

Ik begreep die zogenaamde gelatenheid meteen en concludeerde dat zijn kruisje verband hield met de homoseksualiteit van zijn zoon. Waarschijnlijk was het raadzaam met hem over dat onderwerp te praten, hem tot enige rede te brengen, maar dat hij er zo'n drama van maakte vond ik onuitstaanbaar. Juist zijn zoon zou zich moeten beklagen over zo'n aartsconservatieve vader. Ik ben nooit erg mild geweest wat andermans tekortkomingen betreft, maar vooroordelen haat ik als de pest. Zodat ik het, in verband met mijn eigen problemen, beter vond dat Garzón bij zichzelf in therapie ging.

'Begeleid mevrouw naar het mortuarium, Fermín. Ik geloof dat je een kalmerende werking op haar hebt.'

Hij dacht even na en probeerde achter de eventueel cynische bedoeling van mijn woorden te komen, maar omdat hem dat niet lukte, ging hij met een zekere verholen teleurstelling zijn plicht vervullen. Uit het bezoek van die verdrietige dame was gebleken dat bij Tomás de Wijze schizofrenie was geconstateerd, zodat we er niet van uit hoefden te gaan dat al zijn daden rationeel waren. Ze had iets gezegd wat ik onmiddellijk noteerde: 'Hij werkte als boekhouder bij een klein bedrijf.' Was dat fantasie zoals zij beweerde, of zat er meer achter?

Yolanda, fris en mooi als altijd, zat op me te wachten met een lijst liefdadigheidsinstellingen in de zak van haar onberispelijke uniform.

'Ik ben klaar,' zei ze als een vlijtig meisje zodra ze me zag. 'Er zijn diverse instellingen in de stad, inspecteur, maar Caritas heeft de meest volledige informatie en maakt de dienst uit. Ik heb de directeur gebeld en die zei dat hij er de hele morgen is en ons op elk tijdstip kan ontvangen.'

Ik bekeek haar eens goed en lachte: 'Het bevalt wel wat u doet, hè?'

'Bij de gemeentepolitie was het een stuk minder leuk.'

'Waarom komt u niet bij de rijkspolitie?'

'Daar ga ik over nadenken. Mag ik dan met u werken?'

Dat complimentje kwam onverwachts. Ik zal niet ontkennen dat het me streelde, maar tegelijkertijd voelde ik me er stukken ouder door, een soort moederfiguur en geen van beide aspecten vond ik aanlokkelijk. Ik reageerde onverwacht cynisch: 'Ja, dan werkt u met mij en dan worden wij onderscheiden voor onze goede diensten, omdat we de waarheid aan het licht brengen. Dat zou geweldig zijn.'

Ze haalde haar schouders op zonder zich veel aan te trekken van mijn ongepaste uitval. Wat moest ze wel niet denken van Garzón en mij, dat we twee roestige machines waren die constant kraakten? Het maakte haar niet uit, ze zat vol energie en popelde om het leven serieus tegemoet te treden. Ik vroeg me af of ik ooit ook zo was geweest, zo direct, zo vastberaden, zo vol illusies. Ik dacht van niet.

De directeur van Caritas in Barcelona was een man van zestig jaar, donker en exotisch als de koning van een emiraat. Ik kreeg de indruk dat hij van alles op de hoogte was en het volgens hem iets onvermijdelijks was. Het verwonderde hem niet, hij vond het bijna logisch dat er twee bedelaars waren vermoord, waarschijnlijk omdat hij in zijn leven geconfronteerd is geweest met heel wat deerniswekkender gevallen. Toch ging hij tien minuten lang tekeer over de huidige leefwijze in een betoog dat ik al duizend keer gehoord dacht te hebben. Dat was normaal, maar bij sommige organisaties zoals de liefdadigheid, verwachten we altijd dat de dingen bijzonder menselijk en eenvoudig zijn. Een vergissing, alles heeft zijn gemeenplaatsen. Maar toch wist ik hem bijna uit zijn dagelijkse lethargie te halen door te vragen of hij wel eens een sleutelhanger als de mijne had gezien. Zo'n simpele vraag verwachtte hij niet.

'Nou, nee.'

'Kan het een campagne zijn van een of andere liefdadigheidsinstelling om geld in te zamelen?'

'Het kan van alles zijn. De hulporganisaties verkopen soms dit soort artikelen, en de kerken, en christelijke jongerengroepen... Een sleutelhanger als deze kan van wel duizend verschillende kanten komen: van scholieren voor hun reisje aan het eind van het schooljaar, van huisvrouwenorganisaties... Wie zal het zeggen! Het zou zelfs gewoon oplichting kunnen zijn.'

'Komt er ook bedrog voor in de liefdadigheidswereld?'

'Jazeker, en dat is ook altijd zo geweest: bedelaars met vermeende-fysieke beperkingen, zogenaamde blinden... dat is klassiek. Omdat bijvoorbeeld de solidariteit in de lift zit, zijn deze praktijken weer opgebloeid. Moderner natuurlijk: figuren die kleding ophalen in naam van niet-bestaande stichtingen en die vervolgens verkopen, slimmeriken die zogenaamde liefdadigheidstombola's organiseren...

'Is dat soort bedrog wel eens vervolgd? Dat zult u beter weten dan wij.'

'Ik vermoed van niet, het gebeurt op kleine schaal en stopt vanzelf weer. Wij hebben het een keer gemeld bij de politie, een paar lui vroegen aan de deur om geld uit naam van Caritas. Dat was wederrechtelijke inbezitneming en dat hebben jullie toen onderzocht, meen ik.'

'Wat gebeurde er?'

'Ik weet het niet zo goed meer, het was niet opzienbarend. Het ging om een paar arme drommels en het kwam niet eens tot een proces.'

'Kunt u me vertellen wanneer dat is gebeurd?'

'Dat zal ik nazoeken in onze dossiers.'

Hij stond traag op en riep een secretaresse, die net zomin als hij erg kien was. Ze overlegden even zonder dat ik iets kon opvangen, de verlepte secretaresse verdween en had geen enkele nieuwsgierige blik op ons geworpen. Als je dagelijks met de miserabele kant van de mensheid wordt geconfronteerd, raak je volgens mij immuun voor sentimenten. Daarna vroeg ik me af hoe je bezig kunt zijn met zoiets als liefdadigheid als het niet voortkomt uit het verlangen naar een zekere rechtvaardigheid of naastenliefde of...

'Liefdadigheid is afschuwelijk,' zei ik tegen Yolanda toen we daar vertrokken met slechts een datum op zak. Ze keek me verbaasd aan.

'Hoezo?'

'Het is geen goede oplossing.'

'Ik zie niet in waarom niet. Als we allemaal een beetje aan liefdadigheid deden, zouden er niet zo veel arme mensen zijn.'

Ze meende het oprecht en ik wilde haar niet tegenspreken. Waarom zou ik? Ze ging ervan uit dat de wereld is zoals hij is, en ik was na lang nadenken over wat er kon veranderen tot dezelfde conclusie gekomen. In feite scheidde ons alleen het ongeloof dat voortkomt uit frustratie, niet iets om een theorie aan op te hangen. 'Misschien hebt u gelijk,' zei ik tot slot, en meteen miste ik Garzón, met wie ik ongetwijfeld enorm van mening en aard verschilde, maar die qua ervaring in ieder geval dicht bij me stond.

'Wat doen we, inspecteur?'

'Ik ga naar het bureau, ik wil die oplichtertjes vinden, misschien kunnen zij ons iets meer vertellen.'

'Maar als de directeur van Caritas gelijk heeft en de sleutelhanger gemaakt is door een paar scholieren voor hun schoolreisje?'

'De mannen die Anselmo hebben vermoord, zouden geen sleutelhangers van scholieren hebben meegenomen, Yolanda. Trouwens, alleen een lulhannes bedenkt dat een paar moderne pubers op het idee komen sleutelhangertjes voor de liefdadigheid te maken.'

'Dat is waar, daar had ik niet aan gedacht. Ik begrijp dat onderzoeken betekent: alleen de belangrijke feiten onthouden en de andere mogelijkheden schrappen.'

'Onderzoeken is een hele heisa, Yolanda, neem dat van mij aan. Kom, gaat u maar alleen de liefdadigheidsinstellingen af. Ik geef u de sleutelhanger, maar verlies hem niet. Het is op dit moment een van de weinige concrete dingen die we hebben.'

Ik bracht de brigadier verslag uit van het magere resultaat van onze onderzoeken.

'Oplichtertjes, inspecteur? Ik geloof dat de oplichtertjes in deze klotewereld niet zomaar twee kerels van kant maken.'

'Hoe kloteriger de zaak is, hoe onbeschaafder het milieu waarin die speelt, en hoe onbeschaafder het milieu, hoe meer zinloos geweld.'

'Dus de journalisten hebben gelijk, we zitten achter een vent aan die zonder enige reden doodt, een *serial killer* van bedelaars.'

'Niks serial killer, hoe kom je erbij. Bij elke financiële affaire, hoe klein ook, zijn er altijd redenen om te doden, en ik verwed er alles om dat we te maken hebben met een economisch motief.'

'Inspecteur, moeten we eerlijk gezegd niet erkennen dat we geen flauw idee hebben?'

'Tomás de Wijze was betrokken bij een vies zaakje, de arme Anselmo is vermoord omdat hij iets wist en het kistje met sleutelhangers dat Tomás hem had gegeven, is meegenomen. We zijn iets op het spoor.'

'Een spoor van doden.'

'De doden spreken, Fermín, en het is de taak van de politie naar hen te luisteren.'

'Geweldig, maar die doden laten geen woord los.'

'Dat gaat wel gebeuren.'

'Ik zal eens kijken wat ik kan doen met die vage gegevens die je van Caritas hebt. Ik hoop dat de zwendel plaatsvond in de tijd van de automatisering, want anders ben ik nog bezig als ik met pensioen ga.'

Aan zijn geringe arbeidsmotivatie zag ik van een kilometer afstand dat Garzón persoonlijke problemen had, dat was altijd zo bij hem. Ik wou dat zijn zoon spoedig terugging naar de Verenigde Staten en hij rustig zijn dagelijkse routine kon oppakken.

Even later kwam hij mijn kamer weer in, chagrijnig en knorrig.

'Ze zijn ermee bezig, maar ik weet niet of…'

'Hoor eens, Garzón, als je bent gekomen om me te ontmoedigen, ga dan maar, je weet dat ik daar niet op zit te wachten.'

'Nee, ik kwam alleen om je op koffie te trakteren.'

We liepen naar La Jarra de Oro. Ik was ervan overtuigd dat Garzón wilde praten, daar kwam ik niet onderuit. Ik zou ongetwijfeld overstelpt worden met nieuwe klachten over die ongegeneerde homo van een Amerikaan, of misschien iets ergers. Ik had het bij het rechte eind.

'Verdomme, inspecteur, ik ben wanhopig! Mijn zoon en… de Amerikaan willen dat ik vanavond met hen meega naar een flamenco-show.'

'Dat zou je goed doen.'

'Ja, verdomd goed! Ik moet me niet alleen voordoen als schoonvader van een… nou ja, van een vent, maar ook nog eens de toerist uithangen in mijn eigen stad. Waarom ga je niet met ons mee?'

'O nee, geen denken aan!'

'Zie je?'

'Wat moet ik zien?'

'Goed, ik weet dat je niet verplicht bent mee te gaan, maar als ik je had voorgesteld samen met mijn zoon te gaan eten dan zou je het wel aannemen.'

'Je ziet meer geesten dan een zogenaamd medium. Het is namelijk zo dat ik voor vanavond al een eetafspraak heb.'

'Met die man die…?'

Ik onderbrak hem met een woedend gezicht.

'Ja, met hem.'

'Hij maakte een sympathieke indruk op me.'

'Zeker toen je je pistool op hem richtte?'

'Dat was per ongeluk. Het gaat dus goed met je, Petra?'

Ik zette een stalen gezicht op, al wist ik heel goed waar hij heen wilde.

'Zag ik er opeens stralend uit?'

'Nee, ik bedoel… nou ja, inspecteur, ik wist niet dat je een vriend had.'

Ik had ontzettend boos kunnen worden en hem de wind van voren kunnen geven, maar ik hield me in en lachte als een moordlustige psychopaat.

'Beste brigadier, ik voel me goed, jij voelt je goed, we voelen ons allemaal uitstekend. Maar ik wil je eraan herinneren dat het feit dat je in mijn huis overnacht je nog niet het recht geeft je neus in mijn zaken te steken. Begrepen?'

'Wat wind je je op! Het was zomaar een opmerking.'

'Ik wil je er even op attent maken dat jij op de koffie trakteerde.'

Ik ontwaarde een flauw glimlachje om zijn lippen toen hij afrekende. Ja, hij kende mijn liefdesgeheimpje en dat verschafte hem een onuitsprekelijk plezier. Het was een bewijs dat ik inderdaad een menselijke kant had, 'een kwetsbare flank' zou een strateeg zeggen.

Om waar te maken wat ik tegen Garzón had gezegd, dacht ik erover een etentje met Ricard te organiseren, maar voordat ik hem kon bellen had hij mij al gebeld. Ik vertelde hem dat als hij vanavond met me naar bed wilde dat bij hem thuis zou moeten zijn. Ik had geen zin in nog meer inmenging van mijn collega.

'Nou, daar is niets op tegen. Welke dag van de week is het vandaag?'

'Dinsdag.'

'Verdomme! Vandaag komt mijn hulp niet. Luister Petra, misschien is het wat rommelig. Ik woon trouwens niet in zo'n mooi opgeknapt huis als dat van jou, maar… nou ja, in een oud appartement in Ensanche.'

'Ik koop je huis niet, ik kom alleen op bezoek.'

'Goed, het zal een genoegen zijn je te ontvangen. Ik zal bloemen kopen. Sterker nog, we kunnen er zelfs eten. Ik ga koken.'

Ik vond het een leuke reactie. Mogelijk zat er onder die nogal cynische en afwezige laag van Ricard wat wij vrouwen noemen 'een zachte man'. Misschien stelde me dat ook wel enigszins teleur, want ik moet zeggen dat die pose van verstrooide maar cynische professor me wel beviel.

Toen ik me aan het optutten was voor mijn afspraakje, schrok ik. Ik was het bureau uit gesneld zonder te informeren naar de eventuele vorderingen in de zaak. Ik had zelfs Yolanda niet gebeld om te vragen naar haar bevindingen. Bovendien vroeg ik me van alles af wat helemaal los stond van het politiegebeuren, zoals 'wat moet ik aan'. Was ik bezig verliefd te worden op Ricard? Want verliefdheid betekent het begin van een heleboel onvoorziene situaties, en ik zat absoluut niet te wachten op complicaties die mijn uitgebalanceerde levensritme zouden verstoren. Rustig maar! Uit ervaring weet ik dat iemand verliefd wordt wanneer de tijd er rijp voor is en in mijn huidige situatie, midden in een ingewikkelde zaak die moeizaam vorderde, was de kans daarop uiterst klein.

Ricard woonde in de Calle Mallorca, in een oud appartement met een sierlijke en rijk gedecoreerde trap. Hij deed de deur open met een schort voor waarop een spreuk stond: 'Vrouwen op kantoor. Mannen in de keuken.' Een slecht begin. Geen enkele vrijgezel, of hij moet een of andere professionele rokkenjager zijn, heeft thuis zo'n schort. Ik keek nieuwsgierig naar links en naar rechts.

'Hé, houdt je hulp van bergbeklimmen?'

Het was geen flauwe, vinnige opmerking, maar eerder een spontane uitlating. Ricards huis, groot, donker en uit de tijd, was een barokke kopie van zijn spreekkamer. Stapels papier, oude kranten en achterhaalde medische tijdschriften lagen in elke hoek. Alle asbakken zaten propvol peuken en leken op boeddhistische offerandes. Hier en daar bracht een levensteken kleur in het tafereel: rondom vergeten afgekloven klokhuizen, een leeg yoghurtpak… Her en der rondslingerende kledingstukken vervolmaakten het beeld dat een rekwisiteur zou hebben gebruikt om de ravage na een bomexplosie weer te geven.

Ricard besefte dat ik alleen maar oog had voor de wanorde in zijn huis.

'Je ziet dat ik nogal slordig ben, maar zo is mijn manier van leven. Ik weet het doordat ik het van anderen hoor, ik heb het zelf niet in de gaten. Maar als we besluiten te gaan samenwonen, zal ik daar verbetering in brengen, dat is een kwestie van willen.'

'Naar wat ik zie, kom je er niet alleen met goede wil. Een hersenspoeling zou misschien voldoen, hoewel ik daar niet zeker van ben.'

'Niet te geloven dat inspecteur Petra Delicado zo conventioneel is. Hoe zal ik kunnen leven met een vrouw die zo op uiterlijk vertoon gesteld is? Jij zult ook een beetje moeten veranderen.'

'Ik geloof dat ik de oplossing heb: ik ga stage lopen bij mijn dakloze vrienden, die heb ik binnen handbereik.'

Hij keek me lachend aan, pakte mijn hand en leidde me door de zwijnenstal van zijn woning.

'Dat antwoord betekent dat je serieus overweegt om te gaan samenwonen.'

'Het was een leuk weerwoord, meer niet. Een van mijn gebreken is dat als er een snedig weerwoord in me opkomt, ik dat móét spuien, ook al meen ik niet wat ik zeg.'

We gingen op de bank zitten na diverse medische dossiers opzij te hebben gelegd. Hij haalde een biertje voor me, opende het en ging met een bedachtzaam gezicht tegenover me zitten. Zijn stem klonk opeens ernstig.

'Petra, je denkt dat ik niet serieus ben maar daar vergis je je in. We vinden elkaar leuk, begrijpen elkaar, zijn allebei alleen. We hebben niet de leeftijd voor een te romantische benadering, maar dat neemt niet weg dat het wel een belangrijk onderwerp is. Ik geloof dat samenwonen ons goed zou doen, we zouden ons moeiteloos aan elkaar aanpassen. Jij doet jouw werk, ik het mijne en daarnaast zouden we samen een vreedzaam leven leiden, zonder spanningen, zonder onverwachte veranderingen: rust en liefde.'

'Het lijkt wel de kerstboodschap van een groot warenhuis.'

'Is dat ook een snedig weerwoord dat er spontaan uitkomt?'

'Neem me niet kwalijk, maar ik begrijp niet waarom het opeens nodig is om onze relatie een andere status te geven. Het gaat toch goed zo?'

'Nee, ik wil je vaker zien. Ik denk aan je, ik wil bij je zijn als ik thuiskom, samen plannen maken…'

'Maar we kennen elkaar pas vier dagen.'

'Uit mijn psychiatrische praktijk en de bijbehorende kennis van het menselijke karakter blijkt dat het niet nodig is elkaar lang te kennen om te gaan samenwonen.'

'Helaas blijkt uit mijn beroepspraktijk dat er niet veel voor nodig is om elkaar te gaan haten en zelfs te doden.'

Hij stond driftig op en gooide bijna zijn glas bier om.

'Nu is het genoeg met die gevatte zinnen. Je gedraagt je als een verwend kind dat niet in staat is serieus te zijn. Ik heb genoeg van onvolwassen mensen! Als ik de praktijk verlaat heb ik de hele dag zitten praten met mensen die geen realistische kijk op hun leven hebben, dan wil ik daarna alleen nog maar mensen van formaat zien.'

Ik stond op en zocht met mijn ogen naar mijn jas.

'Petra, waar ga je heen?'

'Ik ga naar huis. We zijn vandaag ongelukkig begonnen, de volgende keer zal het beter gaan.'

'Ga niet weg, het spijt me dat ik tegen je ben uitgevallen.'

'Dat geeft niet. Tot ziens.'

Ik liep de gang in en hoorde dat er achter me iets tegen de grond werd gegooid met een 'verdomme'. Ik nam een taxi. Ik was niet opgewonden of zenuwachtig, alleen bedroefd en moe. Hij had gelijk, ik had me gedragen als een trut: leuke zinnetjes en overdreven antwoorden. Maar waarom haast maken met een relatie die net was begonnen? Nou ja, het deed er niet toe, misschien was ik wel een van die onvolwassen figuren over wie Ricard het had, niet in staat de manier te vinden om gelukkig te zijn.

Er brandde licht in mijn huis. Ik ging de keuken in en zag de brigadier eieren kloppen. Hij was net zo verbaasd me te zien als ik om hem te zien.

'Goedenavond, inspecteur. Neem me niet kwalijk, maar ik was een tortilla aan het maken.'

'Ga rustig door, Fermín. Maar je zou toch uit eten gaan?'

'Ik heb wat met hen gedronken en toen de show begon zei ik dat ik hoofdpijn had en ben ik weggegaan. Ik houd namelijk niet zo van fla-menco, meer van de *jota*, de Aragonese volksdans.'

'Ik begrijp het.'

'En jij?'

'Ik haat folklore.'

'Nee, ik bedoel dat jij ook niet uit eten bent gegaan.'

'Ik had een afspraak, maar die ging niet door.'

'O, dan maak ik voor jou ook een tortilla! Dat lukt me aardig.'

'Doe geen moeite.'

'Integendeel, dan eet ik niet alleen.'

Ik ging aan tafel zitten en zag hoe Garzón bezig was met mijn maaltijd. Hij was aardig thuis in mijn huis en in de keuken. Gelukkig maar, want ik was zo moe dat ik wel wat extra verzorging kon gebrui-ken. Hij pakte een paar tomaten, sneed wat kaas en zette een dikke tortilla en een koud biertje voor me neer.

'God is goed,' zei ik.

'Hier heeft God niets mee te maken. Dit is allemaal menselijke wijsheid.'

Ik begon te lachen. Eerlijk gezegd is het geweldig om bedroefd thuis te komen en dan een vriendschappelijke tortilla voorgeschoteld te krijgen. Natuurlijk was ik niet in deze toestand geraakt als ik geen liefdesprobleem had gehad. Ik nam een flinke slok bier en proefde Garzóns kunststukje.

'Verdomme, brigadier! Van alle tortilla's die ik in mijn leven heb gegeten is deze veruit de beste.'

Zijn spottende en goedaardige blik ging dwars door me heen.

'Weet je wat het is, Petra? Ik ben altijd bang dat er een zekere ironie achter je woorden zit.'

'Ben ik zo erg?'

'Laten we maar zeggen dat je niet gemakkelijk bent.'

'Nou, ik kan je verzekeren dat ik dat wel zou willen zijn. Ik krijg steeds meer een hekel aan complexiteit. Weet je wat mijn ideaalbeeld is van geluk? Buiten wonen, in een hutje, met honden, katten en boeken, en af en toe een flesje wijn.'

'Dat is jouw schip vol rijst.'

'En dat zal ik nooit krijgen.'

'Omdat het niet bestaat. De realiteit die wij voor ogen hebben, bestaat niet. Want als je je echt zou terugtrekken in een hutje, zou er toch iets gebeuren dat een einde maakte aan die ideale situatie: de honden en de katten zouden met elkaar vechten, of er zouden muggen zijn of je zou je stierlijk vervelen.'

'Mogelijk.'

'Wat zou de arme Anselmo met zijn schip vol rijst hebben gedaan?'

'Ik weet het niet. Hij is vermoord, het doet er niet meer toe. Het is een rotwereld, Fermín.'

'Jezus! Ik had beter naar die flamencoshow kunnen gaan.'

Er werd aangebeld. We keken elkaar verschrikt aan.

'Verwacht je iemand, inspecteur?'

Ik dacht even diep na.

'Ik geloof dat ik weet wie het is. Pak alsjeblieft niet je pistool.'

En ja hoor, Ricard keek me in de deuropening aan als een hond die smeekt om meegenomen te worden.

'Het spijt me, Petra, mijn gevoel van gastvrijheid was vandaag niet optimaal.'

'Kom binnen, dat van mij is daarentegen zo groot dat ik al een gast heb, maar ik denk dat je net op tijd bent voor het eten.'

Ik stelde ze voor de tweede keer aan elkaar voor. Garzón bood onmiddellijk aan nog een tortilla te maken, maar Ricard, misschien om de indruk van huishoudelijke mislukkeling die ik mogelijk van hem had weg te nemen, wilde dat met alle geweld zelf doen. Ik besloot niet luchtigjes de touwtjes in handen te nemen, dus ging ik zitten en was getuige van een nogal zonderling schouwspel. Ricard begon met de gastronomische ceremonie, voortdurend bijgestaan door de brigadier, die vriendelijk maar systematisch aangaf wat hij wel en niet moest doen: 'Zit er echt genoeg olie in de pan?', 'Hebt u de eieren goed geklopt?', 'Wacht even, als u het bord daar neerzet wordt het vuil…' Ricard verweerde zich tegen die hinderlijke assistentie door voet bij stuk te houden: 'Ja, ik wil hem niet zo vet', 'Ze hoeven niet langer geklopt te worden', 'Laat maar, als er iets vuil wordt, maak ik het straks weer schoon'. Ik begreep dat er een ware territoriumstrijd aan de gang was. Mijn vermoeidheid werd vijf keer zo erg.

Tijdens het eten ventileerden we beleefde gemeenplaatsen en toen de twee heren verwikkeld raakten in een discussie over wie de keuken zou opruimen, had ik er genoeg van.

'Geen denken aan, heren, we laten alles staan. Mijn hulp komt morgen en ze vindt het niet prettig als iemand haar werk doet.'

De brigadier nam afscheid, maar wel met lijdelijk verzet.

'Nou, ik ga naar bed want morgen moeten we vroeg op. Moet u ook vroeg op, Ricard?'

'Ja, ik ga ook zo.'

Toen we alleen waren, fluisterde mijn geliefde: 'Tot wanneer blijft superheld Daniel Boon met zijn karabijn hier?'

'Hij is mijn vriend.'

'Nou, hij lijkt je vader wel, of je grote broer.'

'Hij beschermt me, hij denkt dat hij slechter af zou zijn met een andere chef. Bovendien is hij dankbaar dat ik mijn huis voor hem heb opengesteld.'

'Natuurlijk, van iemand als jij, die zo aan haar privacy hecht, is dat heel erg te waarderen. Het spijt me, dat wilde ik niet zeggen. Wat ik wilde zeggen is: kan ik blijven slapen?'

'Ja, wat maakt het uit! Blijf maar slapen. Morgen verzorg ik het ontbijt, zodat jullie niet gaan kibbelen over wie de melk opwarmt.'

Het was fijn dat hij bleef slapen, en ook zijn verontschuldigingen, zijn liefkozingen en zijn kussen waren dat. Het ontroerde me hem te horen zeggen dat hij met een voddenman had afgesproken dat die de overbodige rommel uit zijn huis zou komen weghalen.

8

Onze contactpersoon had het bij het rechte eind gehad, bijna niemand deed aangifte van zaken betreffende de liefdadigheid en zo daar al criminelen opereerden, werden ze nauwelijks vervolgd. Een van de kerels die bij de Caritaszaak betrokken was, stond inderdaad bij ons geregistreerd en was daarom vrij makkelijk op te sporen. Het was een zekere Juan de Dios Llorens, een kruimeldief die meermaals was opgepakt wegens diefstal en kleine vergrijpen. Garzón ging hem halen op het adres dat in ons archief stond. Ik zou een moment voor mezelf hebben en mijn gedachten over de zaak kunnen laten gaan. Het was echter onbegonnen werk, want mijn gedachten dwaalden steeds onherroepelijk af naar hetzelfde onderwerp: Ricard. Was het zo dwaas om te gaan samenwonen en zou het enige kans van slagen hebben? Was ik gek genoeg op die man om een dergelijke stap te nemen? Had het inderdaad verstrekkende gevolgen wanneer je met een man onder één dak woonde? Ik hoorde ineens de stemmen die vroeger ook in mijn hoofd hadden geklonken: 'Probeer het niet weer, Petra, alleen ben je altijd beter af.' Met twee gestrande huwelijken kon je gevoeglijk aannemen dat ik op het gebied van de liefde een ramp was. Bovendien zou een leven met mij niet makkelijk zijn, aangezien ik samenleven niet zag zitten. Uiteraard werd ik dit keer niet door hartstocht verteerd en betrapte ik me erop dat ik voor het eerst nuchter de voor- en nadelen van een nieuwe inrichting van mijn leven zat af te wegen. Liefde laat zich niet afschrikken door bezwaren, al zijn die nog zo groot. Je denkt altijd dat het als je zelf van goede wil bent gladjes zal verlopen. Een leuke theorie, maar als puntje bij paaltje komt, ontdek je dat je wil verslapt en je nauwelijks de moed kunt opbrengen om de motor draaiende te houden.

Ik was niet smoorverliefd op Ricard. Ik mocht hem graag, ik voelde me gestreeld door zijn attenties en zag in dat samenwonen wel enkele voordelen bood, bijvoorbeeld iemand hebben om mee te praten, iemand hebben om mee te vrijen en iemand hebben op wiens schouder ik mijn hoofd kon leggen als ik het even niet zag zitten. Kortom, iemand hebben. Mensen trouwen met officiële papieren, feestelijke kleding en uitnodigingen om minder zwaarwegende redenen. Maar als we het zouden proberen en hij een tijdje bij me kwam wonen, zou ik die heerlijke momenten voor me alleen waaraan ik zo gewend was, moeten missen en dat misschien wel voor altijd, als het samenwonen redelijk goed functioneerde. De redenen om er niet aan te beginnen leken me emotioneel gezien uiterst zwak, als van een egoïstische vrijgezel van middelbare leeftijd die haar kopjes thee en genoeglijke leesuurtjes voor niemand wil opgeven. De redenen om het wel te doen waren echter net zo prozaïsch, als van een weduwe die haar jeugd achter zich heeft en niet alleen tegen de kat lieve woordjes wil zeggen. Ik liet mijn gedachten er nog eens over gaan, maar vond beide voorbeelden zielige clichés die niet de doorslag mochten geven. Ik moest mijn verstand gebruiken. Gelukkig werd me zoiets vervelends bespaard doordat Yolanda mijn kamer binnenstapte. Ze had haar haar in een paardenstaart en was niet opgemaakt. Ik benijdde haar omdat zij een vriend had, misschien de eerste in haar leven, en omdat ze er wellicht nooit aan had getwijfeld of ze met hem wilde trouwen.

'Inspecteur. Ik heb iets. Misschien is het onzin, dat moet u dan zeggen.'

'Neem een stoel, Yolanda, u hebt toch niet de sleutelhanger verloren?'

'Nee, die heb ik hier. U hebt ook weinig vertrouwen in me! Maar wat die sleutelhanger betreft, een administratief medewerker van de Verenigde Christenen herkende hem. Hij zei dat twee jongens hem enkele maanden geleden kwamen vragen of hij er een paar honderd wilde kopen voor zijn organisatie.'

'Wat?'

'Ja, ze zeiden dat ze van een liefdadigheidsvereniging waren met weinig middelen en zonder infrastructuur, maar die medewerker wist niet meer welke. Volgens hem zijn er veel van die groepen, dat is algemeen bekend. Ze gaven hem een telefoonnummer dat hij kon bellen voor het geval hij ze wilde steunen.'

'Maar dat is hij kwijt.'

'Nee, dat heb ik hier, hij had het nog.'

'Jezus, Yolanda, had dat meteen gezegd!'

Bijna griste ik het papier uit haar hand. Ze keek me niet-begrijpend aan: 'Al het andere had ik u toch ook moeten uitleggen.'

Ik vroeg haar de naam en het adres te achterhalen en belde Garzón dat hij onmiddellijk naar het bureau moest komen. Met verbazing vernamen we op wiens naam die telefoon stond: Tomás Calatrava Villalba. Het adres dat in het telefoonboek stond was in de Calle Princesa. Ik gaf Yolanda opdracht uit te zoeken of het een huurwoning was of eigendom van Tomás de Wijze. Ik trok mijn regenjas aan en keek naar Garzón, die bleef zitten.

'Kom op, in de benen.'

'Op de gang zit Juan de Dios Llorens nog, wat doen we met hem?'

'Hij moet maar wachten. We zullen hem straks aan de tand voelen. En zeg tegen de agent dat hij hem niet laat gaan, want de bewaking op dit bureau laat heel wat te wensen over.'

Het appartement van Tomás de Wijze bevond zich in een oud maar goed onderhouden gebouw, in een keurige buurt. Het oudje dat tegenover Tomás op de etage woonde, liet ons heel vriendelijk binnen en ging ons voor naar de zitkamer. Ze had twee katten die ons wantrouwend aankeken.

'Wilt u koffie? Het is geen moeite om even koffie te zetten.'

Toen ik zag hoe traag ze naar de keuken liep had ik spijt dat ik ja had gezegd: straks zaten we daar de hele ochtend. Garzón hield de katten nauwlettend in de gaten.

'Ik krijg de zenuwen van die starende ogen.'

'Praat dan tegen ze, katten reageren meestal op een stem.'

'Ik zou niet weten wat ik tegen ze moet zeggen.'

'Mijn god, Fermín, je hoeft geen gesprek met ze te voeren!'

Hij stond op en liep naar een van de dieren toe, maar bleef voorzichtig op enige afstand. Hij wilde hem aaien, maar de kat sprong onverwachts op en gooide een afzichtelijk vaasje om dat op een tafeltje stond. Het brak keurig in drie stukken.

'Verdomme! Hoe moet dat nu?'

'Maak je geen zorgen, ik zal de vrouw zeggen dat je een onbesuisd type bent en dat ik je nergens mee naartoe kan nemen.'

'Heel grappig, maar...'

'Maak er niet zo'n punt van, wacht maar.'

Ik stond op, pakte de scherven en verstopte ze achter de stoel.

'Ziezo.'

'Je bent me er centje, inspecteur!'

'Hoezo?'

'Ik weet niet, het lijkt me niet... ethisch. Die arme vrouw die ons binnenlaat en koffie aanbiedt... En dan zeg jíj dat je begaan bent met de minder bedeelden, maar...'

'Dat is ook zo, iedereen kan altijd rekenen op mijn compassie, maar iets voor hen doen is een ander verhaal. Ik heb geen zin excuses aan te bieden en een half uur te slijmen over die vaas. Mensen kunnen zo moeilijk doen.'

Het oudje kwam terug met een keurig blad met de koffie.

'Ik vind het zo fijn dat u hier bent. Ik woon alleen en heb niet veel aanloop. Het is altijd heerlijk om met iemand te praten.'

Garzón wierp me vals een verwijtende blik toe terwijl ik zei: 'We hebben helaas niet veel tijd, mevrouw. Zou u onze vragen willen beantwoorden?'

'Samenwerken met de politie is een burgerplicht.'

Nog meer blikken van Garzón.

'Goed, daar gaan we. Wat kunt u ons over uw overbuurman vertellen?'

'Mijn buurman? Ik heb nooit geweten of het er een of twee of zelfs meer waren. Het was een komen en gaan van allerlei mensen. Soms hadden ze pakjes bij zich, maar ze bleven er nooit slapen. Daarom dacht ik dat het een soort kantoor of magazijn was.'

'Hebt u wel eens met een van hen gesproken?'

'Eén keer maar, geloof ik. Ik kwam terug uit de kerk en trof een jongen op de overloop. Ik vroeg hoe het met hem ging, of hij het hier naar zijn zin had, maar ik denk dat hij niet met me wilde praten, want hij scheepte me meteen af met van die onnozele opmerkingen die men tegen oude mensen maakt. Ik merkte al dat hij niet op een praatje zat te wachten, want ik ben wel oud maar niet gek. Mensen denken dat ze je meteen kunnen bedonderen als je oud bent, maar ik verzeker u dat ik alles doorheb.'

De blikken van mijn collega drukten het summum van wroeging en afkeuring uit. Ik liet het oudje de foto van Tomás de Wijze zien.

'Hebt u deze man wel eens zien komen of weggaan?'

'Mijn god! Is hij dood?'

'Ik ben bang van wel.'

'Ik zou eigenlijk niemand van die mensen herkennen omdat... u zult het wel niet netjes vinden wat ik ga zeggen maar... ik zag ze alleen door het kijkgaatje in mijn deur. U moet niet denken dat ik een bemoeial ben, maar soms als ik op de gang liep en geluiden hoorde, ging ik even kijken of er wat was.'

'Vond u het vreemd volk, of verdacht?'

'Wat moet ik ervan zeggen, de mensen op straat vind ik allemaal eigenaardig: hoe ze zich kleden, hoe ze praten... maar inderdaad, het waren alleen mannen, dat was wel vreemd. Ik bedoel, er woonde geen normaal gezin.'

'Ik snap het. Herinnert u zich nog iets speciaals, iets bijzonders, een gebeurtenis die u opviel?'

Haar door ouderdom vertroebelde ogen keken omhoog op zoek naar herinneringen. Ze deed wat zorgelijk, alsof ze zichzelf niet vertrouwde. Plotseling kwam er een vastberaden en geconcentreerde uitdrukking op haar gezicht.

'O ja, ik weet het weer, of toch niet! Stil, wacht. Ja, toen ik met die jongen sprak, gaf hij me iets. Een cadeautje, ja, iets wat hij in zijn zak had. Ik kreeg het zodat ik mijn mond zou houden, hem met rust zou laten, dat weet ik nog goed, want ik ben niet gek, zoals ik al zei, maar... ik weet niet meer wat hij me gaf.'

Garzón en ik keken elkaar verbluft aan. Ik deed mijn tas open en haalde de messing sleutelhanger tevoorschijn.

'Was het zoiets als deze, mevrouw?'

Ze pakte hem en hield hem in haar gerimpelde, broze hand: 'Lieve god, ja zoiets was het! Wat is er aan de hand, inspecteur, heb ik met een moordenaar staan praten? Vertel het me alstublieft, ik woon hier immers in mijn eentje.'

'Nee, u moet niet bang zijn, alstublieft. Het is gewoon toeval. Hebt u die sleutelhanger nog?'

'Ik gooi nooit wat weg, dus ik moet hem nog ergens hebben, alleen... wacht, als het meezit, in mijn slaapkamer...'

Ze kwam overeind en liep weg. Garzón schoof zenuwachtig heen en weer in zijn stoel.

'Inspecteur, ik vind dat we dat van die vaas moeten zeggen, het is zo'n goed mensje!'

'Houd eens op over die vaas! In dat appartement hiertegenover werd dus iets bekokstoofd waarom verscheidene kerels met pakjes in en uit liepen. We zitten goed. Het lijkt me heel interessant daarbinnen een kijkje te nemen. We moeten de officier van justitie om een huiszoekingsbevel vragen. Ik zal bellen dat ze een agent sturen voor bewaking.'

'Ik heb het! Het lag in een paarlemoeren doosje in de kamer. Mijn zoon zegt altijd als hij langskomt dat ik niet zo veel troep moet bewaren. Nu kan ik hem vertellen dat mijn troep bij een politieonderzoek van pas is gekomen.'

Ze gaf ons een sleutelhanger die identiek was aan de onze.

Ik deed hem in een papiertje, voor sporenonderzoek. Ik stond tevreden op, we zaten op de goede weg, geen twijfel mogelijk. De vrouw liep met ons mee naar de hal, ze voelde zich hoofdrolspeelster en voorbeeldig burger. En daar hoorde ik de brigadier tot mijn verbijstering zeggen: 'O ja, ik vergat u nog bijna te vertellen dat, toen we zaten te wachten, uw kat...'

Ik wist wat er ging komen en klopte Garzón op zijn schouder.

'Ik wacht beneden op je, brigadier. Ik moet dringend even bellen.'

Ik deed de deur open en liep zonder mijn collega aan te kijken naar buiten. Hij bekeek het maar met zijn liefdadigheidsethiek. Op straat belde ik het bureau en vroeg om politiebewaking, maar tot mijn verbijstering kreeg ik te horen dat ze niemand konden sturen.

'Vandaag hebben we heel weinig mensen, inspecteur. De commissaris zegt dat het voor enen niet mogelijk is.'

Ik vloekte even voor ik ophing en Yolanda op haar mobiel belde.

'Kom naar de Calle Princesa nummer 10, u moet even de wacht houden. Bent u wat te weten gekomen?'

'Alles, wat helaas niet veel is. Tomás Calatrava Villalba huurde het appartement van bureau Hispania. Hij heeft het contract getekend en de eerste maanden huur persoonlijk betaald, maar niemand kan hem zich herinneren. Daarna werd de huur steeds binnen de termijn overgemaakt, echter niet vanaf een bepaalde rekening, maar elke keer vanuit een ander bijkantoor van La Caixa, zodat onmogelijk te achterhalen is wie de transacties deed.'

'Goed, dat is voldoende, kom meteen hiernaartoe.'

Het duurde nog tien minuten voor Garzón naar beneden kwam. Toen ik zijn geërgerde gezicht zag, zei ik lachend: 'En, heb je je goede daad van vandaag verricht? Gezien de tijd die je wegbleef is die daad goed voor de hele maand, denk ik.'

'Met alle respect, inspecteur, je hebt meer ballen dan het paard van generaal Espartero.'

'U moest eens weten, het paard van Espartero was bij mij vergeleken een eunuch.'

'Begin nou niet weer over medelijden en liefdadigheid, ik geloof je niet meer.'

'Mijn beste Garzón, medelijden speelt zich af in ons hoofd, maar liefdadigheid vereist handelen, je betrokken voelen bij de mensen, praten en hun dankbaarheid ondergaan. Dat gaat me te ver, vooral als ze me bedanken, daar kan ik niet tegen. Wat zei die mevrouw?'

'Dat het helemaal niet erg was van die vaas, wat moet ze anders zeggen!'

'En wat heb je geantwoord?'

Hij deed zijn jaszak open en liet me zien wat erin zat: de drie scherven van de kapotte vaas.

'Ik heb gezegd dat we een andere zouden kopen, maar het is een uniek exemplaar dat ze van haar man had gekregen, dus ik zal proberen hem te lijmen.'

Ik barstte in lachen uit: 'Nee maar, je bent echt een filantroop, Fermín!'

'Het lijmen is niet zo erg, maar wel dat ik weer een uur dat geleuter moet aanhoren als ik hem terugbreng.'

Ik moest nog steeds lachen. De brigadier probeerde me kwaad aan te kijken, maar vanonder zijn snor schemerde een lach door.

'Het doet me deugd dat je je goede humeur weer terug hebt, beste collega, je was behoorlijk chagrijnig.'

'Nou, ik geloof niet dat ik veel redenen heb om opgewekt te zijn. Het is vreemd, maar dat bezoek van mijn zoon blijft problemen geven.'

'Wat is er nu weer aan de hand?'

'Gisteren hadden we een gesprek met zijn tweeën. Hij heeft het idee dat ik me voor hem schaam, dat ik zijn gezelschap mijd, dat ik hem nauwelijks aan vrienden heb voorgesteld, dat hij jou niet heeft ontmoet, terwijl hij jou als enige van mijn kennissenkring kent. Al met al, ik had me dat hele gedoe om bij je te logeren kunnen besparen.'

'Ik denk dat je zoon gelijk heeft. Waarom geven we niet een feestje bij mij thuis? Amerikanen vinden dat schitterend, een ontvangst ter ere van Alfred.'

'Ik weet niet, inspecteur, dat lijkt me iets te veel van het goede, alsof ik openlijk toegeef dat...'

'Hoor eens, Fermín, je zult het toch eens moeten accepteren. Je zoon heeft een partner en het moet je eigenlijk niet uitmaken of het een man, een vrouw of een geit is.'

'Geiten hebben geen oorbel.'

'Ik had nooit gedacht dat het uiterlijk zo belangrijk voor je was!'

'Zolang het niet opvalt, kan het me niet schelen, ik houd echter niet van mensen die anders zijn.'

'Dan moet je ook maar een oorbel indoen.'

'Hou op, inspecteur.'

Op dat moment zagen we Yolanda uit een taxi stappen. Ze kwam naar ons toe en hoorde me nog net tegen de brigadier zeggen: 'Geen zorgen, we houden een feestje bij mij thuis en het komt allemaal goed.'

'Een feestje? Ik wil ook komen!' zei het meisje heerlijk enthousiast. Garzón keek haar met een dodelijke blik aan.

'Waarom niet? Een paar jongelui erbij fleurt het feest op, hè Garzón? Ik zou het erg leuk vinden als u ook komt.'

'Ja, het wordt vast geweldig, maar we kunnen toch nog even doorwerken, nietwaar? Yolanda, u moet namelijk hier blijven om het appartement links op de tweede verdieping in de gaten te houden, tot er iemand van het bureau u komt aflossen. Oké?'

'Ik zal mijn ogen goed openhouden, maak u geen zorgen.'

We vertrokken terwijl Garzón hatelijke opmerkingen maakte: 'Het zou beter zijn als ze haar ogen en mond dichthield. In mijn tijd moesten wij jongelui ons fatsoenlijk gedragen. We nodigden onszelf niet zomaar uit op feestjes.'

'Als je blijft weigeren met je tijd mee te gaan word je nog een oude dinosaurus, Garzón.'

'Mijn botten zullen lang niet zo interessant zijn als die van een dinosaurus.'

'Dat zal dan het enige verschil zijn, geloof me.'

Hij zat in zichzelf te mopperen, maar erg netjes klonk het niet. Tot mijn schande moet ik bekennen dat ik hem graag tekeer hoorde gaan. Grappig zoals hij als het kritische geweten van de nieuwe generatie optrad, maar dat nooit bij zichzelf zou toegeven.

'Ga een huiszoekingsbevel van de officier van justitie halen, Fermín, dan ga ik bij het bureau langs om te kijken of er nog meer gegevens zijn over de huur van dat huis. We treffen elkaar daarna in de Calle Princesa, oké?'

'Een belachelijke uitdrukking dat "oké" en nog uit een vreemde taal ook.'

Ik knipoogde naar hem terwijl ik in de auto stapte.

'Tot straks, lieve brontosaurus. Ik hoop dat je in het museum een eigen zaal krijgt.'

Hij riep zwijgend een of andere god van de lankmoedigheid aan en ik zag hem tussen de voorbijgangers verdwijnen. In wezen had hij gelijk, hoe ouder je wordt hoe minder je je kunt vinden in de heersende moraal. Daar kun je op twee manieren op reageren: denken dat de wereld het spoor bijster is of dat ons type kompas vermoedelijk aan renovatie toe is.

Toen ik het bureau binnenkwam stormde agent Domínguez op me af.

'Inspecteur Delicado, vandaag is de verdachte me niet ontglipt.'

'Helemaal te gek, Domínguez. Ik zal je voordragen voor promotie.'

Ik knikte naar een verlopen figuur die op een bank in de gang zat. Ik had geen flauw idee wie hij was. Ik pijnigde mijn hersens. Juan de Dios Llorens, de oplichter van Caritas. Dat ik me zijn naam herinnerde, bracht me niet veel verder. Wat had ik die man verdorie willen vragen en waarom zat hij hier? Het was meer uit waardering voor de heldendaad van Domíngeuz dan uit echte beroepsinteresse dat ik hem naar mijn kamer liet komen. Ik observeerde hem stilzwijgend. Hij zag er onaangenaam uit: schriel, gebleekt haar en een oorbel in zijn oor; gelukkig was Garzón er niet bij. Ik vond het niet nodig wat te zeggen, hij zou wel losbarsten en dat gebeurde ook.

'Het is een schande, inspecteur. Het is altijd hetzelfde met de politie, ik heb één keer iets gedaan, dus ben ik altijd de klos. En ik leid al tijden een deugdzaam leven. Ik heb werk en verdien zelf de kost. Ik ben koerier bij een bedrijf, maar wel zo'n koerier in een bestelwagentje en niet op de brommer. Sinds die keer dat ik gepakt ben heb ik me niet meer met louche zaakjes ingelaten, echt waar niet.'

Ik trok vragend mijn wenkbrauwen op en zei wat vaag: 'O ja, zo?'

'Ja inderdaad! Wat zal mijn baas wel niet denken als de politie nu op het bedrijf komt rondsnuffelen. Ik zweer bij God dat ik nergens bij betrokken ben, echt waar niet. En als u me niet gelooft, ik kan u wel vertellen dat ik me uit noodzaak heb gebeterd. Ik wil niet zeggen dat ik een heilige ben, nooit geweest ook. Maar liefdadigheidswerk is niet iets waarin je nog geintjes kunt uithalen. Niet meer. Nu heb je daar een stel kloteoplichters, sorry voor het woord. Ik besefte toen dat ze daar verkeerd bezig waren, want op mijn eigen manier wat poen verdienen, oké, maar dat een kerel je komt vertellen wat je moet doen…'

'Waar heb je het over?'

'Over georganiseerde oplichterij, inspecteur. Geld vragen voor een organisatie die niet bestaat en dat soort dingen. Het zijn nu allemaal professionelen, maffia zogezegd.'

'Ik wil gegevens.'

'Die heb ik helemaal niet, maar ik werd gewaarschuwd door een paar collega's: kijk uit wat je doet, kerel, het is een mijnenveld. Maar vraag me niet of het de Russische maffia is of die van Villapalos, geen idee. Ik dacht dus: verdomme, voor die paar stuivers en dan nu ook te maken hebben met organisaties die, als je niet meedoet, je zonder meer in elkaar rammen… Dus ik ben ermee gekapt.'

'Wie zegt dat het maffia is?'

'Ik weet niet of het maffia is of wat anders, maar ik werd van verschillende kanten gewaarschuwd. Die dingen zijn bekend, inspecteur.'

'Wie heeft je precies gewaarschuwd?'

'Niemand in het bijzonder, ik zweer het, maar je hoort het om je heen. Nu telt alleen mijn bestelwagentje en ik ben gewoon pakjes her en der aan het afleveren.'

'Juan de Dios, jij hebt hier verder niets mee te maken, oké, dat heb ik begrepen en ik accepteer het. Maar juist daarom zal niemand je ter verantwoording roepen als je me een aanwijzing kunt geven wie ik moet benaderen, een klein aanknopingspunt, een spoor.'

Hij bleef even stil, keek naar zijn handen, strekte zijn vingers om zijn nagels te kunnen bestuderen. Ik begreep dat hij zat te overwegen of hij me iets belangrijks moest zeggen. Ik hield mijn adem in.

'Er zijn al twee doden, arme sloebers die nauwelijks te eten hadden. Hoe kun je zo ploerterig zijn om zulke kerels te vermoorden, vertel eens?'

'En waarom zou ik de politie vertrouwen?'

'Wat moet ik je garanderen?'

'Dat niemand erachter komt dat ik met u heb gesproken.'

'Akkoord.'

'U moet naar restaurant La Gàbia gaan, de eigenaresse weet meer, daar komen wel lui. Ik heb er nu echter niets meer mee te maken, inspecteur, als ik weer gesodemieter krijg is het uw schuld.'

'Ik heb je beloofd dat ik mijn mond zal houden, daar kun je van op aan. Vraag hier maar of Petra Delicado te vertrouwen is.'

'Ja hoor, ik ga nu meteen een enquête houden, hou toch op! Dat komt ervan als je je gevoel laat spreken. Hoe meer gevoel je hebt, hoe groter de ellende.'

Daar waren we het over eens, maar ik vond het geen punt dezelfde mening toegedaan te zijn als een ex-delinquent. Dat je iemands zienswijze deelt, komt vaker voor naarmate je meer ervaring opdoet.

Ik liep snel het bureau binnen, maar voor ik bij mijn kamer was moest ik dringend bij Coronas komen. Foute boel, dacht ik toen ik zijn gezicht zag.

'Goed, Petra, eens kijken of we het snappen, want dit is me een gelazer. De ex-vrouw van Tomás Calatrava Villalba belde net vanuit Frankrijk. Ze vroeg of ze naar Barcelona moest komen. Ze was in alle staten, volgens haar schoonzus werd ze misschien opgeroepen om hier op het bureau een verklaring af te leggen.'

'Ja, juist.'

'Hoezo ja, juist? Ik heb via mijn computer je rapporten over de zaak bekeken, maar daar staat niets over in.'

'Ik weet het, meneer, het is namelijk een losse onderzoekslijn die we, denk ik, niet verder gaan volgen.'

'Als je zoiets besluit moet je dat in het rapport opnemen, anders weet ik van toeten noch blazen en een chef hoort altijd op de hoogte te zijn van wat er gaande is.'

'Dat hangt af van het soort rapport, commissaris, we hebben heel wat losse onderzoekslijnen die in het uiterste geval stuk voor stuk opgepakt kunnen worden.'

'Dat heb ik al gezien. Je rapport lijkt eerder op een spoorwegknooppunt waar niemand wijs uit kan worden dan op een aantal losse sporen. En weet je wat er dan meestal gebeurt? Dat de treinen op elkaar botsen. Je gaat niet methodisch te werk.'

'Daar ben ik het niet mee eens, commissaris. Dat zogenaamde gebrek aan methode is eigenlijk alleen een systeem dat niet strookt met de traditionele methode.'

'Hou op met die onzin, je bent nog irritanter dan een zuiplap met een kwade dronk. Ik wil je zeggen dat het rapport…'

Mijn mobiel ging. Coronas gebaarde me dat ik moest opnemen. Het was Garzón. Ik knikte een paar keer instemmend. Ik hing op en keek bedenkelijk naar de commissaris.

'Ik ben bang dat ik moet gaan, meneer. Er is net wat vervelends gebeurd.'

'Zou het te veel gevraagd zijn als je me vertelde wat dat is?'

'Ze hebben Yolanda Santos te pakken gehad, de agente van de gemeentepolitie die ons bij de zaak assisteert.'

'Ook dat nog! Zo meteen hangt de chef van de gemeentepolitie aan de telefoon om me ter verantwoording te roepen.'

'Het spijt me, commissaris.'

'Zodra je terug bent wil ik een gedetailleerd rapport, begrepen? En volgens de traditionele methode, ook al is dat te min voor je inlevingsvermogen. Het kan me niet schelen of je vannacht niet aan slapen toekomt.'

'Uiteraard, meneer, natuurlijk, komt in orde.'

Een paar agenten en de brigadier stonden op me te wachten in de Calle Princesa. Yolanda was voor behandeling naar de dichtstbijzijnde eerste hulp gebracht. Terwijl ze in de hal de wacht hield, hadden naar het scheen twee mannen met motorhelmen op haar bewusteloos geslagen. Ze had zich niet kunnen verweren. De deur van het appartement dat ze bewaakte stond open.

'Hoe gaat het met het meisje?'

'Ze is bont en blauw, maar verder gaat het goed. Ze kon ons alles moeiteloos vertellen.'

We gingen de woning binnen en de twee agenten bleven beneden. Enkele buren stonden nieuwsgierig op de trap. Garzón maande ze weg te gaan. Ik sperde mijn ogen wijd open om de leegte voor me te kunnen overzien. De woning was volledig leeggehaald, er was niets, helemaal niets, geen stoel, geen voorwerp, geen papiertje.

'Ze hebben het volgens mij niet alleen leeggehaald maar ook schoongemaakt. Het ruikt naar bleekwater, vind je niet?'

'Inderdaad. Ze zijn duidelijk steeds onze gangen nagegaan: we ondervragen een bedelaar en hij wordt om zeep gebracht, we lokaliseren een woning en die wordt ontruimd.'

'En ze zijn ons dan net even voor. Maar als de woning al leeg was, waarom hebben ze dan het risico genomen om terug te komen?'

'Ze zullen wel iets zijn vergeten of ze wilden verifiëren dat iets wat ze misten hier niet lag…'

'Dat ongetwijfeld zo belangrijk is dat ze een politieagente in elkaar durfden te slaan.'

'Alles is belangrijk wanneer je sporen probeert uit te wissen.'

'Dit is een heel vuil zaakje, inspecteur, daar ben ik van overtuigd.'

'Ik ook, Fermín. Laat het appartement verzegelen en de technische recherche komen, al betwijfel ik of het wat oplevert.'

We doorzochten de hele woning. Het was alsof een ploeg verhuizers alles had klaargemaakt voor de volgende huurder.

'Ondervraag de buren eens, iemand moet toch hebben gezien dat ze dagen geleden de meubels hebben weggehaald.'

'Dat heb ik al gedaan. Niemand heeft iets gezien. Raar maar waar.'

'Vermoedelijk waren er helemaal geen meubels. Het oudje hiertegenover zei dat het een soort magazijn was. Het is een koud kunstje om 's nachts heimelijk en onopvallend dozen met spullen weg te halen.'

'Dat zou kunnen. We gaan het aan de bewoners in de naaste omgeving vragen.'

Dat kostte ons bijna drie uur. Jammer genoeg waren er geen winkels of werkplaatsen in de buurt. In winkels die open zijn brengt het personeel uren door met naar buiten kijken. Het leverde niets op, in de woonwijk waren geen kerels gezien die spullen wegdroegen. We keerden terug naar het appartement, waar bij de agenten een vuilnisman op ons wachtte. Hij had een paar uur geleden twee mannen het huis uit zien hollen. Ze hadden een vuilniszak in hun hand. Hij wist het nog omdat hij dacht dat ze die in de container wilden gooien, maar ze namen hem mee. Ze waren te voet, al droegen ze beiden een motorhelm die hun hele gezicht bedekte. Ze waren lang en atletisch en gezien hun tempo was hij er bijna zeker van dat het jongelui waren.

'Dat is het,' zei Garzón. 'Daar waren ze naar op zoek: gewoon een vuilniszak die ze na de eindschoonmaak hadden vergeten. Misschien met paperassen, voorwerpen vol met vingerafdrukken... Het ultieme bewijs als je geen spoor wilt achterlaten. Wat een frustratie, inspecteur, ik krijg bijna zelfmoordneigingen.'

'Wacht daar nog mee. Ik moet je wat vertellen als we in de auto zitten. Ik heb een interessant gesprek gehad met Juan de Dios Llorens.'

'Waar gaan we naartoe?'

'Eerst naar het ziekenhuis, ik wil Yolanda even zien. Daarna gaan we naar een restaurant, La Gàbia.'

'Dat wordt een latertje.'

'Dan gaan we daar morgen heen, het restaurant loopt niet weg, en ik voel me schuldig aan wat dat meisje is overkomen.'

We liepen de overloop op en de deur ertegenover ging open. Onze vriendin, het fragiele oude buurvrouwtje, kwam tevoorschijn. Ze lachte toen ze Garzón zag.

'Brigadier, dat is snel dat u mijn gerepareerde vaas komt brengen!'

'Uw vaas?'

Mijn collega ging een licht op en hij stak zijn hand in zijn jaszak. Hij haalde eerst het bevel van de officier van justitie tevoorschijn en daarna minuscule stukjes aardewerk, beduidend kleiner dan de oorspronkelijke scherven.

'Ik ben bang van niet, mevrouw, maar ik zal hem maken. Al is dat het laatste wat ik ooit doe, ik zal hem repareren.'

Yolanda was niet meer in het ziekenhuis, ze was ontslagen en naar huis gegaan. Ze woonde traditiegetrouw nog thuis bij haar ouders tot ze ging trouwen. Volgens haar persoonsgegevens was haar vader taxichauffeur en werkte haar moeder in een stomerij. Een eenvoudige familie zonder financiële zorgen. Ik hoopte op een vriendelijke ontvangst, maar proefde een zeker verwijt. Het werk bij de gemeentepolitie was minder gevaarlijk dan bij de afdeling Moordzaken van de rijkspolitie. De familie van het meisje vroeg zich waarschijnlijk af wat ze bij ons deed. Ze liep uiteraard meer risico en het was egoïstisch dat ik het nooit vanuit dat gezichtspunt had bekeken. We gingen haar kamer binnen en haar ouders lieten ons alleen. Tot mijn stomme verbazing zag ik overal poppen en pluchen beren. Hoe oud was Yolanda eigenlijk, vijfentwintig? Wat moest ze in godsnaam met al die kinderspullen in haar slaapkamer?

Ze had wat pleisters op haar gezicht, maar de ergste klappen had ze blijkbaar op haar achterhoofd gekregen.

'Hoe gaat het?'

'Ik kon hun gezicht niet zien, inspecteur. Ze kwamen de lift uit en voor ik er erg in had sprongen ze boven op me. Ze droegen motorhelmen en toen stormden ze…'

'Ik weet het, rustig maar, ik vraag alleen hoe u zich voelt.'

'Goed. Ik geloof dat het twee jonge knullen waren omdat…'

'Hoor eens, Yolanda, wat u nu moet doen is met ziekteverlof gaan en opknappen. Niet aan het werk denken maar bijkomen.'

'Inspecteur, dat kunt u me niet aandoen. U kunt me nu niet buiten de zaak houden, ik heb vanaf het begin met u gewerkt en wil tot het eind toe doorgaan. Wat was er in die woning, hebt u iets ontdekt? Vertel het me alstublieft.'

'Het is goed, kalm maar.'

Ik bracht haar op de hoogte. Ze zuchtte diep en leunde achterover in de kussens.

'Nog even en we hebben die moordenaars te pakken, ik heb een voorgevoel, ik weet het. Gelooft u dat ook niet?'

'We komen in de buurt, we komen steeds dichterbij,' zei Garzón meer uit vriendelijkheid dan uit overtuiging.

Er werd een paar keer op de deur geklopt en het volgende moment kwam er een jonge man binnen. Hij was lang, stevig gebouwd en had gemillimeterd haar; een blufferig type met volle lippen en grote groene ogen, een ontzettend sensueel stuk. Hij stormde op het bed af zonder ons te groeten.

'Wat is er gebeurd?'

'Niets, Sergio, geen paniek.'

'Geen paniek? Hoezo verdomme? Moet je kijken hoe ze je hebben toegetakeld!'

'Dit is mijn vriend,' wendde Yolanda zich tot ons, maar de jongen maakte geen aanstalten zich netjes voor te stellen.

'Waarom hebt u haar erbij gehaald? Ik vond het al niks dat ze bij de gemeentepolitie ging en nu is ze ook nog bij de recherche!'

'Sergio, hou je mond!'

'Waarom zou ik mijn mond houden, ik heb immers gelijk! Ze hebben toch hun eigen agenten, laten ze het zelf uitzoeken.'

Yolanda was helemaal van slag, op het hysterische af, en kon haar tranen nauwelijks bedwingen. Het leek me raadzaam ervandoor te gaan.

'Jongelui, geen ruzie maken. We gaan al. Pas goed op uzelf, Yolanda, we zien elkaar later. Ik bel wel om te vragen hoe het gaat.'

'Inspecteur, een ogenblikje, wacht!'

We liepen de gang op en zagen de moeder in de eetkamer zitten huilen, ze werd getroost door haar man. In de slaapkamer was de discussie weer opgelaaid. Ik haastte me naar de voordeur en zei vlug 'Tot ziens, mevrouw en meneer', wat belachelijk plechtig klonk.

De buitenlucht deed me goed.

'Sodeju, het leek wel een Griekse tragedie!'

Garzón glimlachte zelfingenomen en zei betweterig: 'Dat is niet zo vreemd.'

'Het is overdreven. Heb je gezien hoe die driftkikker tekeerging? En die moeder, huilend alsof haar dochter opgebaard lag!'

'Het punt is dat je uit de hogere klasse komt, inspecteur.'

'Ja hoor, dat ontbreekt er nog maar aan.'

'Het is zo. Jij hebt gestudeerd, je bent een ander milieu gewend.'

'Natuurlijk, jij en ik gaan altijd met de jetset om!'

'Nee, tijdens het werk zie je in de regel de zelfkant van de maatschappij, maar aan het eind van de dag keer je terug naar je chique wereld met overal boeken en cd's van Chopin. Je gaat van het ene uiterste in het andere, maar je hebt geen weet van het gewone volk.'

'Sodemieter op, Garzón!'

'Maar het is zo. Het gewone volk heeft als enige rijkdom zijn kinderen en als enige verlangen een rustig leven.'

'Je bent net een goedkope televisiedominee.'

In plaats van beledigd te zijn, bleef hij kalm en leek zelfvoldaan. Hij glimlachte met nauwverholen arrogantie.

'Ik weet waar ik het over heb, inspecteur.'

'Oké, je kent de materie, je bent een paria op aarde en voor jou is er een plekje in het hongerige legioen. Ik smeer hem, brigadier, ik ben al die flauwekul zat.'

'Waar ga je naartoe? Het is al laat.'

'Naar het bureau, een onbenullig klusje doen. Aangezien ik lid ben van de lanterfantende oligarchie ga ik een paar rapporten schrijven die ik van Coronas vandaag klaar moet hebben. Niets bijzonders, nukken van een rijkeluiskind.'

Ik liep weg en zag uit mijn ooghoek dat hij moest lachen. Hij kon nog net zijn vlezige hand opsteken en roepen: 'Kom niet te laat thuis, ik wacht op je!'

Ik zat de rapporten door te lezen die ik tot dan toe over de zaak had opgesteld. Ze waren even warrig en raadselachtig als een experimentele roman. Ik probeerde er enige logica in aan te brengen, maar het vlotte niet erg. Zoals de commissaris had vastgesteld waren er te veel losse eindjes. Een rapport is echter geen fictie en wat gebeurd was, was gebeurd, dat kon niet zomaar veranderd worden. Alle sporen die we hadden, kwamen op hetzelfde adres samen, maar dat leidde, anders dan gewoonlijk, tot slechts enkele zwakke hypothesen. En bij gebrek aan hypothesen kunnen uiteraard alleen de gebeurtenissen je verder helpen, maar die vonden plaats op een vreemde, onvoorspelbare manier en waren ook nog eens heel merkwaardig. Als we het over simpele oplichters hadden, waarom werden we dan geconfronteerd met zulke zware delicten? Dat twee moorden met elkaar verband houden, komt niet zo vaak voor. Een enkele moord is te verklaren: een uit de hand gelopen afrekening, agressie die je achteraf probeert te verdoezelen of anderen in de schoenen te schuiven… maar om twee misdrijven te plegen moet je wel een sterke reden hebben. Wie vermoordt er twee kerels om de sporen uit te wissen van een zo lafhartige oplichterij als de verkoop van sleutelhangers van een frauduleuze organisatie? Welke onbeduidende crimineel probeert zo geraffineerd de politie op een dwaalspoor te brengen en laat skins een al dode Tomás de Wijze in elkaar slaan en in een park dumpen? En wat te denken van het risico dat de twee 'motorrijders' liepen door ter plekke een politieagente af te tuigen. Het vermoeden dat achter die hele onsamenhangende geschiedenis iets belangrijks stak, was beslist meer dan alleen een vermoeden. Maar wat was er dan zo belangrijk dat zwervers die geen rooie cent hebben het slachtoffer werden? Nee, met geen mogelijkheid kon ik aan mijn rapport een logische draai, de schijn van een methodisch doorwrocht geheel geven. Ik zou er nog een alinea met de mishandeling van Yolanda aan toevoegen en dan was het mooi geweest. Op dat moment ging de telefoon.

'Inspecteur, blijf je nog lang weg?'

'Je lijkt wel een echtgenoot, Fermín.'

'Nee, maar er is bezoek voor je. Je vriend Ricard is er.'

'Geef hem een biertje, ik kom zo.'

Verdomme, ook dat nog, Ricard met zijn rare gewoonte om onverwacht voor de deur te staan! Een agent heeft duidelijk twee opties in zijn persoonlijke leven: hij heeft een perfect georganiseerd gezin waar alles volgens de regels gaat of hij heeft helemaal geen gezin. Ik had voor de tweede mogelijkheid gekozen, maar als ik mannen bleef opnemen in mijn huis zou het wel eens een mannelijke harem kunnen worden. Ik sloot vlug de computer af en vroeg me op weg naar huis af wat ik daar zou aantreffen.

Het tafereel was niet bijster opwindend of apart en evenmin erg verontrustend. Ricard Crespo en Fermín Garzón keken verveeld naar een voetbalwedstrijd op tv. Op het tafeltje stonden een paar halfvolle biertjes. Ik groette ze opgewekter dan bedoeld.

'Hallo heren, hoe gaat het?'

Ze antwoordden met een paar onduidelijke klanken. Alsof hij de heer des huizes was, bood Garzón aan een biertje voor me te halen. Maar tot mijn stomme verbazing bemoeide Ricard zich met dat aanbod.

'Beter een kop thee, nietwaar? Ik geloof dat Petra dat om deze tijd liever heeft.'

'Thee voor het eten? Dat lijkt me niet zo geschikt.'

'Nou ja, theoretisch misschien niet, maar Petra wil altijd thee als ze moe is.'

'Beste vriend Ricard! De inspecteur en ik werken al heel lang samen. Geloof maar niet dat we ooit thee, koffie, bier of andere drankjes hebben gedronken! En ik kan u verzekeren dat…'

Ik verhief mijn stem maar probeerde zo gewoon mogelijk te klinken: 'Nee, doe geen moeite, ik heb eigenlijk meer zin in tomatensap en dat haal ik zelf wel.'

'Daar gaat het niet om,' zei Ricard. 'Ik vind het vervelend dat je door dat gezeur van vriend Garzón zelf iets moet gaan inschenken terwijl je moe thuiskomt.'

'Hoor eens, Ricard, als dat het probleem is, doe ik het zelf, want je moet weten dat…'

Ik stond meteen op en greep met een snelle beweging mijn tas en mijn jas. Ik liep haastig naar de voordeur, draaide me om en zag beide kemphanen me verbouwereerd aankijken.

'Vrienden, ik ben van mening veranderd. Waar ik zin in heb is een dubbele whisky in een kroeg en uiteraard helemaal in mijn eentje. Goedenavond, en doe of je thuis bent.'

Ik glimlachte en deed zachtjes de deur achter me dicht. Onderweg naar de Villa Olímpica kreeg ik een lachbui. Ja, het gezicht dat ze trokken was echt om te gillen. Gelukkig was het nog vroeg in de avond. Ik nam geen whisky maar een heerlijke, bijna rauwe hamburger en daarna ging ik naar bioscoop Icaria. Ik zag een documentaire over de vogeltrek in alle uithoeken van de wereld. Geruisloos vlogen de zwermen boven de immense, verlaten Russische steppen, de enorme, verlaten bergen van Amerika, het eveneens verlaten, ijskoude landschap van Noorwegen. Ik genoot van die overvloed aan verlatenheid.

Om een uur 's nachts kwam ik thuis, verzoend met de wereld, die meer inhield dan de intimiteit van mijn woonkamer. Alles was rustig en donker. Ik dankte God voor dit weldadige geschenk. Er hing nog een zware geur van Ricards tabak. Hij moest nog maar kort geleden zijn weggegaan. Ik liep naar de keuken en schonk een glas melk in. Opeens stond Garzón voor me en ik schrok me een beroerte. Hij droeg een pyjama met heraldische motiefjes en een chique nieuwe ochtendjas van blauwe zijde die hij ongetwijfeld voor zijn logeerpartij hier had gekocht.

'Verdorie, brigadier, waarom ben je nog op?'

'Ik hoorde je thuiskomen en… Ricard is eigenlijk net weg.'

'Zo, uitstekend! Hebben jullie nog een partijtje gebokst?'

'Ik geloof dat ik je mijn excuses moet maken. Hij zou dat ook gaan doen, zei hij.'

'Fantastisch! Het is wel zaak dat ieder voor zich dat doet, anders krijgen we een discussie over welk excuus het beste voor me is.'

'Nee, geen sprake van, we zijn nu vrienden. Daarbij heeft het Spaanse elftal gewonnen. Het was erg gezellig. Maar we hebben ons allebei als een stel imbecielen gedragen. Nou ja, ík zeker.'

'Hij deed niet voor je onder, geloof maar niet…'

'Ja, we beseften dat je je juist ongemakkelijk voelde toen we je wilden helpen.'

'Ik dacht al dat ik je door weg te gaan een subtiele hint in die richting gaf.'

'Nogmaals, het is mijn schuld, je verleent me onderdak en ik kan me alleen maar onbeschoft gedragen tegenover een andere gast. Ik denk dat je gelijk hebt, Petra, ik ben een oud fossiel aan het worden.'

'Ik had het over een dinosaurus.'

'Komt op hetzelfde neer.'

'Mooi niet!'

'Nou goed, ik ga slapen. Weet je, inspecteur, de zeep en lotions in de badkamer ruiken hetzelfde als die mijn vrouw had en roepen allerlei herinneringen bij me op. Aangename of onaangename, dat weet ik niet.'

'Zal ik ze weghalen?'

'Nee hoor, het is goed zo. Goedenacht.'

Op dat moment belde Ricard. Hij wilde zijn excuses aanbieden, hij vond zichzelf de belachelijkste, ellendigste en stomste kerel op aarde. Hij voelde zich als Adam op sokken, als Freud met een neuspiercing. Ik moest vreselijk lachen en we spraken af voor de volgende dag.

Ik dronk in alle rust mijn melk op. Mannen zijn rare wezens die met hun territoriumdrift en geurwaarnemingen toch heel warm en gevoelig kunnen zijn. Soms zijn het net jonge honden en soms verslindende wolven. Maar een hard oordeel kon ik niet vellen, want in feite vond ik ze fascinerender dan welk ander levend wezen ook, met uitzondering van de kolibrie.

9

Om acht uur 's morgens stond er al een liefdesverklaring op mijn mobiel. Ricard hield vol. Het zou belachelijk zijn om te ontkennen dat ik het leuk vond, ik begon op een leeftijd te komen waarop je je meteen gevleid voelt door zulke vasthoudendheid, maar misschien juist door mijn leeftijd was ik ook enorm achterdochtig geworden. Waarom bleef die ervaren en rokkenjagende psychiater er zo op aandringen om te gaan samenwonen? Geen van tweeën leken we meegesleept te worden door een tomeloze, brandende hartstocht. Zou mijn minnaar dan niet alleen maar uit zijn op een gewoon avontuurtje? Zoiets als plotseling inzien dat je maar alleen woont en beseffen dat verandering soms een overwinning is. En precies op dat moment verscheen ik, Ricard keek naar me, dacht dat ik ermee door kon en besloot me te strikken voor de nieuwe fase in zijn leven. Nou, en wat was daar mis mee? Om te beginnen bood het me weinig troost. Ondanks het feit dat volwassen worden inhoudt dat wij ons narcisme onderdrukken, bleef voor mij de indruk die ik op de ander maakte belangrijk. Waarom probeerde ik me niet te concentreren op wat ík wilde en voelde? Erger was dat als ik eraan dacht ik enorm tegen het gedoe opzag. Ik was geen jong meisje meer dat hartjes tekent in de kantlijn van schriftjes. Ik zou net zo goed de romantische liefde van mijn prioriteitenlijstje kunnen schrappen, maar dat wilde ik niet. Zelfs degenen die besloten hebben zonder liefde te leven, weigeren dat openlijk toe te geven, want dat is vreselijk, het is als afzien van de hoofdrol die het leven voor ons in petto heeft. Maar het opgehemelde realisme, dat niet anders is dan het accepteren van de laagheid van het leven, dwong me erover na te denken of het prettig zou zijn om weer met een man samen te leven. Zou ik voet bij stuk houden nu het zover was? Zou ik mijn eenzaamheid verkwanselen voor een gezamenlijke linzenschotel? Wat zou de overhand krijgen: de geruststellende gedachte een vriend te kunnen vertellen dat er die dag iets was misgegaan, of het zelfvoldane gevoel de kleine dagelijkse stormen alleen te doorstaan? God, wanneer worden we helemaal bevrijd van de somberheid en de twijfel die de andere sekse op ons projecteert. Als je tachtig bent, na een slechte ervaring, na een natuurramp te hebben meegemaakt? Nooit, denk ik. Ouderdom, mislukking, noch een allesverwoestende aardbeving is in staat om de verleidelijkste appel ter wereld uit de hand van de duivel te laten vallen.

Zo vroeg achter mijn computer spookte dit allemaal door mijn hoofd, uitgerekend op het moment dat ik een perfecte planning van de volgende te nemen stappen zou moeten overhandigen. Dus toen commissaris Coronas zijn hoofd om de deur stak, voelde ik me zo schuldig alsof ik een erotische site op internet had zitten bekijken. Ik probeerde bij mijn positieven te komen, waarschijnlijk overdreven snel, want Coronas snauwde me toe: 'Ik weet niet of het wel gelegen komt om je goedemorgen te wensen.'

Zonder haperen flapte ik eruit: 'Ja, ik weet het, commissaris, de journalisten jagen ons op en wij zijn niet veel verder gekomen, het gaat langzaam allemaal en nu is Yolanda ook nog aangevallen en hebben haar ouders een aanklacht tegen me ingediend. Nou, wat wilt u dat ik zeg? Ik weet het allemaal al.'

Hij fronste zijn wenkbrauwen, keek me spottend en met een arrogant lachje aan.

'Prima, inspecteur, een goede aanval is de beste verdediging, een Fransman zegt *bonjour* tegen je en evenals Agustina de Aragón schiet je er voor alle zekerheid op los. Welnu, je vergist je, beter gezegd, je vergist je voor een deel. Het is waar dat de journalisten ons opjutten en dat de zaak niet vordert, maar van ouderlijke aanklachten is absoluut geen sprake. Het is zelfs zo dat ik net werd gebeld door Yolanda's chef van de gemeentepolitie. Het meisje heeft verzocht overgeplaatst te worden naar het korps van de rijkspolitie en wil aangesteld worden bij Moordzaken. Wat vind je daarvan?'

Hij was zo voldaan als hij op het afstudeerfeest van een geliefde zoon zou zijn. Ik begreep het doel van dit gesprek niet goed.

'Nou, dat is toch geweldig!'

'Ik vind het vervelend om toe te geven, maar ik ben trots op je. Ik geloof dat je een voorbeeld bent voor het meisje, en dat jonge mensen naar ons korps willen komen, bezorgt ons een goede naam en bewijst dat er toekomstmogelijkheden zijn bij de politie. Dat is heel goed.'

'Arm kind! En dan te bedenken dat ze meewerkt aan een zaak waar we niet uitkomen.'

'Maar jullie komen er wel uit, inspecteur, vast en zeker, ik heb al mijn hoop op jullie gevestigd. Afijn, je kunt niet zeggen dat ik vandaag ben gekomen om je de mantel uit te vegen! Op dit bureau zijn we een goed team, zeker wel! Ga dapper door met jullie werk!'

Hij draaide zich atletisch om en maakte zelfs een paar sprongetjes. Ik was stomverbaasd. Geloofde hij echt in dat toekomstbeeld en ons aanzien bij de jeugd? Vreselijk, hij werd oud! En dat toontje van politicus op campagne, van tevreden vader aan de zondagstafel! Ik vond het niet kunnen, openlijk blijk geven van een gevoel van trots, eigenlijk van welk gevoel dan ook. Hij verscheen weer in de deuropening.

'Omdat je nooit iets onthoudt, herinner ik je eraan dat vanavond het commissariaatdiner is ter ere van onze patroonheilige.'

'En wie is onze patroonheilige?'

Hij lachte vrolijk.

'Ik mag jouw stijl wel, Petra, ook al weet je nooit ergens van. Tot straks.'

Ik besefte dat ik mijn chef liever zag als hij agressief tekeerging. Godallemachtig! Op dat etentje van het werk zat ik nou echt niet te wachten. Elk jaar vergat ik het en elk jaar gaf iemand mij de onaangename hint dat het eerbetoon aan onze heilige ophanden was. Ik was er zeker van dat het een van de redenen was van Coronas' paternalistische euforie. Hij oefende voor de avondtoespraakjes, om goed de rol van onbetwistbaar leider van onze diendergemeenschap te vertolken. Nog meer afleiding van mijn werk, alsof ik niet genoeg had aan mijn onzekere gevoelens over Ricard! Toen besefte ik dat ik hem moest waarschuwen, vanavond zat er geen afspraakje in. Ik pakte de telefoon, maar zoals gewoonlijk kwam Garzón zonder kloppen binnen.

'Wat ben je verdorie aan het doen, inspecteur? Ik sta te wachten. Moeten we niet snel naar dat restaurant?'

Ik deed mijn regenjas aan en kwam in beweging. Mijn leven bestond altijd uit puzzels: persoonlijke, professionele... en dat terwijl ik daar niet van hield toen ik klein was, iets weer in elkaar zetten wat al eerder was gebeurd vond ik zonde van de tijd. Natuurlijk stond ik bekend als een praktisch en zelfverzekerd meisje, eigenschappen die ik met de jaren ben kwijtgeraakt.

La Gàbia was een kolossaal café, een van die goedkope restaurants die jaren geleden waren geopend. Elke dag zat het vol arbeiders die in de enorme ruimte kwamen eten. Een even ruime bar bevond zich aan de zijkant. Het verontrustte me dat ik daar minstens drie vrouwen zag werken. Wie van de drie wist iets wat voor ons van belang was? Ik maakte me zorgen om niets, degene die wij moesten hebben was de oudste, ik nam aan de vrouw van de baas, een stevige, energieke meid die ons vroeg plaats te nemen. Ze had haar haar opgestoken in een knotje en haar gezicht vertoonde nog de trekken van haar vermoedelijke vroegere schoonheid. Ze droogde haar handen af aan haar schort en keek ons vrijmoedig aan. Op haar lippen was geen spoor van een lachje te zien.

'U bent dus van de politie. Wilt u koffie? Clara, drie koffie graag!'

We hoefden niets te vragen, ze begon zelf openhartig, nuchter en zelfverzekerd te praten: 'Luister, voor alles wil ik dat u weet dat dit een doodgewoon restaurant is. Ik heb de zaak overgenomen van mijn ouders, en mijn man en ik serveren hier al twintig jaar lang maaltijden. Zoals u zult begrijpen kan een zaak waar illegale of vreemde dingen gebeuren niet zo lang blijven draaien, kunt u mij volgen?'

'Heel goed.'

'Dat wil niet zeggen dat er tussen alle mensen die hier binnenkomen niet een of andere schoft zit.'

'Dat is volkomen duidelijk. We zijn hier omdat Juan de Dios Llorens…'

Ze liet me niet uitpraten. Ze zweeg toen de koffie kwam en ging verder met een energie en een autoriteit die ik zelf graag gehad zou hebben.

'Om te beginnen zal ik u vertellen dat ik die sukkel van een Juan de Dios ken, omdat hij jaren geleden de vriend van mijn zus was. Gelukkig heeft ze hem de zak gegeven, want hij was een nietsnut en een stumper. Hij is echter geen slechte vent. Lange tijd haalde hij stommiteiten uit, maar zelfs voor beroepsoplichter deugde hij niet. Hij werd meteen gepakt. Nu heeft hij fatsoenlijk werk, een klotebaantje, maar hij doet geen illegale dingen.'

'Moest u dat van hem zeggen?'

Ze deed een haarlok terug in haar knotje en wapperde in de lucht van nee met een door chloor en hard werken verweerde hand.

'Vergis u niet, inspecteur. Juan de Dios kan me geen fluit schelen, zoals alles wat niet te maken heeft met dit restaurant en mijn familie. Hij komt hier binnen, eet, betaalt en gaat gewoon weer weg. Soms drinkt hij zijn koffie aan de bar en praten we even, dat is alles. Omdat ik wist dat hij betrokken was geweest bij dat Caritasgedoe, vertelde ik hem over die vent, maar…'

'Eigenlijk is Llorens helemaal niet belangrijk voor ons. Vertel eens iets meer over die vent.'

'Nou, dit zou ik misschien beter niet tegen de politie moeten vertellen, maar het is zo, nou ja, er kwam hier een man van over de veertig, goedgekleed en veel gel in zijn haar. Soms was hij samen met net zo iemand als hij. Terwijl ik hen bediende, ving ik wel eens wat op van hun gesprek. Op een keer hoorde ik: "Laat ik u vertellen dat liefdadigheid meer oplevert dan tankstations, er komen geen creditcards of zoiets aan te pas." Er zat een luchtje aan volgens mij. Ik zag hem ook nog een keer toen ik naar de markt op de hoek ging, in een steegje met een bedelaar. Hij gaf hem geld. Ik dacht dat het een aalmoes was, maar nee, de bedelaar telde het geld, en je telt geen geld voor de ogen van de gever. Ik ben ervan overtuigd dat die vent betrokken was bij een louche zaakje. En om hem bang te maken, vertelde ik het aan Juan de Dios en zei dat die kerels van de maffia waren, dat hij moest stoppen met liefdadigheidsbedrog omdat het foute boel was. Ik geloof dat het hielp.'

'Weet u nog hoe die bedelaar eruitzag?' vroeg de brigadier.

'Ja, nogal groot, met een baard, als een zwerver.'

'Was dit hem?' En hij liet de foto van Tomás de Wijze aan onze getuige zien.

'Mijn god, ja, dat is hem! Maar waarom ziet hij er zo uit op de foto?'

'Hij is vermoord.'

'Hoor eens, ik hoop dat ik geen gevaar loop door met jullie te praten. Dat zou een mooie boel zijn, per slot van rekening met wat ik weet…'

'Is die vent hier nog wel eens terug geweest?'

'Ik heb hem al maanden niet gezien.'

'Heeft iemand zijn naam wel eens genoemd?'

'Nee.'

'Heeft hij wel eens met zijn creditcard betaald?'

'Die accepteren wij hier niet, dat is een huisregel.'

'Zou u hem herkennen als u hem zag?'

'Het is misschien beter voor me om nee te zeggen, maar vooruit, we lopen ons leven lang te kankeren dat er zo veel tuig rondloopt op de wereld en als het uur van de waarheid aanbreekt, halen we onze schouders op als we kunnen meewerken om ze te pakken. Ja, ik zou hem herkennen, natuurlijk wel! Ik wist ook meteen dat hij, ondanks zijn pak en das, een schlemiel was want hij zat met tandenstokers te peuteren… Trouwens, als hij een man van stand was geweest, zou hij hier niet komen eten, of het was tactiek natuurlijk.'

'U zult naar ons archief moeten komen om te proberen hem van een foto te herkennen, mevrouw.'

'Nou, dat ontbrak er nog aan! Als het maar niet op donderdag is, want op donderdag serveren we paella en dat moet vers bereid worden.'

Ze liep zwierig weg en nog voor ze bij de bar was, begon ze al de eerste instructies te geven. Garzón floot even: 'Allemachtig, die vrouw weet wat ze wil!'

'Zij zal de algemene leiding hebben over het restaurant. Dat komt vaak voor, de vrouw doet het werk en de man blijkt onmisbaar als sociale buffer.'

'Ik weet niet waarom ik dat nou moest zeggen!'

'Rustig maar, Fermín, in ons geval zal ik de buffer wel zijn, omdat ik er niet meer uitkom, dat meen ik serieus.'

'Een buffertje ja. Maar inspecteur, ik geloof dat het allemaal wat duidelijker wordt.'

'O ja, leg eens uit, ik ben een en al buffer.'

'De persoon in kwestie had iets op touw gezet om met liefdadigheid poen los te krijgen. Vraag me niet hoe dat ging want dat weten we nog niet, maar het komt er min of meer op neer dat ze argeloze mensen misleidden met niet-bestaande organisaties of liefdadigheidstheekransjes of wat dan ook. Tomás de Wijze maakte deel uit van die organisatie en om de een of andere reden stapte hij eruit. Er volgde een afrekening. Een perfecte aaneenschakeling van gebeurtenissen.'

'Te gemakkelijk. Hoe durft een zogenaamd vulgair type zoals die mevrouw beschrijft te moorden, en niet één maar twee keer. U weet dat ordinaire oplichters gewoonlijk niet de risico's willen lopen die een moord met zich meebrengt.'

'De situatie loopt uit de hand, inspecteur, en als dat gebeurt, is er geen houden meer aan, dan moet je in je wanhoop om de fouten te herstellen wel doorgaan met gruweldaden.'

'Kom, kom, hij heeft twee jonge, gespierde en goedgetrainde vechtersbazen, alles is heel goed doordacht.'

'Elke berekening loopt stuk op de bestemming van het gewone leven, beste inspecteur.'

'Goh, dat is filosofie!'
'Ik wilde alleen maar even demonstreren dat ik geen buffer ben.'

Het fotoarchief met oplichters van de politie in Barcelona is gigantisch, zoals te verwachten is. We moesten een zorgvuldige selectie maken voordat we de lijst met verdachten aan de mevrouw van het restaurant konden laten zien. Anders zou haar paella vast en zeker mislukken. We begonnen foto's terzijde te leggen vanwege leeftijd, soort delict, overlijden, verblijf in de gevangenis… Ik begreep meteen dat ons dat veel kostbare tijd zou kosten, en ik miste Yolanda. Dat zei ik tegen de brigadier. Ik stond versteld van zijn antwoord: 'Ja, ik mis haar ook, echt waar. En bovendien vind ik het zielig dat ze gaat trouwen met die hufter. Het leven zit slecht in elkaar. Weet je wat ik vandaag van plan ben? Vóór het diner ter ere van de patroonheilige bij haar langs te gaan. Ik ga haar bloemen brengen.'
'Garzón, dat is nog eens nieuws.'
'Ik moet toegeven dat ik altijd onvriendelijk tegen haar was en zonder enige reden. Bovendien heeft het meisje goed gescoord door naar de rijkspolitie over te stappen.'
De mysteries van de menselijke ziel zijn niet te bevatten, maar die van de ziel van de brigadier behoorden tot de meest ondoorgrondelijke raadsels van het universum. Ook al werkte ik de rest van mijn leven met hem samen, dan nog zou ik niet weten wat er in zijn gemillimeterde hoofd omging. Hoe dan ook, dit was een initiatief waar ik zelf baat bij had.
'Bij nader inzien ga ik terwijl jij dat bezoekje aflegt een paar berichten afhandelen. Dan gaan we morgen verder met dat kleregedoe van de foto's.'
'Akkoord, we zien elkaar rond etenstijd.'
Ik liep haastig weg en zocht een rustig hoekje om Ricard te bellen.
'Ricard, wat vind je ervan de boel de boel te laten en naar mijn huis te komen? Ik heb maar een paar uur en vanavond kan ik niet.'
'Ik ben met een patiënt bezig, maar… ik denk wel dat het lukt. Ik kom eraan.'

Nou, dat een man alles voor je laat schieten als een fervente volgeling van Jezus Christus, verschaft een soort innerlijke blijdschap die je laat blozen. Dat bemerkte ik met vreugde.

Ik kwam thuis en wisselde als een gek van truitje, gooide mijn pantalon in de kast en trok een frivole rok aan. Toen pakte ik een borstel en haalde die zo woest door mijn haar dat het leek of ik het uittrok. Een vleugje parfum achter mijn oren als laatste voorbereiding voor de beoogde verleiding. Te snel, want toen Ricard binnenkwam, snuffelde hij rond als een hond naar een spoor.

'Hè, je hebt parfum op!'

Ik vond de entree nogal beneden de maat en zo ontluisterend dat ik zorgde dat hij niets meer kon zeggen door hem op zijn mond te kussen. Ik geloof dat die wending hem wel beviel, want hij stortte zich op me als een hongerige leeuw. Bij elke stap naar de kamer zochten we elkaar, pakten we elkaar, en rukten we elkaar wild de kleren van het lijf. Ik vermoed dat we bij het bed kwamen, maar ik weet het niet zeker, want toen zijn warme huid de mijne raakte had ik geen notie meer van ruimte of tijd, en diende alleen het middelpunt van mijn lichaam als leidraad.

Lachend werden we ons weer bewust van de buitenwereld. We gierden het uit en vierden het zinnelijke genot, de voldoening door seks te vóélen dat je leeft, een soort blijdschap om de fantastische ondeugd van het neuken, een opgestoken middelvinger tegen verdriet en dood. Ik keek naar Ricard en vond hem aantrekkelijk met zijn woeste haar en sprankelende ogen.

'Wat is er met jou aan de hand, inspecteur? Wat zijn dat voor manieren om een heer te ontvangen?'

'Ben je niet tevreden?'

Hij begon opnieuw te lachen en schudde zijn hoofd. Hij legde een hand op mijn schouder.

'Laten we gaan samenwonen, Petra, dat is een goed idee.'

Ik lachte naar hem en ging met mijn knieën opgetrokken tegen mijn borst zitten.

'Vind je dat zo belangrijk?'

'Ja, dat vind ik.'

'En moet er niet meer hartstocht tussen ons zijn... ik weet niet hoe ik dat moet uitleggen... meer onstuimige passie?'

'Op onze leeftijd gaat het niet meer zo als wanneer je twintig bent. Maar dat maakt niet uit.'

'Ik ben bang dat we zouden doen wat betamelijk is voor ons maar niet wat we eigenlijk willen.'

'Dat klinkt als een theoretisch probleem.'

'Alles wordt een theoretisch probleem als je er in je eentje over nadenkt.'

'Vooral als je te veel aan jezelf denkt.'

'Het is mij nooit gelukt niet aan mijn eigen leven te denken. Ik zou er heel wat voor over hebben om een wetenschapper te zijn die al zijn tijd besteedt aan onderzoek. Ik geloof dat ik daarom mijn baan als advocaat heb opgegeven en politieagente ben geworden. Ik dacht dat ik helemaal op zou gaan in mijn werk, maar je ziet dat het niet zo is.'

'Ik zou je verbieden zo met jezelf bezig te zijn.'

'Daar ben ik ook bang voor. Ik denk zo veel aan mezelf omdat ik mijn leven wil begrijpen, waarom ik bepaalde dingen tot nu toe heb gedaan, snap je?'

'Nou, dan heb je een psychiater nodig.'

Ik gooide een kledingstuk dat binnen handbereik lag naar hem toe, ik geloof mijn beha, en kwam snel overeind.

'Ik heb nog nooit een lichtzinniger iemand ontmoet dan jij, Ricard.'

'Je moet het leven niet al te serieus nemen, dat is het enige wat je voor ogen moet houden. Ik zie dagelijks veel leed en ik verzeker je dat ons leven niets dramatisch heeft.'

'Het is allemaal heel interessant wat je vertelt, maar ik moet weg.'

'Een gevaarlijke missie?'

'Het kloterige jaarlijkse diner ter ere van de patroonheilige van de smerissen.'

'Pas maar op dat er geen maffioso met een mitrailleur uit de taart komt en alle hoge pieten neerschiet.'

'Dat is geen slecht idee. Als je wilt kun je hier blijven. Er staat eten in de koelkast.'

'En dan je schildknaap in zijn begrafeniskleding tegen het lijf lopen? Nee, geen denken aan, hij is in staat me neer te knallen!'

'Even geduld, het duurt niet lang meer, maandag vertrekt hij. Natuurlijk geven we een afscheidsfeest ter ere van zijn zoon. Ik hoop dat je komt.'

'Als die pummel verdwijnt, zal dat het mooiste feest zijn dat ik meemaak.'

'Goed.'

Eenmaal aangekleed wierp ik hem een kushandje toe en toen werd hij ernstig, fronste zijn wenkbrauwen en ging zachter praten.

'Petra, denk je er deze keer echt serieus over na?'

Ik zag zijn strakke blik en antwoordde: 'Ja, dat beloof ik.'

En dat meende ik.

Het diner van die vervloekte patroonheilige van de dienders werd gehouden in de grote zaal in het souterrain van het politiebureau. Vroeger was het in een restaurant, maar Coronas besloot daar uit veiligheidsredenen vanaf te stappen. Het was een soort Valentijnsavond, zoals Ricard terecht veronderstelde. De kans om een hele stoot smerissen in één klap van kant te maken lag voor de hand, maar wij dachten allemaal dat er ook financiële motieven meespeelden. Op deze manier bespaarde het bureau zich veel poen. Grote tafels met papieren tafelkleden, plastic bekertjes en kartonnen bordjes boden plaats aan een sobere catering die Coronas bestelde bij een eenvoudig restaurant. Het menu was traditioneel: Spaanse omelet, inktvis, paprikaworst en ham, ijskoude kroketten en brood dat besmeerd was met olijfolie en tomaten, zoveel je wilde. Kortom, smakeloosheid troef, hoewel het commentaar van mijn collega's over de eenvoud en de slechte kwaliteit van het eten nog moeilijker te verteren was, vond ik. Dat illustreerde perfect het nieuwe syndroom van de Spaanse middenklasse: iedereen is wijnkenner en proeft feilloos het verschil tussen een *foie entier* en een *micuit*. Kortom, echt gênant in een land waar men nog niet zo lang geleden alleen maar linzen at om zijn honger te stillen. Mijn collega's waren geen uitzondering op deze algemene tendens. Tijdens de borrel voor het diner werd er geregeld schertsend over de maaltijd gesproken. Ik liep heen en weer met mijn glas lauwe, echt walgelijke cava en probeerde tevergeefs Garzón te vinden. Waar zat hij verdomme? Op dit soort momenten had ik hem echt nodig. Mijn contacten met de andere inspecteurs waren zuiver beroepsmatig, en het kostte me altijd moeite om beleefde en beschaafde gespreksonderwerpen te vinden. En die verrekte brigadier verscheen maar niet. Tot overmaat van ramp kwam Fernández Bernal naar me toe.

'Hoe gaat het, Petra, alles goed?'

'Zoals je ziet, ik eer de heilige.'

'Echt waar, ik houd helemaal niet van dit soort dingen.'

'Ik weet niet wat je bedoelt, maar ik amuseer me wel.'

'Toe nou, Petra, dat meen je niet, hier sta jij toch boven! Jij eet immers elke avond kaviaar.'

'Luister, Fernández, zo kan-ie wel weer. Ik pik die geintjes van jou niet, dat ik zo ontwikkeld ben, zo'n welgesteld meisje, of een butler in livrei heb. Ik kom hier voor mijn werk en jij toch ook? Nou, laten we het daar dan bij houden en ermee stoppen.'

Ik draaide me om en liet hem letterlijk met zijn mond open staan. Ik was waarschijnlijk te ver gegaan, maar de insinuaties van die klootzak kwamen mijn neus uit. Dus ik verontschuldigde mezelf in stilte zoals altijd wanneer ik vreselijk onaangenaam ben geweest: waarom altijd lachen, waarom meedoen aan die sociale schijnvertoning? Is het echt zo erg om af en toe te zeggen wat je denkt? Is het echt nodig dat anderen een goede indruk van je hebben als die indruk gebaseerd is op huichelarij? Na die serie retorisch-verontschuldigende vragen voelde ik me een stuk beter. Om mezelf te bewijzen dat ik geen monster was, liep ik naar Eva en Begoña, twee jongere collega-inspecteurs. Met vrouwen is het makkelijker. Je kunt altijd praten over een haarspoeling, hoe lekker je je voelt in een nieuwe blouse. Toen ik verwikkeld was in een oppervlakkig praatje over kleding, zag ik Garzón opeens. Ik moest heel goed kijken want ik geloofde mijn ogen niet. Hij kwam binnen en zag eruit alsof hij naar een boerenbruiloft ging en aan zijn arm liep een beschaafde jonge vriendin met een gezwollen gezicht: Yolanda!

Ze liepen vlak langs me zonder me te zien en gingen regelrecht naar Coronas. Deze gaf het meisje een paar dikke zoenen. Er kwam een groepje om hen heen staan en ik liep daar slinks naartoe. Ik pakte de brigadier bij zijn arm en we gingen even apart staan.

'Heeft Coronas gezegd dat je Yolanda moest ophalen?'

'Nee, dat heb ik zelf bedacht, wat vind je daarvan?'

'Vreemd.'

'En dat is nog niet alles, ik heb haar ook gezegd dat ze beslist naar je feestje moet komen, ook al voelt ze zich nog wat slapjes.'

'Nee maar, ik sta perplex!'

'Dat verdient dit meisje wel, inspecteur.'

'Natuurlijk, dat verdient ze zeker.'

Ik begreep die plotselinge omslag van mijn collega niet, maar ik wilde er niets achter zoeken, want het was een verandering ten goede.

Het diner verliep langzaam, krampachtig, formeel, onplezierig en was traditiegetrouw identiek aan voorgaande jaren. De geijkte grappen over salarisverhoging, dubieuze moppen, komische anekdotes over het werk, emotionele momenten ter herinnering aan hen die er niet meer waren. Kortom, ik zou kunnen zeggen dat mijn overgevoeligheid het zwaar te verduren had.

Toen er als nagerecht een paar taarten die wel wat weg hadden van kitscherige hoeden, op tafel werden gezet, tikte de commissaris met de punt van zijn vork tegen zijn glas om stilte te vragen. De toespraak was onvermijdelijk.

'Dames en heren. Ik weet wat u denkt: wij krijgen een flutdiner voorgeschoteld en tot overmaat van ramp komt de chef weer met zijn eeuwige gezeur.'

Alom klonk gelach, wat de spreker al had verwacht.

'Maar ik moet u zeggen dat u zich deze keer vergist... niet wat het flutdiner betreft, dat verklaar ik voor waar...'

Nu lachte ik zelfs, ik moet bekennen dat de commissaris goed kon improviseren.

'Maar wel als u denkt dat ik hetzelfde gezeur als vorig jaar ga houden. Niets daarvan, dames en heren! Vandaag zal ik niet zo veel zeggen, maar wat ik zeg is heel verrassend, en niet vanwege mijn redenaarstalent, maar vanwege het gekozen thema.'

Er werd verwachtingsvol gemompeld.

'Vanavond wil ik Yolanda Santos voorstellen aan degenen die haar nog niet kennen, de jonge agente die hier aanwezig is. Welnu, deze gemeenteagente, die inspecteur Petra Delicado assisteert bij een gecompliceerde zaak, werkt nog maar kort bij ons, dat klopt. Toch heeft ze blijk gegeven van moed, de tekenen daarvan zijn jammer genoeg nog te zien in haar gezicht. Dat is op zich niet zo verwonderlijk, omdat wij allemaal de moed en ervaring kennen van de collega's van de gemeentepolitie. Wat we vanavond wel moeten benadrukken en vieren is dat Yolanda, ondanks de gelopen risico's, verzocht heeft overgeplaatst te worden naar de rijkspolitie en voor altijd tot ons korps te behoren. Dames en heren, het is niet niks dat de jeugd er zo over denkt en kiest voor zo'n moeilijk vak als dat van ons, ondanks het feit dat ze heeft ondervonden dat het niet over rozen gaat of iets ideaals is. Het toont aan dat het werk dat wij doen soms niet wordt begrepen door de maatschappij, maar wel een diepe betekenis heeft, en dat is iets waar we trots op mogen zijn. Zo is onze ware geest. Dat was het, goedenavond iedereen.'

De hele zaal ging staan. Ze applaudisseerden, schreeuwden opgewonden, waren werkelijk toegedaan. Ik stond voorzichtig op en applaudisseerde ook. Onvoorstelbaar, niemand deed alsof, die reactie was echt. Ik kon het niet begrijpen. Hoe graag zou ik in iets willen geloven, mezelf ook zo vol overgave storten op sentimentaliteit, het beroep en de heilige plicht. Toch was ik alleen maar verbijsterd om te zien hoe makkelijk een groep mensen, die niet eens alcohol van een beetje kwaliteit had gedronken, wild enthousiast werd.

Iemand vroeg of Yolanda iets wilde zeggen en na een paar seconden ging dat verzoek over in luid geroep. Het meisje, onverwacht gebombardeerd tot heldin, ging verlegen staan. Ze schraapte haar keel: 'Eigenlijk heeft inspecteur Delicado in ons eerste gesprek tegen me gezegd dat ik naar de hel kon lopen…' Door het gelach, de klappen op tafel en de spottende blikken ging ik bijna blozen. 'Maar daarna had ze veel geduld met mij en liet ze me zien wat mijn ware roeping was. Dank u wel, inspecteur, ik meen het.'

Onverwachts het middelpunt te zijn van al die zelfvoldoening en verwerpelijke euforie vond ik de ergste nachtmerrie ooit. Een of andere ellendeling riep: 'Laat Petra wat zeggen' en het politietuig brulde: 'Wij willen Petra!' Het was beter daar gehoor aan te geven. Ik stond op.

'Ja, beste collega's, wat zal ik zeggen? Iemand meteen al naar de hel sturen is niet normaal, het is gebruikelijker zo te eindigen. En dat sluit ik nog steeds niet uit als agente Santos betrokken blijft bij de zaak waar Garzón en ik mee bezig zijn. Ze zal hard moeten aanpoten, zoals wij allemaal, en uiteindelijk wordt ze misschien niet naar de hel gestuurd, althans niet alleen, want de kans is heel groot dat de commissaris ons er alle drie naartoe stuurt.'

Nou, dat ging me niet slecht af, ook ik had succes. Toen stond er iemand op en gingen er flessen whisky rond, iedereen kwam overeind en de muziek begon, ik maakte gebruik van de verwarring om tussen de mensen door weg te glippen en te vertrekken. Op straat haalde ik drie keer diep adem en ging op weg. Hoe zou het zijn om op een eiland te leven, in een klooster, in een atoomschuilkelder, in een vuurtoren? Dat was vast heel fijn.

Ik nam een lang bad met de geurtjes die Garzón zo van streek maakten. Het is het oude systeem waarmee we proberen onze huid te ontdoen van tenminste het bovenste laagje waaronder wie we echt zijn verborgen zit. Een onschuldig trucje dat me goed deed. Toen ik tot slot een Marokkaanse pyjama aantrok, voelde ik me als herboren en viel in slaap na drie regels te hebben gelezen. Maar het maakte niet uit, al trok ik een overall aan dan nog zou ik mijn leven en mijn situatie niet kunnen vergeten. Op een gegeven moment werd ik wakker van een vreselijk kabaal in de woonkamer. Ik stond snel op en stak mijn neus in het trapgat. Het was uiteraard mijn logé die in het half-duister zijn best deed om een staande lamp die hij had omgegooid overeind te zetten. Ik drukte op het lichtknopje en daar stond hij, verstrikt in het snoer.

'Grote genade, inspecteur, neem me niet kwalijk, ik wilde het licht niet aandoen... ja, dit is nog erger! We zijn namelijk met een paar mensen nog wat gaan drinken na het diner... nou ja, het is een beetje laat geworden.'

Aangezien mijn goede manieren zelfs bestand zijn tegen paniek midden in de nacht, knikte ik en antwoordde: 'Het geeft niet Fermín, het doet er niet toe.'

Inwendig dacht ik dat ik het haatte om zo beleefd te zijn. Gelukkig was deze tegennatuurlijke samenwoning bijna ten einde. Het afscheidsfeest voor Garzóns zoon zou het mooiste zijn dat ik ooit had gegeven.

Het werk in het fotoarchief van verdachten, gedaan om ons verder op weg te helpen, was minutieus en grondig uitgevoerd. Op een lijst van 1998 tot heden, een redelijke tijd voor een identificatie, stonden dertig personen die wegens oplichting in aanraking waren geweest met justitie. Allemaal voldeden ze qua leeftijd aan de beschrijving van de eigenaresse van restaurant La Gàbia.

'Tussen twee haakjes, Fermín, ben jij zo slim geweest om naar mevrouws naam te vragen, ik ben dat vergeten.'

Garzón, ondanks zijn kater stipt om zeven uur wakker geworden, pakte zijn aantekenboekje.

'Genoveva Pardo.'

'Wat een mooie naam! Laat haar komen. Is het vandaag donderdag?'

'Nee, waarom?'

'Je weet toch dat donderdag paelladag is.'

Terwijl onze getuige onderweg was, begon ik de foto's op de computer te bekijken. De tenlasteleggingen van al die figuren hadden niets met liefdadigheid te maken. Het merendeel van die alledaagse mannen was gearresteerd voor zaken die te maken hadden met frauduleuze verkopen van onroerend goed, onwettige persoonsbewijzen, vervalsingen van documenten, uitgave van ongedekte cheques, aankopen met gestolen creditcards… Al die delicten hadden direct te maken met je reinste geldzaken. Maar wie zette op grote schaal een maffia op touw die gebaseerd was op zoiets als liefdadigheid? Was de liefdadigheid van de Spanjaarden zo groot? Viel er echt geld mee te verdienen? Goed, een van de kenmerken van misdadigers aller tijden is dat ze voortdurend nieuwe methodes gebruiken om de onvoorbereide maatschappij te pakken. Misschien hadden we te maken met grote 'liefdadigheidsoplichters' nu de tijd van solidariteit was aangebroken.

Even later arriveerde Genoveva. Ze was niet blij. Die dag stond er geen paella op het menu, maar we hadden de bereiding van een voedzame Galicische consommé onderbroken. Ik had het volste vertrouwen in die vrouw. Ik wist vrijwel zeker dat als de moordenaar voorkwam op de lijst, ook al had hij een enorme gedaanteverwisseling ondergaan, zij hem zou herkennen. Genoveva was de personificatie van het vrouwelijke gezonde verstand. Zij had die meelevende nuchterheid die alleen moederfiguren plegen te hebben. Als een geleerde filosoof een gesprek met een van hen zou hebben, zouden zij elkaar zonder al te veel woorden begrijpen. Daarom had ik zo veel geloof gehecht aan haar getuigenis, die eigenlijk slechts te beschouwen was als een gewoon intuïtief vermoeden.

Pienter, kordaat en met een rimpelloze, frisse huid als van een jonger iemand, ging ze voor de computer zitten en zei: 'Aan de slag.' De eerste boeventronies kwamen langs. Garzón stelde voor: 'Als u de foto hebt gezien, zegt u het maar, dan druk ik op de toets en gaan we naar de volgende.'

Ze keek hem aan alsof hij een uit een boom gevallen insect was.

'Hoor eens, ik ben niet gek. Zeg maar welke toets, dan doe ik het zelf wel.'

Garzón liet het haar zien en keek mij zuchtend aan. Hij zou wel zijn gedachten hebben over vrouwen in het algemeen. Genoveva begon stellig hardop te ontkennen.

'Nee, deze, nee. Die ander, zeker niet, die lijkt wel uitgehongerd en de man die ik bedoel zag er goed uit, die ging niet uit bedelen.'

Ik begreep dat we uit haar commentaar een duidelijker beeld zouden krijgen dan dat ze in het restaurant had gegeven. Ik zei zachtjes tegen Garzón dat hij aantekeningen moest maken. Toen ging de telefoon. Het was Domínguez.

'Inspecteur Delicado, er is een mevrouw op het bureau die u dringend wil spreken.'

'Wat is haar naam?'

'Even kijken… Magdalena Prieto de Latour of zoiets, het klinkt Frans.'

'Waar gaat het over…?'

Opeens herinnerde ik me de naam die ik zojuist had gehoord en onwillekeurig hield ik de hoorn dichterbij.

'Zeg haar dat ik er meteen aan kom, Domínguez. En laat haar niet weggaan, begrepen?'

'Ik houd uw verdachten toch altijd in de gaten, inspecteur?'

Soms had ik de indruk dat iedere geestelijk gestoorde de rol van politieagent beter zou vertolken dan degenen die dat echt waren.

Ik rende haastig mijn kamer in, en verspeelde daarmee het laatste beetje fatsoen dat ik naar buiten altijd wilde uitstralen. Mijn verwachtingen van dat bezoek waren hooggespannen. We hadden ervan afgezien de ex van Tomás de Wijze te laten getuigen, maar nu was ze hier en ze had kilometers gereisd om me te zien. Niemand doet zoiets als hij niets te melden heeft. Naast het vooruitzicht meer te weten te komen, bemerkte ik dat ik vreselijk nieuwsgierig was om de vrouw te ontmoeten die met zo'n bijzondere man getrouwd was geweest.

Ze zat in een van de leunstoelen voor mijn bureau en draaide niet meteen haar hoofd naar me om. Ik zag eerst het lichtgrijze haar en rook haar bloemenparfum.

'Dag mevrouw De Latour, ik ben Petra Delicado.'

Ze stond op om mij een hand te geven, een tengere, mooie hand met onopvallende maar echte juwelen.

'Hoe maakt u het, inspecteur? Misschien weet u niet wie ik ben.'

'Ik denk het wel, de ex-vrouw van Tomás Calatrava, klopt dat?'

'Ex-vrouw? Dat is een begrip dat bijna verleden tijd is tussen ons. We waren getrouwd, ja. We zijn weliswaar niet wettig gescheiden, maar…'

Ondanks haar leeftijd had ze het serene en regelmatige gezicht van iemand die heel knap moet zijn geweest. Ze had opvallende lichtblauwe maar zeer weemoedige ogen. Ze ging smaakvol en elegant gekleed, zoals alle Franse vrouwen. Ze haalde adem voor ze begon te praten.

'Wat ik u moet laten zien had ik u ook vanuit mijn huis in Frankrijk kunnen sturen, maar ik wilde het persoonlijk toelichten. Ik wilde dat de Spaanse politie goed begreep waarom ik in eerste instantie niets wilde zeggen en waardoor ik nu van mening ben veranderd. Zoals u wel weet, gaat het menselijke hart boven gezond verstand.'

'Ja, dat weet ik.'

'Toen mijn schoonzus me vertelde over zijn dood was ik niet van plan naar Spanje te gaan, omdat Tomás na al die jaren nog maar een schim voor me was. Het nieuws verbaasde me niet en het feit dat hij vermoord was evenmin. Wat kun je anders verwachten van een man die op straat leeft, alleen, zonder huis, zonder familie, zonder verstand? Het verbaasde me zelfs dat hij niet eerder was vermoord, door de drank, een ruzie tussen bedelaars… Maar mijn schoonzus vertelde dat er een onderzoek was ingesteld, omdat men geen enkele aanwijzing had wie de moordenaar was. Toen heb ik uw bureau gebeld en gevraagd of ik moest komen getuigen. Dat deed ik niet graag, ik geef het toe. Ik vond het een schande om na al die tijd bij zoiets betrokken te raken, maar… ik dacht diep na, ik wikte en woog, liet de brief aan mijn huidige man zien en allebei vonden we dat het inderdaad makkelijker was om niet te praten. We vroegen ons zelfs af of die brief enige betekenis had, gezien de afzender, maar…'

'Over welke brief hebt u het, mevrouw De Latour?'

'Over deze… over deze brief die ik ongeveer een maand voordat Tomás werd vermoord heb ontvangen.'

Ze haalde een envelop uit haar tas en gaf hem aan mij. Ik opende hem met ingehouden adem. Er zat een brief in die met de bibberige hand van een gebroken man was geschreven. Ik las in stilte:

Lieverd,
Ik kom even uit de rotzooi om je te schrijven. Ik wil dat je weet dat ik je nooit ben vergeten, dat ik weet hoezeer je hebt geleden door mijn schuld. Dat spijt me echt. Ik was het nooit waard in jouw gezelschap te zijn. Ik ben een gek en mijn plaats is de mesthoop waarop ik zit. Maar ik wil dat je weet dat ik iets belangrijks ga doen. Ik was betrokken bij een foute zaak en daar stop ik nu mee. Ik ga praten en dan zullen er invloedrijke mensen vallen. Je zult er zelfs in Frankrijk over horen. Ik wil dat je weet dat ik het allemaal doe opdat jij trots op me zult zijn, opdat je inziet dat ik niet helemaal een hopeloos geval ben. Ik zal je niet langer lastigvallen. Ik wens je veel geluk. Leve Argentona!

Tomás

'Leve Argentona?'

'Ja, zijn grootvader kwam daarvandaan. U ziet, echt iets voor Tomás, hij was niet goed bij zijn verstand, de zielenpiet.'

'Had hij uw adres?'

'Ik dacht van niet, maar misschien had zijn zus hem dat gegeven, of heeft hij haar agenda uit haar tas gehaald, ik weet het niet.'

'Had hij u al eerder geschreven?'

'Nee, nooit. Daarom verbaasde die brief me en heb ik hem bewaard. Ik had nooit gedacht dat het voor hem een afscheid van het leven zou zijn.'

'Wat dacht u toen u hem las?'

'Niets, wat moest ik denken, de arme Tomás was stapelgek! Nu pas ben ik gaan vermoeden dat er enig verband kan bestaan met zijn moord. Gelooft u ook niet, inspecteur?'

'Waarschijnlijk wel. Ik wil u bedanken dat u toch bent gekomen.'

'Ik zei bij mezelf: "mijn god, kan die man je zo weinig schelen dat je niet eens meewerkt om zijn moordenaar te straffen?" Hij is nog eenzamer dan een hond aan zijn einde gekomen. En geloof me, inspecteur, voordat hij zijn verstand verloor was hij een briljante, intelligente man.'

'Dat verbaast me niets. Weet u hoe zijn dakloze vrienden hem noemden? Tomás de Wijze, zo stond hij bekend.'

Dat had ik beter niet kunnen zeggen, want het werd de zo gereserveerde dame te veel en ze begon te huilen. Ik kon mezelf wel voor mijn kop slaan. Nu had ik een getuige zonder neiging tot dramatiseren en verpestte ik het zelf! Om kort te gaan, ik overhandigde haar een van de papieren zakdoekjes die ik bij de hand had voor dit soort gevallen en gaf haar de geijkte schouderklopjes.

'Rustig maar, mevrouw De Latour, rustig maar.'

'O beste inspecteur, *la vie en rose*! Als we op de wereld komen vertelt niemand ons hoe het leven echt is, en dan… wat een teleurstelling!'

'En toch willen we allemaal in leven blijven, is het niet?'

Ze keek me aan met haar blauwe betraande ogen en zei zachtjes: '*Oui.*'

Uiteindelijk vertrok ze, nadat ik haar had gewezen op haar plicht om voor de rechter te getuigen en dat ze eventueel voor nog een verhoor moest terugkomen naar Spanje.

Welnu, de brief was belangrijk. Weliswaar gaf hij geen nieuwe inzichten, maar hij bevestigde wel de al bestaande. En hij toonde een duidelijk motief: ze hadden Tomás uit de weg geruimd omdat hij ging doorslaan. Hij noemde belangrijke mensen. Was dat allemaal betrouwbaar uit de mond van een drankverslaafde gek? Behalve het inopportune 'Leve Argentona!' leek al het andere voort te komen uit een helder moment. Wie zegt dat gekken altijd gek zijn? Wie zegt dat zinnige mensen geen momenten van totale waanzin hebben?

Ik rende opnieuw naar Garzón. Hij zat versuft naast Genoveva, die gehypnotiseerd naar het beeldscherm keek en me niet eens hoorde binnenkomen. Of ze nu iemand moest identificeren of een paella moest bereiden, het was duidelijk dat ze zich daar volledig voor inzette. Ik ging naast de brigadier zitten en fluisterde het nieuws in zijn oor. Alleen zo kon ik hem wakker krijgen.

10

Net toen ik het na ruim anderhalf uur wel had gezien en de gerenommeerde kokkin wilde voorstellen om de volgende dag verder te gaan, riep ze eindelijk: 'Dat is hem!'

Garzón en ik kwamen meteen benieuwd naast haar staan. We zagen slechts een gezicht, meer niet, maar wellicht hadden we degene voor ons die ons naar de ontknoping zou voeren. De kerel op de foto was rond de veertig, had lichte ogen, dun haar en een alledaags uiterlijk.

'Dit is die man. Kijk maar, met hetzelfde eigengereide gezicht waarmee hij bij mij in het restaurant zat.'

Ze had gelijk, zelfs op een politiefoto had die figuur een lichtelijk arrogant lachje op zijn gezicht.

'Typisch een kerel die er warmpjes bij zit, die geen klagen heeft. Ik weet niet waarin hij betrokken was, maar volgens mij kan die lamstraal geen moord hebben gepleegd. En dat zeg ik niet ter verdediging omdat het een klant van me is, hoor, maar ik weet zeker dat hij niet het type van een moordenaar is.'

Ik vreesde dat Genoveva zich ermee zou gaan bemoeien, dus ik bedankte haar en trok haar stoel iets naar achteren. Maar ze was een doorzetster.

'Denkt u maar niet dat u me kunt wegsturen zonder me te zeggen hoe hij heet. Niet dat het me veel kan schelen maar u gebruikt me en daarna loost u me zonder ook maar iets uit te leggen… Ik ben nieuwsgierig, zoals ieder mens.'

Garzón en ik keken elkaar stomverbaasd aan, die reactie hadden we niet verwacht. Was er iets op tegen dat ze zijn naam wist? Waarschijnlijk niet. De brigadier ging achter de computer zitten en opende het dossier. Met een ernstige blik zei hij: 'Arcadio Flores Aragón. Zo heet hij.'

Ik zag Genoveva ertoe in staat vrijpostig om meer details te vragen, maar dat deed ze niet. Ze knikte instemmend, alsof de naam van die figuur alles verklaarde, en maakte zich op om in alle redelijkheid weg te gaan.

'Goed, zo mag ik het horen. Ik baal er namelijk van dat u me als een ding gebruikt, echt waar, zoals wanneer ze je zeggen een ui te snijden maar niet hoe het recept verder is. Daar baal ik van, ik wil weten wat de functie van die ui is. Ik ben kokkin en geen keukenhulpje, vandaar.'

We namen met alle egards afscheid van haar. Toen ze vertrokken was, keek ik Garzón aan.

'Wat vind je van de dame? Ze heeft wel pit, niet?'

'Ja zeker, ze is eerder het type dat de broek aanheeft dan dat zich laat uitkleden. Eens kijken wat we hier hebben.'

Hij haalde alle gegevens van Arcadio tevoorschijn en begon aandachtig te lezen.

'Hij staat geregistreerd als een gewone zwendelaar: hij heeft aan twee personen tegelijk een en dezelfde woning verkocht. Uiteraard was het niet eens zijn eigen appartement maar dat van een zus, die er ook samen met de gedupeerden aangifte van heeft gedaan. Hij is beschuldigd van oplichting en vervalsing van handelspapieren. Hij heeft slechts een paar maanden vastgezeten.'

'Over welke tijd hebben we het?'

'Over 1999.'

'Meer staat er niet?'

'Nee, daarvóór is hij nooit aangehouden en daarna ook niet.'

'Verdomme!'

'Een mooie kreet. Zullen we naar die Arcadio toegaan?'

'Ja, en bel de rechter die daar onderzoek naar deed om het dossier op te vragen.'

'Tot uw dienst, inspecteur.'

'Vanwaar zo veel strijdlust?'

'Ik ben tevreden, inspecteur, ik denk dat we op de finale afstevenen en als ik tevreden ben, word ik strijdlustig.'

'Ja, ik ben ook tevreden, maar vergeet niet dat finales heel lang kunnen duren.'

'Wanneer jij tevreden bent word je een soort onheilsprofeet, toch? En wat doe je als je gedeprimeerd bent, voorspel je dan de apocalyps?'

'Ik ben voorzichtig, Fermín, en voorzichtigheid kent geen stemmingen.'

'Verdomme!'

'Nog zo'n mooie kreet. Zullen we gaan?'

Volgens onze gegevens moesten we in de Calle Padilla zijn, een onpersoonlijke lagere middenklassenwijk. Nummer 39 was een doorsneewoning en natuurlijk woonde Arcadio er niet meer. We moesten doorrijden naar het makelaarskantoor dat hem toentertijd het appartement verhuurde, maar daar werden we niet veel wijzer: hij was een betrouwbare huurder geweest die altijd stipt op tijd betaalde en toen hij uit de woning vertrok, liet hij geen adres achter. Verblijfplaats onbekend, dat was ons uitgangspunt, we hadden het verwacht maar het was om wanhopig van te worden.

De volgende dag was een van de assistenten van rechtbank nummer 11 zo vriendelijk om het dossier van Flores met ons door te nemen.

'Deze meneer ontvreemdde de akte van een woning van zijn zuster María Flores Aragón en veranderde haar naam in die van hemzelf. Vervolgens inde hij een aanbetaling van zevenhonderdduizend peseta's van twee verschillende kopers. Beiden deden, evenals zijn zuster, hiervan aangifte. Hij werd veroordeeld tot zes maanden gevangenisstraf, maar aangezien het zijn eerste vergrijp was en hij minder dan een jaar kreeg, luidde het vonnis van de rechter twee maanden hechtenis op voorwaarde dat hij de gedupeerden het geld teruggaf en zijn zuster een schadevergoeding betaalde van vijfhonderdduizend peseta's, alles binnen een termijn van dertig dagen.'

'Heeft hij betaald?'

'Ja, en op tijd… nota bene al een week na de veroordeling, hij moet het geld van de fraude hebben bewaard.'

'Staat het adres van zijn zuster in het dossier?'

'Ja, en ook dat van de twee andere slachtoffers. Zal ik die voor u opschrijven?'

'Graag.'

Eenmaal weer buiten keek Garzón me doodernstig aan.

'Geloof je dat verhaal dat hij het geld van de fraude had bewaard?'

'Normaal gesproken doet een oplichter dat niet.'

'En dan de schadevergoeding, waar haalde hij het andere half miljoen vandaan?'

'Ik weet het niet, Garzón, misschien had hij het op de bank.'

'Ach kom, een vent die zo vertwijfeld is dat hij met een vervalsing geld probeert los te krijgen en dan niet alleen een bankrekening blijkt te hebben, maar ook nog eens niet uitgeeft wat hij iemand afhandig heeft gemaakt… dat gaat er bij mij niet in.'

'Bij mij ook niet. We moeten die gedupeerden allemaal ondervragen, zoals die assistent van de rechter zegt. Ik denk dat onze wegen hier moeten scheiden: jij gaat met de twee opgelichte mensen praten en ik met de zuster van de oplichter. Je weet wat je moet vragen: waar ze elkaar hebben leren kennen, onder welke omstandigheden, of hij alleen te werk ging of dat er iemand bij hem was, en of ze enig idee hebben waar hij uithangt, natuurlijk.'

'Ik ben geen groentje, Petra. Maar… het is bijna etenstijd.'

'Des te beter, dan zijn ze niet aan het werk.'

'Bijna iedereen eet buiten de deur tegenwoordig, kunnen we niet beter wat gaan drinken en daarna…?'

'Ik beloof je een luxe maaltijd in La Jarra de Oro, maar…'

'Al goed, oké, je moet alleen geen vreetzak van me maken omdat ik een beetje praktisch probeer te zijn.'

'Vreetzak? Dat zou ik nooit van je hebben gedacht!'

Ik verwachtte niet met vuurwerk te worden ontvangen of de vuurpijlen boven me uiteen te zien spatten, maar zo was het ongeveer wel. De zuster van Arcadio en haar man zaten in de kamer te eten toen ik aanbelde. Zij deed open. Ik stelde me voor als politieagente en zag dat ze van schrik verstijfde. Meteen kwam haar man tevoorschijn.

'Wat is er verdomme aan de hand?'

'Mevrouw is inspecteur van politie.'

'Ik zou u even willen spreken over Arcadio Flores Aragón. Dat is uw broer, nietwaar?'

De kerel zei er meteen bovenop: 'Waarom komt u onder etenstijd? Ik ben taxichauffeur en ben de hele dag onderweg, zodat…'

Ik viel hem gedecideerd in de rede: 'Dit is geen beleefdheidsbezoekje en ik ben ook geen enquêtrice. Dit is een officiële aangelegenheid.'

Ze lieten me met tegenzin binnen. In hun eetkamer was de tafel gedekt en de televisie aan. Twee borden soep zouden onherroepelijk afkoelen. Ik wendde me tot María.

'Mevrouw, uw broer…'

Ze onderbrak me angstig: 'Is er wat met hem gebeurd?'

Het humeur van de echtgenoot was nog steeds beneden peil.

'Wat kan hem godverdomme gebeuren? Hij zal wel weer in iets verwikkeld zijn, of denk je dat hij plotseling een Joris Goedbloed is geworden? Wat heeft hij dit keer uitgevreten?' vroeg hij aan mij.

'Ik kwam vragen of u weet waar hij is.'

'Wij? Hoe zouden wij dat moeten weten. Het is niet niks wat hij ons heeft aangedaan, vindt u niet? Hij heeft van mijn vrouw de akte gestolen van een woning die ze bezit en heeft ze vervalst om hem te kunnen verkopen. De klootzak! We wilden daarna niets meer met hem te maken hebben. Dus als hij in een louche zaak is betrokken, zult u van ons niet veel wijzer worden.'

Ik wierp hem een ijzige blik toe en vroeg weer aan zijn vrouw: 'En u, María, weet u iets over hem?'

Ze was doodsbenauwd en barstte bijna in huilen uit.

'We weten niet waar hij is.'

'Nou, dat zei ik u toch? U denkt zeker dat broerlief ons nog interesseert na het kunstje dat hij ons heeft geflikt. Jezus, man! En het is geen stijl dat de politie óns komt lastigvallen als híj zich weer in de nesten heeft gewerkt.'

'Heeft hij iets misdaan?' vroeg de zuster met een iel stemmetje.

'Misschien, we weten het niet zeker, daarom moeten we hem spreken.'

'Hij heeft vast weer iets vervalst of iemand opgelicht... het zat er dik in dat hij weer in de fout zou gaan! Daarom zei ik tegen haar hier: "Je spreekt geen woord meer met hem, hoor je, nooit meer, en als hij hier zijn gezicht laat zien donder je hem van de trap af."'

'Heeft hij u niet zijn adres of telefoonnummer gegeven toen u hem de laatste keer zag?'

'Gelooft u nou echt dat hij het in zijn hoofd haalde hier te komen? Nee, kom nou! Hij is zo laf als wat, hij weet maar al te goed dat hij hier niet meer hoeft te komen.'

'Mooi, ik laat u alleen, dan kunt u rustig verder eten, maar als u wat weet...'

De zuster stond op om met me mee te lopen terwijl de echtgenoot me mopperend gedag zei. Bij de deur draaide ik me om en keek haar strak aan: 'Mevrouw, als u iets te weten komt, als...'

Vanuit de eetkamer klonk dwingend: 'María! Kom je nog eten of hoe zit het?'

'Tot ziens,' zei ze vlug en deed meteen de deur achter me dicht.

Aan de overkant van de straat was een onvoorstelbaar goor kroegje. Ik bestelde een biertje en ging bij het raam zitten. Na een half uur zag ik de taxichauffeur naar buiten komen terwijl hij met een tandenstoker tussen zijn tanden peuterde. Hij liep de straat uit. Ik wachtte even en ging weer naar het huis toe. Ik belde aan. Zodra María Flores me zag, begon ze hartverscheurend te huilen.

'Komt u verder.'

'María, ik wil u niet in de problemen brengen, maar ik kreeg de indruk dat u niet vrijuit met me kon praten.'

Verdrietig droogde ze haar tranen. Ze ging me voor naar de zitkamer, waar de tafel was afgeruimd. We gingen op een bankstel met felgekleurde, gebloemde bekleding zitten.

'Mijn echtgenoot is geen slecht mens, alleen wat lomp. Het punt is dat wanneer het om mijn broer gaat… ik begrijp het echt wel, het was verschrikkelijk wat hij ons heeft aangedaan. In wezen is mijn broer ook niet slecht, hij heeft alleen pech gehad, dat is alles. Mijn ouders hebben ons twee kleine appartementen nagelaten, voor ieder een. Hij heeft dat van hem meteen verkocht. Hij verkeerde in slecht gezelschap, vrienden die boven hun stand leefden en omdat hij niet voor hen wilde onderdoen… maar hij is niet slecht. Ik wilde hem niet aangeven zodat het binnenskamers zou blijven, maar mijn man stond erop en…'

'Hebt u nog wat van hem gehoord?'

Ze keek om zich heen alsof vanuit een of ander hoekje de ogen van haar man op haar gericht waren.

'Ik…'

'Niemand hoeft te weten dat u met me hebt gesproken.'

'Wat gaan ze met hem doen?'

'Niets, María, er zijn alleen verdenkingen, maar als u iets weet moet u me dat zeggen, om uw broers bestwil.'

'Bijna een jaar geleden belde hij me op. We spraken af in een café. Als Manolo erachter kwam, zou hij in staat zijn me te vermoorden! Maar het is mijn broer, ik moest ernaartoe, ik wilde weten hoe het hem al die tijd was vergaan. De arme ziel wilde me alleen vergeving vragen voor die kwestie met het appartement. Hij haalde een envelop met tweehonderdduizend peseta's uit zijn zak, die ik moest aannemen. Ik weigerde, ik zou dat geld niet kunnen verantwoorden tegenover Manolo. Ik vroeg hoe hij eraan kwam. Hij zei dat het allemaal legaal was, dat hij goed geld verdiende met werk voor een man die een… instelling had.'

'Een instelling, wat voor soort instelling?'

'Weet ik niet, let maar niet op me, misschien zei hij niet instelling, maar ik geloof het wel. Hoe dan ook, ik was vreselijk nerveus en moest huilen, dat kunt u zich wel voorstellen!'

'Gaf hij u zijn adres, een telefoonnummer?'

'Nee.'

'Maakte hij ook een opmerking over waar die… instelling was, over de naam van de eigenaar?'

'Nee, inspecteur, hij zei niets. Ik vroeg hem dringend me niet meer te bellen, omdat ik anders gedonder met Manolo zou krijgen. Dat is toch vreselijk voor een vrouw, dat ze moet kiezen tussen haar echtgenoot en haar enige broer. Soms ben ik blij dat mijn ouders niet meer leven, zodat ze niet hoeven mee te maken wat er van onze familie is geworden.'

'Hebt u voorgoed afscheid van elkaar genomen?'

'Hij heeft niet meer gebeld, dat zweer ik bij God. De arme ziel stond erop dat ik het geld zou houden. Ik schonk het aan onze kinderen, we hebben twee kinderen die al op zichzelf wonen. Ieder honderdduizend peseta's, maar ze mochten het niet aan hun vader vertellen.'

'Het is goed, mevrouw, maar als uw broer toevallig weer contact met u opneemt… hier hebt u mijn kaartje. Ik zal uw informatie vertrouwelijk behandelen.'

'Ik zal u bellen, dat beloof ik, ik wil niet dat mijn broer het slechte pad opgaat en hem echt iets vreselijks overkomt.'

Ik begaf me naar La Jarra de Oro en vandaar belde ik Garzón. Hij zei er binnen een half uur te zijn. Ondertussen nam ik nog een biertje. Een instelling. Wat was in godsnaam een instelling? Had ik die vrouw goed begrepen? Was het alleen een smoes van Flores om het geld dat hij haar gaf te verantwoorden? Waar haalde die vogel zo veel poen vandaan?

Er kon nauwelijks een groet af bij Garzón.

'Heb je al gegeten, inspecteur?'

'Ik heb op je gewacht.'

'Ik snap niet dat je zonder eten kunt, doe je aan yoga of iets dergelijks? Ik ben zo flauw als wat, zelfs een beetje misselijk.'

We gingen aan een tafeltje zitten en bestelden het dagmenu, maar het lunchuur was al voorbij.

'Dan maar twee gebakken eieren met ham en patat en alvast een schaaltje olijven, ik moet even iets hebben.'

'Had je niets aan de informatie die je meebrengt?'

'Nee, jammer genoeg niet, geen eten en geen informatie.'

'Heb je beide gedupeerden gesproken?'

'Ja, en het was zonde van de tijd. Kun je nagaan, simpele lui, en zo onbenullig als wat. En redelijk op geld belust, zoals iedereen die zich laat oplichten. Flores bood hun het appartement aan voor een prijs die ver onder de marktwaarde lag. En ze hapten toe, logisch, en deden de aanbetaling. Geen van beiden kwam op het idee om de gegevens te verifiëren bij het eigendomsregister of om een advocaat in de arm te nemen... niets van dat alles, profiteren van het koopje en daarmee uit! Tot de aap uit de mouw kwam.'

'Hebben ze nog wel eens wat van Flores gehoord?'

'Stel je voor, hoewel hij ze het geld heeft teruggegeven zegt de een hem te zullen aftuigen als hij hem tegenkomt. De ander had nog minder mededogen, zodat... ik denk niet dat Flores ooit nog bij hen in de buurt komt.'

Het eten werd gebracht en Garzón viel erop aan als Robinson Crusoe op zijn eerste behoorlijke maaltijd na de schipbreuk.

'Wat hadden die twee over hun oplichter te melden?'

Tussen de driftige kauwbewegingen door kon ik verstaan: 'Nou ja, dat het een gedistingeerd type was, goed van de tongriem gesneden, beschaafd... volgens hen dan. Keurig gekleed, een mooi horloge, gouden balpen, het nieuwste model rekenmachientje...'

'Dat past wel enigszins in het plaatje.'

'Een beetje maar. Hoe is het jou vergaan?'

Ik vertelde hem het verhaal van de instelling. Hij keek even op van zijn bord om het te laten bezinken.

'Was het een ontwikkelde vrouw, die María?'

'Niet zo erg.'

'Dan kan die instelling van alles zijn: een verzekeringsmaatschappij, een bank... en als ze ook nog zegt het niet zeker te weten... misschien koos ze zomaar een woord dat ze deftig vond.'

'We moeten om een opsporingsbevel vragen, Garzón, dat kan ons verder helpen.'

'En we moeten ook weer terug naar de liefdadigheidsinstellingen, zodat niemand kan zeggen dat we dat spoor niet grondig hebben nagetrokken... Weet je waar ik nu trek in zou hebben, Petra?'

'Nog twee gebakken eieren?'

'Geraden! Maar omdat daar geen tijd meer voor is, neem ik een karamelpudding met heel veel slagroom. En jij?'

'Ik heb genoeg gehad aan de eieren, alleen koffie.'

Hij gebaarde heftig naar de ober en nadat hij had besteld keek hij me wat beschroomd aan.

'Inspecteur, ik wil niet vervelend zijn maar... morgen is het al zaterdag.'

'Ja, en?'

'Mijn zoon vertrekt zondagochtend.'

'Verdomme, Fermín, sorry, ik ben het helemaal vergeten! Morgenavond hebben we het grote feest.'

'Zeg maar wat we nodig hebben, dan ga ik inkopen doen.'

'Maak je geen zorgen, dat doen we samen. We gaan ook samen de lijst maken van de gasten.'

'De lijst?'

'Het wordt toch een groot feest?'

Ik had helemaal niet meer aan het feestelijke afscheid gedacht. Eigenlijk had ik weinig zin in dat feest, maar ik vond dat ik het mijn assistent verschuldigd was. Vermoedelijk zou hij het voor mij ook hebben gedaan, een gebruikelijke veronderstelling wanneer je niet goed weet waarom je iets voor anderen doet. Hoe dan ook, ik had jaren niets bij mij thuis georganiseerd en nu had ik ook een belangrijke gast: Ricard. Mochten we inderdaad ooit gaan samenwonen, dan was het niet zo gek om te kijken hoe hij het in mijn kennissenkring deed. Maar bestond mijn kennissenkring eigenlijk wel uit de gasten op de lijst: de gezusters Enárquez, rechter García Mouriños, Garzóns zoon en zijn vage partner, de arme Yolanda en de brigadier zelf? Ik had aparte feesten meegemaakt maar dit beloofde een ramp te worden. Toch maar gewoon blijven doen in deze al met al belachelijke situatie.

Zaterdagochtend had ik met Garzón afgesproken. Het bevel tot opsporing en aanhouding was uitgevaardigd zodat we de dag konden besteden aan de voorbereiding van het feest. We hadden besloten grote schalen canapés en koude vleessoorten te laten komen. Thuis zouden we zelf de salades maken. Mijn aanbod om alles te betalen werd door Garzón van de hand gewezen, de helft moest en zou voor zijn rekening komen. We maakten er geen ruzie over en lieten het daarbij, het was wel zo eerlijk.

Zoals mijn collega en ik als een harmonieus paar boodschappen deden, bewees eens te meer dat het een bijzonder feest was. Natuurlijk had de brigadier niet eens de mogelijkheid overwogen om op zo'n ochtend informeel gekleed te gaan. Integendeel, hij had zich in een van zijn deftige streepjespakken gehesen alsof hij naar een begrafenis moest.

De zon scheen en op de Ramblas liepen mensen op hun vrije dag ontspannen te wandelen en te winkelen. Men keek uiteraard naar ons en vroeg zich waarschijnlijk af wat onze relatie was. De brigadier bleef opeens staan kijken naar een echtpaar met drie kleine kinderen aan de hand.

'Wat een leuk gezin!' zei hij in een vlaag van ontroering.

'Vergis je niet, kinderen zeiken aan je kop en ouders zitten boordevol stress. Gezinnen zijn niet bedacht voor de stad.'

'Geloof je dat? Ik heb altijd gedacht dat het leuk was om een gezin te hebben.'

'Het is het minste van twee kwaden. Mensen zijn bangelijk en voelen zich veiliger als ze leven volgens de heersende normen.'

'Tja. Ik had graag opa willen worden, hoor.'

'Garzón, asjeblieft, zo'n decadente opmerking past helemaal niet bij je!'

'Is dat zo? Ik zie niet in waarom niet, het is de cyclus van het leven en het is een hele geruststelling te weten dat je daar deel van uitmaakt.'

'Allemaal leugens. De mensen proberen op alle mogelijke manieren te vergeten dat ze tot het dierenrijk behoren en omhullen de simpele biologische fasen met mystiek: liefde, ouderschap, gezin… schitterende woorden voor paring, voortplanting, groep…'

'Daar voel ik meer voor. En als ik nu eens alleen naar dierlijke dingen verlang?'

'Leeuwen hebben geen kleinkinderen.'

'Verdomme, inspecteur! Waarom ben je zo vervelend, is er iets in de wereld wat je wel goed vindt?'

'Ja, soms. Maar ik heb een hekel aan leugens die iedereen onderkent en accepteert.'

Hij barstte in lachen uit, waardoor zijn jasje als een rok opbolde.

'Eigenlijk moet ik om je lachen, Petra, altijd lig je in de clinch met de wereld, met de realiteit… je bent duidelijk een optimist, een pessimist zou de dingen nooit zo kunnen analyseren, die zou diep wanhopig worden.'

'Wanhoop vreet te veel energie en daarbij moet je wel heel moedig zijn om je daaraan over te geven en dat ben ik niet. Weet je, ik geloof dat ik steeds minder aandurf.'

'Hoezo?'

'Weet ik niet, dat denk ik, maar het is wel zo. Stel je voor, laatst zat ik zelfs te overwegen om te gaan samenwonen en het leven in mijn eentje op te geven.'

Hij werd er stil van, moest zijn verbazing verwerken en vroeg toen onverschillig: 'Met wie, met de psychiater?'

'Ik zei met iemand, niet met wie.'

'O!'

Ik had onmiddellijk spijt van mijn bekentenis en voor hij heikele vragen kon stellen, veranderde ik van onderwerp en ging over tot de orde van de dag.

'Hoor eens, Fermín, ik ben het rondlopen zat. De catering is besteld en ik stel voor dat we nu naar de Boquería gaan om groente voor de salade te kopen. Daarna trakteer je me op een biertje op het Plaza Real. Wat vind je daarvan?'

'Niets op tegen, een uitstekend plan.'

De Boqueríamarkt schitterde in al zijn pracht en ik had moeite om

Garzón mee te tronen, die vol bewondering alle stalletjes met onalle-daagse producten stond te bekijken: paddenstoelen, tropische vruch-ten, exotische groenten... Hij was net een toerist op rondreis. En uiteraard baarde zijn pak opzien bij de goedgebekte verkoopsters die, om onze aandacht te trekken, niet schroomden mijn collega allerlei kwalificaties toe te roepen: knap, elegant, goed gebouwd en zelfs play-boy. Ik moet bekennen dat ik opgelucht was toen we daar weggingen en dat ellendige analytische optimisme waarmee mijn assistent me had opgezadeld verdween toen we op het Plaza Real een paar biertjes bestelden en ik in de zon ging zitten. Maar elk geluksgevoel is per de-finitie vergankelijk. Ik zat nog met mijn ogen dicht te genieten toen ik hoorde: 'Ben je verliefd op hem?'

'Wat bedoel je?'

'Je weet wel, op die psychiater, op Ricard.'

'Weet ik niet, daar heb ik niet over nagedacht.'

'Daar heb je niet over nagedacht, maar wel om te gaan samenwo-nen? Dat snap ik niet.'

'Er is niets te snappen. Hij is een aardige kerel, ontwikkeld, ziet er goed uit en hij mag me erg graag. Het samenwonen zou geen punt zijn. Want als ik een keer chagrijnig thuiskom, kan een gesprek met hem me opbeuren.'

'Of juist niet. Ik denk niet dat zulke rationele toekomstplannen werken.'

'Werken irrationele beter?'

'Liefde is essentieel, lijkt me.'

'Was jij verliefd op je vrouw?'

'Nee.'

'En je hebt dertig jaar met haar samengeleefd.'

'Dat is heel wat anders. In mijn tijd hield je je koste wat kost aan wat gebruikelijk was. Als je een keurig meisje leerde kennen en je was een jaar of vijfentwintig, moest je trouwen, zo ging dat.'

'In je doen en laten lijk je je nog steeds aan de gebruiken te hou-den.'

'Hoe bedoel je?'

'Je hebt een fantastische zoon, intelligent en een uitblinker in zijn beroep, maar omdat het gebruikelijk is dat hij trouwt en je een stel kleinkinderen schenkt, ben je niet in staat zijn homoseksualiteit te accepteren.'

Zijn gezicht kreeg een ernstige uitdrukking.

'Dat was niet eerlijk, Petra.'

'Niet eerlijk?'

'We hadden het over jou en bovendien heb je een moeilijk en heel persoonlijk onderwerp aangeroerd waar ik erg veel moeite mee heb.'

'Denk je soms dat ik niet worstel met de vraag of ik moet gaan samenwonen om aan die moeilijke eenzame momenten te ontkomen? Denk je dat bij mij niet de paniek toeslaat voor een derde mislukt huwelijk?'

'Het spijt me, ik had er niet over moeten beginnen.'

Er viel een ongemakkelijke stilte. De ober kwam en vroeg op de geijkte toon: 'Nog een biertje, mevrouw en meneer?'

'Nee, dank u, zo is het goed,' antwoordde de brigadier beleefd.

Ik legde mijn hand op zijn arm: 'Zand erover, Fermín? Het spijt me als ik je heb beledigd.'

'Nee, ik moet me bij jou verontschuldigen. Je hebt me niet beledigd, want je hebt gelijk.'

'Waarom vergeten we het verdomde privéleven niet? Moet je nagaan, door deze klotemaatschappij hebben we alleen maar oog voor onze vervloekte persoonlijke gevoelens. We zouden ons voor andere dingen moeten interesseren.'

'Zoals?'

'Iets wat iedereen aangaat! De milieuvervuiling, het atoomgevaar, de honger in de wereld…'

Garzón keek sceptisch om zich heen naar de mensen die vrolijk en ontspannen aan een aperitief zaten.

'Juist omdat we geen honger hebben, maken we ons zo druk over gevoelens. Onze grootouders moesten van 's morgens vroeg tot 's avonds laat op het land werken voor een karige maaltijd, en dachten die aan hun trauma's, hadden ze die eigenlijk wel? Trouwens, inspecteur, over honger gesproken, we zouden iets moeten eten voor we naar huis gaan om ons als koks te gaan opwerpen.'

'Eten? Vanavond krijgen we immers volop te eten! In ieder geval een klein hapje dan.'

'Verdomme, het vasten van Ghandi is een lachertje vergeleken bij wat ik moet doorstaan!'

We kwamen lachend overeind maar hadden beiden een lichte brok in de keel die pas na een tijdje zou verdwijnen. Te veel vertrouwelijkheid, of te weinig honger, zou Garzón hebben gezegd.

Die middag bleek dat de brigadier sinds we elkaar kenden heel wat vorderingen had gemaakt in zijn culinaire carrière. Hij wist precies hoe lang eieren moeten koken om hard te worden en hij sneed de ui met een mechanische, repeterende polsbeweging. Ook liet hij duidelijk blijken dat hij genoot van zijn nieuwe talent en hij probeerde zelfs nieuwe ideeën uit die helemaal niet zo gek waren, zoals kappertjes in de mayonaise of sesamzaad over de salade. Wat een verschil met de eerste maaltijd die ik jaren geleden, toen hij nog in een pension woonde, samen met hem had gemaakt. Ik liet hem dat weten en hij zwol zo van trots dat ik voor zijn vingers vreesde toen hij zich nog meer ging uitsloven.

'De tijden zijn veranderd, Petra. We werken nu al minstens zeven jaar samen, we kennen elkaar door en door.'

'En daarom mogen we elkaar met onze uitlatingen kwetsen, nietwaar?'

'Ik geloof niet dat een van ons daarop uit is.'

'Zeker weten.'

Hij deed het schort dat ik hem had geleend af en maakte een vreugdedansje.

'Oké, ik ga misbruik maken van je vertrouwen want we zijn bij jou thuis, maar vind je niet dat het tijd wordt voor een drankje om dit moois te vieren en goede gewoonten niet verloren te laten gaan? Het is niet alleen "ora et labora", zo is het toch?'

'Je woorden getuigen van meer inzicht dan die van de heilige Augustinus zelf. Je weet waar de drank staat.'

We toostten op verscheidene heiligen en ook een paar martelaren. Ik veronderstelde dat Garzón de alcohol als pepmiddel nam om zo vrolijk mogelijk te zijn op dat vreemde feestje dat we voor zijn zoon gingen geven, maar wellicht had ik mijn psychologische antennes te ver uitgestoken. We maakten de salades en zetten ze in de koelkast. Ze zagen er schitterend uit. Garzón keek op zijn horloge.

'Denk je dat het allemaal gaat lukken, Petra?'

'Natuurlijk. Zo meteen komen ze van de catering, maak je geen zorgen, ze komen altijd hun afspraak na.'

'Ik bedoelde onze zaak. Je weet dat het resultaat van een aanhoudingsbevel maanden op zich kan laten wachten, als het al resultaat oplevert.'

'Ze zullen ons in de tussentijd op een andere zaak zetten.'

'Daar ben ik juist bang voor, en als ze ons een andere zaak geven zal deze onopgelost blijven… en we zijn zo dicht bij de ontknoping! Dan geen wraak voor je daklozen.'

'Dat wil zeggen geen gerechtigheid. Maar je mag de moed niet verliezen, we gaan de mensen weer benaderen die Arcadio Flores wel eens hebben gezien, we gaan de stamgasten van het restaurant van Genoveva ondervragen, we gaan opnieuw naar Caritas, naar andere liefdadigheidsinstellingen nu we weten dat hij in dienst was van een instelling. En verder hebben we ook nog zijn foto. Nog niet al ons kruit is verschoten.'

Hij keek zuchtend omhoog en nam de laatste slok martini uit zijn glas. Hij keek me aan: 'Je denkt dus dat deze geschiedenis goed zal aflopen?'

'Vroeg of laat krijgen we hem te pakken, op mijn erewoord.'

'Ik bedoelde de geschiedenis van mijn zoon en zijn vriend.'

'Hoor eens, Fermín, waarom probeer je je niet een beetje bij het gesprek te houden en niet af te dwalen?'

'Sorry, maar ik ben zenuwachtig en ongerust. Dat feest, ik weet niet of…'

'Kom mee, we gaan de tafel in de kamer klaarmaken en daarna onszelf een beetje opknappen.'

Hij gehoorzaamde als een gedwee kind. We zetten de glazen en borden op het uiteinde van de lange tafel waar het buffet kwam te staan. De bloemen die ik had gekocht, deed ik in vazen die ik strategisch neerzette en ten slotte stak ik een paar enorme kaarsen aan.

'Hoe lijkt het?'

'Het ziet er heel mooi uit, maar wat een gedoe voor je.'

'Daar moet je niet mee zitten, ik ben een vrouw van de wereld en gewend thuis gasten te ontvangen.'

'Dat is waar.'

'Ik ga me omkleden en mijn ogen opmaken. Je zou alvast de cd's kunnen uitzoeken die je tijdens het eten wilt horen.'

'Klassieke muziek, ja toch?'

'Nee, vandaag liever jazz.'

Ik ging naar boven naar mijn kamer en terwijl ik me opmaakte, hoorde ik dat de mensen van de catering kwamen en dat Garzón ze als een echte heer des huizes ontving en de nodige aanwijzingen gaf. Ik had lol in die rare situatie die in wezen uiterst aangenaam was: iemand die de deur opendoet terwijl jij met iets anders bezig bent, iemand die even de touwtjes in handen heeft. Ja, samenwonen had een paar voordelen, dat kon niemand ontkennen.

Ik kwam naar beneden in een eenvoudig donkerrood jurkje en mijn haar samengebonden in mijn nek, zonder sieraden en mooi opgemaakt. Garzón floot: 'Je ziet eruit als een trein.'

'Dat is een ouderwets compliment.'

'Nou, als een hogesnelheidstrein dan.'

Ik lachte beminnelijk naar hem en keek naar zijn outfit. In de keuken had hij in hemdsmouwen staan zwoegen maar nu droeg hij opnieuw colbert, vest en das, zodat het spookbeeld van Lucky Luciano weer opdook. Ik waagde me aan een kleine schoonheidstip: 'Waarom ga je niet alleen in je overhemd, zoals daarstraks?'

'Staat dit niet goed?'

'Te formeel.'

'Maar jij ziet er zo elegant uit.'

'Zo gaat dat op feesten bij mensen thuis, wij vrouwen lopen er chic bij en de mannen gaan wat informeler gekleed.'

'Dat wist ik niet. Dan doe ik mijn das af en klaar.'

'Wacht, doe je jasje ook uit en houd het vest aan. Ik heb wel een halsdoek voor je. Nee, een dunne sjaal is beter, ik heb er een van lamswol, die zal je perfect staan. Dan ben je net Georges Brassens.'

'Echt waar, lijk ik dan niet op een flamencozanger?'

'Nee, kom nou, je zult er... blits uitzien! Dat is het woord.'

'Goed, alles omwille van de blits.'

Met de sjaal nonchalant over zijn vest leek hij meer op een chansonnier in een nachtclub dan op een zanger in een flamencotent, maar ik betwijfelde of hij zo'n overeenkomst kon waarderen, dus ik zei alleen dat hij er fantastisch uitzag.

'Ik heb me toch een honger, inspecteur, mag ik een canapé pakken?'

'Als je het maar uit je hoofd laat!'

Om klokslag negen uur klonk de deurbel. Ik deed een schietgebedje dat het niet Ricard was, ik kon niet meer tegen de spanning die onze merkwaardige driehoeksverhouding opriep. Mijn gebeden werden verhoord, want het was rechter García Mouriños. Zijn bulderende stem weerklonk door het hele huis.

'Petra Delicado, de berg waar Mohammed noodgedwongen naartoe komt!'

'Maar Mohammed heeft zich de laatste tijd ook weinig laten zien.'

'U weet toch, druk met het werk. Maar het is schandalig dat we elkaar alleen uit hoofde van ons beroep zien.'

'Dat is zo. Aangezien u me niet meer meeneemt naar de film of me een huwelijksaanzoek doet...'

'Zelfs Mohammed zou het niet leuk hebben gevonden zo op zijn nummer te worden gezet. Hebt u wat te drinken?'

'Ik heb van alles. Vraagt u maar en het komt eraan.'

De brigadier verscheen, waarop de rechter meteen opmerkte: 'Kerel, Fermín, wat geraffineerd! Je hebt wat van Maurice Chevalier vandaag, het staat je erg goed.'

'Mijn god, die Chevalier is wel een beetje uit de tijd!'

'Helemaal niet, hij is een van de klassieken. Wanneer iemand na zijn dood in de herinnering blijft, gaat hij tot de klassieken behoren, zo werkt dat.'

'Dan had ik beter als Romein gekleed kunnen gaan.'

García Mouriños schoot in een daverende lach.

'O, deze man is altijd in de contramine! Hebt u ooit iemand gezien die nog erger is, inspecteur?'

'Bij god, nee.'

'Fantastisch, rechter, geef mijn chef maar gelijk!'

'Het is allemaal goed en wel dat ik ontvangen word à la *Bienvenido, mister Marshall*, maar waar blijft mijn glaasje whisky?'

Toen ik zag hoe ongedwongen Garzón en de rechter met elkaar omgingen, concludeerde ik dat ze het zeker zouden kunnen vinden met de gezusters Enárquez. Terwijl ik de rechter zijn whisky inschonk, werd er weer gebeld. Het waren de bewuste gezusters Enárquez, die ik uitbundig ontving. We omarmden en zoenden elkaar zoals vrouwen dat plegen te doen en zag tot mijn vreugde dat ze niets aan glamour hadden ingeboet. Kleurrijk, opgedoft en tot in de puntjes verzorgd waren ze nog steeds een flagrant voorbeeld van hoe je eeuwig in een illusie kunt leven. Mercedes liep goedkeurend door de kamer: 'Wat een beeldig huis, Petra! Ik wist wel dat je niet zoals in politiefilms asbakken vol peuken en overal tijdschriften op de vloer zou hebben, maar dit getuigt van een buitengewoon verfijnde smaak.'

Ik vond het jammer dat Ricard er niet was om deze opmerking te horen.

'Dat lijkt maar zo, dat van de films klopt, maar omdat ik jullie verwachtte heb ik alle tijdschriften onder het bed gestopt en de peuken uit het raam gegooid.'

Beatriz staarde Fermín aan: 'Fermín, wat heb je aan vandaag?'

De brigadier keek zuur naar me en zei gelaten: 'Ik wilde er informeel uitzien.'

'Dat is je dan gelukt! Behalve informeel vind ik het zelfs...'

Ze zocht tevergeefs naar het woord. García Mouriños opperde vrolijk: 'Bijzonder?'

De arme brigadier was het mikpunt van algemene hilariteit, maar ik hield me een beetje in omdat ik me schuldig begon te voelen. Gelukkig kwam Ricard op dat moment binnen. Ik zal nooit de uitdrukking op zijn gezicht vergeten toen hij mijn gasten in al hun glorie zag. Hij wierp me een ironische blik toe. Ik stelde hem aan iedereen voor en hij kwam erachter dat ze zich ondanks hun zwierige uiterlijk en iets meer dan middelbare leeftijd verbaal uitstekend konden redden en een onuitputtelijk gevoel voor humor hadden. Niettemin kwam hij me, toen ik met de drankjes bezig was, geamuseerd in mijn oor fluisteren: 'Waar heb je dat stelletje vandaan? Wat een klojo's!'

Ik zei hem zijn mond te houden en de drankjes rond te brengen, dan had hij wat te doen. De stemming werd wat serieuzer en we zaten in kleine groepjes te drinken en te kletsen. Garzón fluisterde me toe: 'En waarom kan die klotezoon van me niet op tijd komen, zoals iedereen?'

'Wil je je nou niet zo opwinden? Het is een feest, geen rechtszaak waar je precies op tijd moet komen. Het is zelfs deftiger om even op je te laten wachten.'

'Jij met je maatschappijkennis! Van jou moest ik er zo stom uitzien en nu zetten ze me allemaal voor schut.'

'Kom nou, Fermín, niemand heeft je voor schut gezet. Je ziet er alleen anders uit en dat valt op. Dat is logisch.'

Hij bleef nog wat binnensmonds mopperen. Zag hij er echt zo verkeerd uit? Ik vond hem er veel beter uitzien dan in zijn begrafenispak, maar al dat commentaar zadelde me met een schuldgevoel op. Daarbij begon ik me ook onbehaaglijk te voelen door het wegblijven van zijn zoon. Dat bleek onnodig, zoals altijd wanneer je je al bij voorbaat zorgen om iets maakt. Tien minuten later en met allerlei excuses verschenen Garzóns zoon en de Amerikaan. Ik bekeek de vriend eens goed. Hij was lang, knap om te zien en stijlvol gekleed. Zijn oorbel was een irrelevant detail in zijn weinig opvallende en correcte uiterlijk. Hij was inderdaad voortdurend aan het lachen, maar die vrolijke noot in de sociale omgang was eerder inherent aan zijn nationaliteit dan dat hij lollig wilde zijn. Garzón had eigenlijk niets te klagen, die man was in de verste verte geen 'gek mens' dat de aandacht trok. Zoals verwacht had Alfonso Garzón commentaar op het uiterlijk van zijn vader: 'Nee maar, pa, wat ben je veranderd!'

Garzón klemde zijn kaken op elkaar en ik smeekte God dat het oordeel mild zou zijn.

'Je ziet er…'

'Als een vogelverschrikker uit?'

'Integendeel, ik vind je er blits uitzien. Blits, dat wilde ik zeggen.'

Ik wierp een zelfvoldane blik naar mijn assistent en ging met een triomfantelijke air twee drankjes halen.

Met de gezusters Enárquez onder de gasten kon je er zeker van zijn dat de feeststemming erin bleef. Zowel Mercedes als Beatriz wierpen zich al vlug op als medegastvrouwen, ze gingen rond met canapés en zagen erop toe dat de glazen goed gevuld bleven. En wat nog veel belangrijker voor me was, ze hielden de conversatie gaande. Ik besefte meteen dat ik me geen zorgen hoefde te maken: het feest beloofde een succes te worden. Ik zat alleen nog in over die maffe Garzón, die met een strak gezicht als een boeteling bleef zwijgen en nu en dan een zielige blik wierp op zijn zoon en diens begeleider.

Na een poosje ging de deurbel.

'Verwachten we nog iemand?' Mijn vraag was oprecht en niet grappig bedoeld. Garzón keek me verontrust aan.

'Dat zal Yolanda zijn, inspecteur. Je bent toch niet vergeten dat ze was uitgenodigd? Ik zal even opendoen.'

Ik schoot in een domme lach die nu wel grappig bedoeld was. Ik was het inderdaad helemaal vergeten.

'Ik ben wat verstrooid, maar zo erg…'

Ik moet eerlijk bekennen dat ik onder de indruk was van Yolanda's verschijning. Ze zag er schitterend uit, nu niet in uniform of jeans maar in een kort zwart pakje, zwarte panty, lange oorbellen, haar zijdeglanzende haar los en haar ogen zwaar opgemaakt. Toen realiseerde ik me pas wat zij in feite was: een verleidelijke en knappe jonge vrouw. Ik glimlachte en liep naar haar toe: 'Yolanda! Hoe gaat het met je?'

'Heel veel beter, inspecteur. Zelfs de striemen in mijn gezicht zijn bijna weg.'

'Zeg alsjeblieft Petra, we zijn niet aan het werk vandaag.'

De hele kamer viel stil van bewondering. Garzón stond als een trotse vader achter Yolanda.

'Als het om een nieuwe *look* gaat dan zien we die hier. Ja toch, inspecteur?'

'Zeg dat wel, ze ziet er beeldig uit.'

De brigadier gaf het meisje niet eens de kans om goedenavond te zeggen. Hij begon meteen haar heldendaad uit de doeken te doen: hoe een meisje van haar leeftijd het gevaar trotseerde en ondanks de nare ervaring gevraagd had bij de rijkspolitie te mogen werken. Hij legde er steeds zo de nadruk op, dat hij niet zozeer een trotse vader leek als wel een slavenhandelaar die het pronkjuweel van zijn karavaan probeerde te verkopen, met het gevolg dat Yolanda zich opgelaten ging voelen.

'Hoor eens, Garzón, laat haar toch even wat drinken.'

Het meisje keek me opgelucht aan. Ik nam haar bij de arm en ging haar aan de anderen voorstellen, maar Garzón liep voortdurend als haar waakhond achter me aan. Iedereen was verrukt van de nieuwe gast, zij was het vleugje schoonheid dat aan ons samenzijn ontbrak om er een echt feest van te maken, maar toen we voor Ricard stonden zag ik pas hoe hij naar Yolanda keek. Niet bewonderend en zeker niet wellustig, hij was eenvoudigweg gefascineerd, in vervoering door de aanblik van zo veel schoonheid, zo veel jeugd. Hij glimlachte flauwtjes, alsof hij constateerde dat God dan toch werkelijk bestond. Het duurde even voor hij haar een hand gaf, voor hij bijkwam uit zijn contemplatieve verbijstering. Toen verscheen er een brede, heldere, vrijmoedige glimlach op zijn gezicht, een afspiegeling van het genoegen dat hij inwendig beleefde. Ik stond naar hem te kijken terwijl hij Yolanda aanstaarde en was verbouwereerd door zijn subtiele maar onmiskenbare reactie. Ik kreeg een pesthumeur. Het was alsof ik alle gebreken en grieven die ik in de loop der jaren had opgelopen ging voelen naarmate hij zich meer bewust werd van haar schoonheid.

Even zag ik mezelf zoals ik momenteel was: rimpeltjes rond de ogen, doffe huid, een bitter trekje om de mond. Ik voelde me rot, niet om wat Ricard had laten merken maar om wat ik bij mezelf had ontdekt. Garzón was zo goed om me uit die pijnlijke impasse te halen. Hij greep Yolanda bij de hand en stelde haar voor aan zijn zoon. Ik sloeg een whisky achterover om het restje verbolgenheid dat nog in me woedde weg te drinken. Het werkte, en met het volgende glas bereikte mijn stemming weer een acceptabel, bijna normaal peil.

Het feest was in volle gang, mijn gasten aten, dronken, kletsten, lachten en amuseerden zich uitstekend samen. Iedereen behalve de brigadier, die zich gespannen en vervelend gedroeg, als een soort stoorzender. Pas na een tijdje had ik de reden daarvan door.

Wat beoogde hij ermee Yolanda en Alfonso steeds weer in elkaars nabijheid te brengen? Hij zag erop toe dat ze samen waren en zorgde voor gespreksstof... Het was net een scène uit een ouderwetse klucht, maar het was de realiteit: een laatste wanhopige poging om te bereiken dat zijn zoon, onder de indruk van de knappe jongedame, zich in de trant van Sint Paulus zou bekeren en zich weer onder de heteroseksuelen zou scharen. Ik kon het nauwelijks geloven, maar door zijn gedram nam Garzón alle twijfels bij me weg. Ik begreep dat een homoseksuele zoon onverteerbaar voor hem was en dat hij eronder leed. Gelukkig had niemand in de gaten wat er gaande was, niemand behalve uiteraard Alfonso zelf en wellicht ook Beatriz, die Yolanda een paar keer probeerde te verlossen. Ik vond haar altijd een heel gevoelige vrouw, maar na wat er even daarna gebeurde merkte ik dat ze ook slim en kordaat was.

Mercedes Enárquez stelde voor te gaan dansen, ze deed niets liever. Te midden van de algehele vrolijkheid ontstond een lichte aarzeling bij het kiezen van de partners. Garzón liep meteen op zijn zoon toe: 'Yolanda kan heel goed dansen, dat vind je vast leuk.'

Het gezicht van Alfonso verstrakte en met een verbeten trek om zijn mond keek hij zijn vader woedend aan. Hij was vastbesloten een eind te maken aan dat gezeur van die lastpost. Hij glimlachte geforceerd en gedecideerd liep hij naar Alfred en pakte hem bij zijn middel. Op duidelijke en niet mis te verstane toon zei hij: 'Ik denk dat ik met Alfred ga dansen, dat ben ik gewend.'

Het bleef even ongemakkelijk stil, waarna Beatriz Enárquez met een gemaakte schaterlach op hen afstevende en Alfonso's partner meetrok.

'Geen sprake van gewoonten! Vandaag is het een bijzondere dag en deze mooie jongen is voor mij.'

Alfred lachte geamuseerd. Ik viel Beatriz bij in haar ludieke actie en pakte de verbouwereerde Alfonso vast.

'Deze neemt niemand me af.'

Het hek was van de dam: Mercedes Enárquez strikte Garzón en rechter García Mouriños, die er niets voor voelde een vrouw het initiatief te laten nemen, vroeg beleefd Yolanda ten dans. Ricard stond er verweesd bij maar wist adequaat te reageren, hij liep naar de keuken en kwam even later terug met een bezemsteel in zijn armen waarmee hij begon te dansen en veel bijval oogstte.

We waren onbekommerd aan het dansen, alsof het de rest van de wereld was die er niets van begreep. We wisselden meerdere keren van partner, deden de wisseldans waarbij degene die het traagst reageerde met de bezem werd opgescheept, en lieten ons opzwepen door het steeds snellere ritme. Alles was onderdeel van een catharsis, een soort rite waarbij het erom ging je te vermaken, te lachen, te drinken en een beetje de saaie realiteit te vergeten. Maar hoe geestdriftig en uitbundig ik ook was, ik kon niet nalaten op Ricards blik te letten wanneer hij in de buurt van Yolanda was. Telkens wanneer ik me op mijn verachtelijk bespieden betrapte, wendde ik mijn blik af.

Plotseling kwam Beatriz met een bezorgd gezicht op me af.

'Petra, ik geloof dat je mobiel gaat.'

'Je hebt goede oren, dat klopt.'

Ik pakte de telefoon van het tafeltje en liep naar de keuken, waar de rij lege wijnflessen langer begon te worden. In een feestroes flapte ik er een *allô* met geaffecteerd Frans accent uit.

'Inspecteur Petra Delicado?'

'Met wie spreek ik?' Met tegenzin keerde ik terug tot het heden.

'Allejezus, Petra, wat deftig! Ik dacht je huishoudster aan de lijn te hebben.'

Ogenblikkelijk herkende ik de gehate stem van Fernández Bernal. Wat zou die willen?

'Op mijn vrije dag vergeet ik dat ik bij de politie ben en dan spreek ik Frans. En vandaag is mijn vrije dag, ik weet niet of je het weet.'

'Ja, dat weet ik wel maar er is iets wat je misschien interesseert.'

'Hebben jullie een vermiste hond teruggevonden?'

'Nee, een lijk. En het zal je zeker interesseren, want hij heeft een sleutelbos met zo'n zelfde sleutelhanger als jij hebt.'

'Die van de liefdadigheid?'

'Juist, dat vreselijk kitscherige ding.'

'Waar ben je?'

'In het mortuarium.'

'Ik kom eraan.'

Ik wist niet zeker of iemand mijn kortstondige afwezigheid had opgemerkt. In de kamer ging het feest nog steeds door. Ik bedacht een tactiek om zonder veel toestanden weg te kunnen. Garzón was een soort flamencoachtige tapdans aan het uitvoeren, aangemoedigd door de anderen en in het bijzonder door Alfred, die het fantastisch leek te vinden. Ik ging naast hem ook met mijn hakken staan klikken als een uitgerangeerde Ginger Rogers. Toen riep ik: 'En nu allemaal!'

Het daaropvolgende voetgeroffel deed denken aan een militaire parade, alleen was de coördinatie slechter. Ik benutte het pandemonium om Garzón toe te fluisteren: 'Doe of je nergens van weet, maar ik ben even weg. Ze hebben een dode gevonden die misschien onze man is, hij had eenzelfde sleutelhanger als die van Tomás de Wijze.'

'Sodeju. Ik ga mee!'

'Geen denken aan, jij gaat door met stampen, ik wil het feest niet bederven. Jij blijft hier als gastheer, het is immers het afscheid van jouw zoon. Haal het gebak en de cava tevoorschijn en leg ze uit dat ik ben weggeroepen voor een dienstaangelegenheid en straks terugkom. Zorg ervoor dat de stemming erin blijft.'

'Maar…'

'Ga door met stampen, verdomme, anders krijgen ze het in de gaten!'

Als in een soort lachwekkende polka liep ik met zijwaartse sprongetjes weg naar de voordeur. Ik pakte mijn tas en regenjas en vertrok. De frisse lucht was een verademing. Vanuit het huis klonk een oorverdovend gedreun als van legers reuzenmieren uit sciencefictionfilms. Het was niet ondenkbaar dat de gemeentepolitie aan de deur zou komen.

Het mortuarium is altijd deprimerend en zeker als je net van een feest komt. Daar trof ik Fernández Bernal en brigadier Sabater, die in de gang een sigaar stonden te roken.

'Goedenavond.'

'*Bonsoir*, madame!' antwoordde mijn collega sarcastisch. Hij wilde netjes beginnen.

'Bedankt dat je me hebt gebeld, Bernal. Ik gaf thuis een feestje en ben linea recta hiernaartoe gekomen.'

'En de gasten?'

'Die zijn er nog.'

'Dan tref je straks wel een puinhoop aan.'

'Nee hoor, minder whisky maar verder niet. Vertel eens wat er is gebeurd. Waar is hij gevonden?'

'Het is niet simpelweg "vinden". We hebben een getuige op het bureau, als je wilt kun je straks met hem praten, hij werkt als parkeerwacht. Het was twaalf uur en zijn dienst zat erop. Hij liep de Calle Balmes uit om zijn motor te halen die hij op het Plaza Molina had geparkeerd. Ineens zag hij twee kerels met tussen hen in iemand die dronken leek. Vraag me niet waarom, hij zal wel denken dat je automatisch detective bent als je een parkeerplaats bewaakt, maar in ieder geval schreeuwde hij iets in de trant van: "Hé, waar gaan jullie naartoe?" en tot zijn verbazing zetten die twee figuren het op een lopen en doken een zijstraat in, de Calle Sanjuanistas. De onbenul ging erachteraan, die kerels waren echter sneller. De vent die ze tussen zich in hadden viel of misschien was hij te zwaar en lieten ze hem los, daar is hij niet zeker van. Hij ging op straat de pijp uit. De parkeerwacht bukte zich om hem bij te staan en de anderen gingen er als een haas vandoor.'

'Ik wed dat het twee stevige jonge kerels waren.'

'Inderdaad.'

'Heeft hij hun gezichten gezien?'

'Nee, en de dode had geen legitimatiebewijs bij zich, maar wel twee andere dingen: diep weggestopt in zijn binnenzak het bonnetje van een stomerij, waar jullie verdomd veel aan zullen hebben, en een sleutelbos met jouw sleutelhanger.'

'Hoe is hij doodgegaan?'

'Hij is van dichtbij in zijn borst geschoten. Ze hebben de kogel verwijderd, die had een kaliber van 9 millimeter kort en is al meegenomen naar het laboratorium.'

'Hebben jullie sporenonderzoek gedaan?'

'Dat is allemaal al klaar, de dienstdoende forensisch arts is nu de "eerste hulp" aan het verrichten, daar zal nog wel wat meer uitkomen. Ik houd je op de hoogte als je nu terug wilt naar je feestje. Vanavond kunnen we weinig meer doen.'

'Nee, ik wil die kerel even zien en met de getuige praten.'

'Denk je dat het jouw man is?'

'Dat lijkt er wel op, maar ik heb iemand die hem kan identificeren, bovendien beschikken we over de vingerafdrukken van de dode en stond onze man geregistreerd.'

'Fantastisch. Het is dus maar goed dat ik je heb gebeld.'

'Dat kun je wel zeggen, Bernal, ik ben je dankbaar.'

Als Confucius politieagent was geweest had hij ongetwijfeld geschreven: 'Zeg nooit van een collega dat hij een hufter is, want uiteindelijk zul je uit zijn hand eten.' En dat zou vast een van zijn meest gebezigde spreuken zijn geworden.

De dienstdoende forensisch arts liet nog even op zich wachten. Hij kon niets toevoegen aan wat hij Bernal al had meegedeeld. Ze hadden die vent van korte afstand met een enkel schot van kant gemaakt. Hij overleed meteen, rond twaalf uur 's nachts. Hij vertoonde verder geen tekenen van geweld, alleen twee lichte striemen onder zijn armen omdat hij, zoals gezegd, was meegesleurd.

'Wil je hem zien?' vroeg Bernal me.

Hij was al stijf, had een waskleurig gezicht, maar zijn gelaatstrekken waren nog dezelfde. Het was de man van ons politiedossier. Als het om dezelfde man ging die in het restaurant van Genoveva kwam eten, zou zij hem direct herkennen.

'Zullen we naar het bureau gaan?'

'Ga je niet terug naar je feestje?'

'Ik heb iemand die de honneurs waarneemt.'

Zakelijk bekeek ik de persoonlijke bezittingen van het slachtoffer die in de kamer van Bernal lagen: een bonnetje van een stomerij in de Paseo de Gracia en de sleutelbos met de sleutelhanger die mijn collega onmiddellijk had herkend. We zouden in ieder geval moeten nagaan of die sleutels van de woning in de Calle Princesa waren, die zo overhaast was ontruimd. De vondst van de dode zou ons verder op weg kunnen helpen. Het gaf hoop, maar uitgerekend deze man bleek onze belangrijkste verdachte. En wat moet je doen wanneer je belangrijkste verdachte uit de weg wordt geruimd? Weer van voren af aan beginnen? Ik kreeg een wee gevoel. De dood van iemand die van moord wordt verdacht berust nooit op toeval. Dus wie zat hierachter, moesten we dezelfde weg blijven bewandelen of vroeg deze vondst om een andere aanpak? Ik was duizelig, ik wilde het zo snel mogelijk weten en kon mijn ongeduld nauwelijks bedwingen. Een fase die ik maar al te goed kende: tegen problemen aanlopen bij het begin van een zaak is heel wat anders dan meemaken dat bewijzen die je theoretisch keurig hebt geordend door elkaar worden gegooid. Het is slechts een stap van die brandende nieuwsgierigheid naar complete ontmoediging en ik stond op het punt die stap te doen. Brigadier Sabater haalde me uit mijn overpeinzingen: 'Inspecteur, wilt u de getuige nog ondervragen? Anders laten we hem naar huis gaan. De arme sloeber is op de stoel in slaap gevallen.'

'Laat haar toch, Sabater, de inspecteur is aan het nadenken. De getuige kan wachten,' deed Bernal een duit in het zakje.

'Nee, had ik maar iets concreets om over na te denken! We gaan naar hem toe.'

De parkeerwacht was een soort freak: lelijk en enorm dik. Ik vroeg me af hoe hij de twee kerels achterna had kunnen rennen, laat staan dat had geprobeerd. Hij moest wel een groot vertrouwen in zichzelf hebben, bijna aan zelfoverschatting lijden. Hij was jong, een jaar of dertig, maar zijn manier van praten en zijn intelligentie leken eerder die van een kind van tien. Ik had absoluut geen zin om hem te ondervragen, hij zou toch niet veel meer zeggen dan hij al had gedaan, maar ik wilde Bernal en Sabater niet voor het hoofd stoten, dus ging ik voor hem staan zonder ook maar iets van mijn tegenzin te laten blijken: 'Dus jij hebt ze betrapt, hè?'

'Ja,' zei hij heel trots.

'Had je meteen door dat er iets niet klopte?'

'Ja, ze sleepten hem mee, maar als je straalbezopen bent hangen je voeten er niet zo bij. Zatladders lopen nog een beetje als je ze meesleurt.'

'Juist. Wist je dat hij dood was?'

'Nee, ik dacht dat ze hem in elkaar hadden geslagen. Die kerels liepen ook niet kalm, ze keken steeds om zich heen of niemand ze zag. Zodra ze merkten dat ik ze volgde zetten ze het op een lopen en ik erachteraan, u zou het misschien niet zeggen, maar ik kan rennen als de beste. Toen ze hem loslieten en de arme vent als een zak aardappels op de grond viel, besefte ik dat hij waarschijnlijk dood was.'

'Heb je hun gezichten gezien?'

'Ze waren te ver weg.'

'Waren ze groot, stevig, atletisch, redelijk jong?'

'Ik geloof het wel, groter dan ik, iets ouder en ook wat magerder.'

Dat hij zichzelf als maatstaf nam maakte het allemaal wat lastiger, maar zijn verklaring was min of meer betrouwbaar.

'Had een van hen een motorhelm op, of bij zich?'

Hij dacht even na en zei toen stellig: 'Nee.'

'Goed, je mag gaan. Bedankt voor je medewerking, die is heel nuttig geweest.'

Als een held zo trots vertrok hij. Fernández Bernal keek me ironisch aan: 'Misschien wil Coronas hem wel in dienst nemen bij het korps, hè?'

'Zielig figuur, ik had bijna met hem te doen.'

'Maar we hebben wel wat aan hem gehad. Waarom ga je niet slapen? Je gasten zijn vast al weg.'

'Dat hoop ik, en als ze er nog zijn, gooi ik ze eruit.'

'Rustig aan, Petra.'

'Dank je, Bernal, bedankt dat jullie me hebben gebeld.'

'Het genoegen is geheel aan onze kant, een dode waar je ons van verlost!'

En nog een dode waar ik mee werd opgescheept. Coronas zou zich in zijn handen wrijven als hij het hoorde.

Ik kwam thuis en zag tot mijn schrik dat er nog licht brandde in de kamer. Het was vijf uur in de ochtend. Ik kon me niet voorstellen dat een van mijn gasten zo onbeschoft was om te blijven plakken. Ik deed de deur open en zag alleen Garzón onderuitgezakt op de bank liggen. Al op die afstand kon ik zijn kegel ruiken, een glas whisky had hij nog in zijn hand. Omdat drank nooit enig effect op hem had, klonken zijn stem en zijn manier van praten volkomen normaal.

'Nee maar, ik zie dat het gezelschap is verdwenen!'

'Hallo inspecteur.'

'En, hoe is het afgelopen met het feest?'

'Weet je hoe iets als een nachtkaars uitgaat?'

'Ja, ongemerkt.'

'Precies, maar dit was nog erger.'

Ik ging tegenover hem zitten en schonk een bodempje whisky in. Hij zat er terneergeslagen en met een begrafenisgezicht bij.

'Wat is er dan gebeurd?'

'De gemeentepolitie kwam aan de deur.'

'Hou op zeg!'

'Echt waar. Ze waren gebeld door een paar van je bekakte buren. Die moeten zich niet zo opwinden over een feestje dat je geeft! Want ik veronderstel dat je dat niet elke zaterdag doet, toch?'

'En wat zeiden ze?'

'Dat het afgelopen moest zijn met die herrie. Maar Yolanda legiti-meerde zich als politieagente en hun houding veranderde. We boden ze een stuk taart aan en ze zijn een poosje gebleven. Ze maakten hun excuses. Maar toen ze waren vertrokken was de stemming omgesla-gen, we hadden geen zin meer om te dansen en hebben de muziek zachter gezet.'

'Oké, dus er is niets ergs gebeurd.'

'Nee. Dat van die nachtkaars slaat op mij.'

'Op jou?'

'Mijn zoon wilde me even alleen spreken en... tja, wat zal ik zeg-gen. Hij spuide al zijn grieven. Hij veegde de vloer met me aan.'

'Kun je iets duidelijker zijn?'

'Hij zei dat ik hem niet begreep, dat ik hem niet accepteerde zoals hij was, met zijn homoseksualiteit en gevoelens. Hij zei dat ik me voor hem schaamde, dat hij me niet in staat zag over mijn vooroordelen heen te stappen.'

'En jij, wat zei jij toen?'

'Ik had er geen antwoord op, omdat hij gelijk had. Hij zei ook dat onze relatie altijd oppervlakkig zou blijven.'

'Jezus, Fermín, dat is nogal wat!'

'Ja, maar wat doe je eraan, het is nu eenmaal zo. Hij wilde niet dat ik vandaag met hen meeging naar het vliegveld. Dus dat is duidelijk.'

'Probeerde je het niet een beetje te sussen?'

Hij sloeg zijn whisky achterover en keek me aan met een ongekend heldere blik. Hij was absoluut niet dronken, waarschijnlijk had hij zo'n dag waarop de alcohol je geest scherpt.

'Petra, zal ik je eens wat zeggen? Het is uitstekend om van goede wil te zijn, maar waar gaat het om? Als ik in mijn eentje ben denk ik toch wat ik denk. Ik kan wel doen alsof, maar wie me kent heeft al vlug door dat ik zit te liegen. Ik kan proberen van mening te veranderen, en ik kan je verzekeren dat ik het heb geprobeerd, maar zonder suc-ces. Ik kan hoogstens beloven het te blijven proberen.'

'Waarom heb je dit niet tegen je zoon gezegd?'

'Dat kwam niet zo uit. Bovendien was ik ziedend, wat mijn zoon heeft gedaan is pure provocatie. Hij mag dan homoseksueel zijn, hij mág dan zijn eigen leven leiden in New York, maar moet hij dan zo nodig hier verschijnen met 'Mister Smile'? Hij had wat fijngevoeliger kunnen zijn.'

'Daar zeg ik verder niets over. Hoor eens, hoe laat vliegen ze?'

'Ik geloof om tien uur vanochtend.'

'Weet je, we gaan douchen, ons omkleden en ontbijten. Dan gaan we naar het vliegveld en nemen daar afscheid van hen.'

'Zonder enige verklaring?'

'Precies.'

'En niet eerst slapen?'

'We hebben nog de hele dag om te slapen, het is zondag.'

'Mij best, maar je moet me wel vertellen waarom je naar het bureau bent gegaan.'

'Dat was ik ook van plan.'

'Oké, maar eerst gaan we die fles whisky leeg maken.'

De whisky smaakte me niet meer, toch werkte ik hem met een paar grote slokken weg, terwijl Garzón heel langzaam zijn glas leegdronk. Het lag steeds op mijn lippen om te vragen of Ricard en Yolanda samen het feest hadden verlaten, maar ik kon me inhouden en mijn verontwaardiging blijven koesteren.

We deden zoals afgesproken en na een verfrissende douche en een supersterke koffie leken we op een stel dat zich had opgemaakt voor de zondag. Onderweg naar het vliegveld vertelde ik Garzón over de laatste ontwikkelingen in de zaak, waardoor hij redelijk overstuur raakte en aan niets anders meer kon denken. Uitstekend, zo zou het afscheid van zijn zoon minder gespannen zijn.

Alfonso Garzón was stomverbaasd ons te zien maar, de hemel zij geprezen, hij glimlachte. We hadden nog tijd om met ons vieren koffie te drinken en te kletsen, met name over het feestje van de vorige avond, de fantastisch leuke gasten en de goede sfeer. De tijd vloog voorbij en toen moest er echt afscheid worden genomen. Vader en zoon omarmden elkaar op die mannelijke manier waarin een zekere afstandelijkheid en viriele kracht besloten ligt. Daarna moest de brigadier de traumatische ervaring ondergaan dat 'Mister Smile' hem twee klinkende zoenen gaf als was hij een dierbare schoonvader. Hij slaagde erin de geste redelijk nuchter te doorstaan. Tot slot zeiden we elkaar gedag.

Ik reed terug naar huis met een zwijgende brigadier naast me. Uiteindelijk hoorde ik hem zachtjes zeggen: 'Bedankt, Petra. Dit afscheid was lang niet zo onaangenaam als dat van gisteren.'

'Het was me een genoegen.'

'Ik ga nu mijn spullen pakken en je eindelijk met rust laten.'

'Dat zal me ook een genoegen zijn,' antwoordde ik lachend.

En dat gebeurde. Samen ruimden we de restanten op van het feest en daarna pakte hij zijn koffer. Hij kwam de kamer in, klaar om weg te gaan, en zette een gewichtig gezicht: 'Inspecteur... ik weet niet hoe ik je moet bedanken...'

'Luister, Garzón, ik wil dat je maandagochtend precies om acht uur op het bureau bent. Er staan ons zware dagen te wachten. We hebben een vreselijke klotezaak onder handen, en Coronas zal niet te genieten zijn.'

'Maak je geen zorgen. Ik wilde alleen zeggen dat ik het hier heel erg naar mijn zin heb gehad en je zeepjes en dameslotions zal missen.'

'Dan krijg je er een paar voor je verjaardag.'

Eenmaal alleen liep ik door het hele huis. Ik kon bijna niet geloven dat het zo rustig was. Er stonden meerdere berichtjes van Ricard op het antwoordapparaat en ik belde hem.

'Is je collega definitief vertrokken?'

'Een poosje geleden.'

'Gelukkig maar. Zien we elkaar vanavond?'

'Ik heb mijn bed nog niet gezien, ik ga eerst slapen.'

'Dan bel ik je later. Nu je weer alleen bent, zouden we concrete plannen kunnen maken.'

'Wat voor plannen?'

'Die je definitief van je eenzaamheid verlossen.'

'O! Ja, goed, daar hebben we het nog wel over.'

'Je klinkt weinig enthousiast.'

'Ik ben ontzettend moe.'

'Natuurlijk lieverd, sorry. Ik bel je later.'

Vreemd dat ik er zo de pest aan had als iemand me 'lieverd' noemde. Ik wist ook niet waarom. Het riep huiselijke tafereeltjes op van gezellig samen theedrinken, maar ook van absurde sleur, gekibbel, onbeduidende dagelijkse verplichtingen.

Ik had meteen naar bed moeten gaan, maar ik wilde even genieten van de rust die er eindelijk in huis heerste. Het was een frisse, zonnige ochtend. Ik maakte nog wat koffie en zette al drinkend een Nocturne van Chopin op. Niet aan de zaak denken, niet aan Garzón, niet aan Ricard, niet aan mezelf en niet aan mijn verlangens of reacties. Ik liet me meeslepen door die bijzondere, bezielde muziek, zo prachtig en puur als schoonheid immer is.

11

Het werk stapelde zich op, dus we verdeelden het min of meer eerlijk onder elkaar. Yolanda, die weer aan de slag kon, was degene die ging proberen of de sleutels van de dode op het spookappartement in de Calle Princesa pasten. Garzón ging met Genoveva, die zoals hij later hoorde die dag linzen moest bereiden, naar het mortuarium voor de identificatie, en ik ging naar de stomerij met het bonnetje van de dode.

Om misverstanden te voorkomen zei ik tegen het winkelmeisje dat ik van de politie was. Ze begreep het, maar het had wel de gebruikelijke schrik en steelse blikken tot gevolg. De vrouw keek op de computer, zelfs bij de bakker krijg je pas brood nadat er eerst op de computer is gekeken, maar door de zenuwen schoot het niet op en even later kwam ze aan met een keurig gestreken colbert in een plastic hoes. Ik wilde haar niet opjagen of haar routine onderbreken om haar niet nog meer van haar stuk te brengen.

'Wilt u me de naam van die meneer geven.'

'Arcadio Flores is de naam die hij opgaf.'

'Staat zijn adres erop?'

'Alleen zijn telefoonnummer.'

'Prima, geeft u dat maar.'

'Heeft hij iets uitgespookt?'

'Waarom vraagt u dat?'

'Omdat u van de politie bent...'

'U had kunnen vragen of er iets met hem was.'

Ze werd zo wit als sommige kledingstukken die er hingen en ik dacht meteen dat ik beter mijn mond kon houden, voor ik iets zei wat haar nog nerveuser maakte en wat ik steeds had willen voorkomen.

'Ik verzeker u dat ik… ik zei het omdat… ik weet niet.'

'De man is vermoord.'

Haar gezicht werd vuurrood. Ze begon te huilen. Een strijkster die het van een afstandje bekeek, kwam haar te hulp. Er was niets gezegd, maar zij wist al wie ik was.

'Eulalia, rustig maar, kalmeer alsjeblieft.'

Ik vervloekte mezelf duizend keer dat ik het zo stom had aangepakt, maar het was te laat. Eulalia huilde tranen met tuiten.

'Eulalia, stil nou maar. Kwam die meneer hier vaak?'

'Ja, af en toe,' wist ze uit te brengen. 'Hij bracht altijd colberts van goede kwaliteit en na de winter soms een jas.'

'Sprak hij met u?'

Ze snoot luidruchtig haar neus. Haar collega klopte zachtjes op haar rug, alsof ze een geliefde was verloren.

'Op een keer zei hij dat ik er mooi uitzag. Ik was naar de kapper geweest en dat zag hij, maar verder…'

'Was hij wel eens met iemand anders?'

'Nee, hij kwam altijd alleen.'

Opeens hakkelde ze en ze keek me aan met ogen die vuurrode spleetjes waren geworden.

'Ik vroeg of hij iets had uitgespookt, omdat er op een keer een biljet van honderd euro in een zak van een colbert zat en hij dat niet eens had gemerkt. We gaven het terug en kregen twintig euro voor onze eerlijkheid, om wat te gaan drinken, zo zei hij. Toen dacht ik dat iemand die zo nonchalant met geld omgaat dat gemakkelijk verdient, vindt u ook niet?'

'Daar zit wat in, ja.'

Ik bedankte haar en pakte het colbert, maar toen ik op het punt stond naar buiten te gaan, hoorde ik de bedroefde stem van de gevoelige Eulalia: 'Inspecteur, het is zes-veertig voor het stomen. Ik moet dat namelijk afrekenen met mijn baas.'

Ik keerde terug om haar te betalen en dacht dat ze gelijk had wat betreft het verband tussen het nonchalant met geld omgaan en de inspanning die het kost om het te verdienen. Arcadio Flores moest over behoorlijk wat poen beschikken als hij zijn zakken vol biljetten stopte en dat niet eens meer wist.

Op het bureau waren Yolanda en Garzón verbaasd over mijn lange wegblijven. Ik gaf het telefoonnummer door aan onze afdeling en tijdens het wachten dronken we koffie.

'Problemen, inspecteur?'

'Ja, psychologische. En jullie?'

'Een van de sleutels van de overledene was van het appartement,' antwoordde Yolanda.

'Noem hem niet langer overledene, wij hebben het over het slachtoffer of de dode, en het lijk als we in een goede bui zijn. Nou, ik hoop dat de andere sleutel past op de deur van het adres dat de telefoondienst ons gaat geven. Dan hoeven we geen deuren in te trappen. En jij, Fermín?'

'Die Genoveva is me er eentje.'

'Dat klopt, ze maakte zich de hele tijd druk over haar linzen.'

'Dat niet alleen maar toen ze het lijk zag, vandaag heb ik een goede bui, was ze helemaal niet onder de indruk, zoals je zou verwachten. Ze bekeek hem rustig en zei: "Dit is hem, God hebbe zijn ziel, als hij tenminste een ziel heeft."'

'Volksvrouwen schrikken nergens van, en al helemaal niet als ze een restaurant beheren. Is het rapport van het ballistisch onderzoek er al?'

'Nog niet.'

'Goed, wat vinden jullie ervan? Dat een vermeende moordenaar dood wordt gevonden is nou niet echt om vrolijk van te worden.'

'Nee, als we die twee kerels die altijd op de plaats van de moord zijn eens konden pakken...'

'Ik heb de indruk dat het slechts voetvolk is. Wij mikken hoger, vergeet dat niet.'

'Ik heb het gevoel dat ik in een schiettent sta met meerdere doelwitten.'

'Geen paniek, Garzón! In het huis van het slachtoffer, jullie merken dat ik niet zo'n goed humeur heb, moeten we afdoende aanwijzingen vinden, want anders…'

'Want anders, wat?' vroeg een heel nieuwsgierige Yolanda, die het gesprek volgde alsof ze naar een film van Hitchcock keek.

'Anders haalt de commissaris ons van de zaak en dat zou voor jou een beetje vroeg zijn, hè Yolanda, je bent net bij het korps… Luister Fermín, waarom ga je dat adres niet opvragen?'

'Dat doe ik wel,' zei de mooie politieagente.

'Nee, het is beter dat de brigadier gaat, hij weet er vaart achter te zetten.'

We bleven samen koffie drinken. Ik bekeek haar onopvallend. Zelfs zonder opsmuk was ze knap, rimpelloos, ze had glanzend haar en on- schuldige, kinderlijke, oprechte ogen. Ik herinnerde me mijn jeugd- foto's en ontdekte dat het belangrijkste verschil met nu mijn blik was. Daarin zie je de echte sporen van leeftijd, desillusies, gewonnen of verloren ruzies. Daar is cosmetica noch plastische chirurgie tegen op- gewassen.

'Het was gezellig zaterdag, hè?'

'Zeker, inspecteur, wat een geweldig feest! Uw vrienden zijn te gek, echt waar. Alleen had ik gisteren zo'n kater dat ik de deur niet ben uit- geweest. Mijn vriend baalde.'

'Trek het je niet aan dat hij baalt van wat jij doet of laat. Daar moet hij maar aan wennen.'

'Mannen zijn een beetje saai, dat is bekend. Maar mijn vriend is een goeie gozer.'

'Des te beter. Zijn jullie na afloop nog ergens wat gaan drinken met de gasten?'

'Nee, natuurlijk niet, dat was niet nodig, we hadden al genoeg op! Uw vriend de psychiater heeft me naar huis gebracht.'

'Mooi zo, het is beter dat je niet alleen over straat loopt op dat uur.'

'Dat had best gekund, ik ben agente.'

Wervelwind Garzón onderbrak haar innemende glimlach. Die goede brigadier was uiterst tevreden en trok zijn jas aan.

'Kom op, dames, de doden worden nog kouder dan ze al zijn! Dat telefoontje heeft geholpen: we hebben het adres en een huiszoekings-bevel.'

Bijna aan het eind van de lange Calle Valencia, vlak bij de Els Encants-markt, lag het appartement van Flores. De deur ging meteen open met een van zijn sleutels. Het rook er naar sandelhout. Ik begon in de gang rond te neuzen maar vond niets opvallends, het was een norma-le woning, niet luxueus, niet armoedig, niet mooi, niet lelijk. Alleen de woonkamer, een grote ruimte van zo'n veertig vierkante meter, zag er gezellig uit door de antieke spulletjes. Er hing een middeleeuws pa-neeltje aan de muur, een kleine romaanse maagd stond op een tafel-tje... Eerst dacht ik met reproducties te maken te hebben, maar zon-der een kenner te zijn begreep ik dat het originele stukken waren. Garzón was even verbaasd als ik: 'Nee maar, antieke schilderijen! En we dachten dat hij een burgermannetje was!'

'Vroeger had ieder burgermannetje zijn transistorradio, maar te-genwoordig hebben ze meer dingen, ze kopen antiek, drinken alleen maltwhisky... maar het blijven toch burgermannetjes.'

Verder zag het huis er doodgewoon uit: ruime gekleurde banken en een breedbeeldtelevisie. We trokken onze latex handschoenen aan en snuffelden rond: de kamers, de keuken... alles zag er netjes uit en er was niets bijzonders te ontdekken. Alleen aan het eind van de gang vonden we een klein kamertje met een bureau en een computer. Tot onze tevredenheid lagen er op de planken stapels boekhoudschriften.

'Dat gaat goed. Financieel werk voor inspecteur Sangüesa.'

Naast de papieren lagen nog meer antieke voorwerpen maar van weinig waarde: afschuwelijke kruiken uit de vorige eeuw, een koffie-molentje... Yolanda pakte een heel oud doosje: 'Kijk eens, inspecteur, het is munitie.'

Het was inderdaad een nog ongebruikte doos patronen met een kaliber van 9 millimeter lang.

'Interessant. Garzón, ga eens na of deze gladjanus een wapenver-gunning had.'

'Ik denk het niet. Die oude munitie kun je zo op de zwarte markt kopen, er zijn nog doosjes genoeg uit de burgeroorlog, maar ik zoek het uit.'

'Het zou bij een antiquair gekocht kunnen zijn.'

'Kogels als verzamelobject? Dat zou kunnen.'

Ik bladerde even door de boekhoudschriften zonder er veel van te begrijpen. Het enige wat me opviel was dat er op sommige een F stond.

'Wat zou dat betekenen?'

'Geen idee. Misschien weten Sangüesa en zijn mensen het. Laat ze ook kijken naar de belastingaangifte van die vent. De schriften moeten een voor een grondig gecontroleerd worden.'

'Doet de computer het?'

'Daar word ik toch niet veel wijzer van. We confisqueren hem, nog een klusje voor de specialisten.'

'Wat leuk!' riep Yolanda uit. 'Uiteindelijk wordt alles gedaan door experts en voor de speurder blijft er bijna niets over.'

Garzón keek haar met een vernietigende blik aan.

'Dat lijkt maar zo, een heleboel gegevens dienen nergens toe.'

'Niet kwaad worden, brigadier, wat ik wilde zeggen is dat...'

'Toe, alsjeblieft, hebben jullie het antwoordapparaat afgeluisterd? Zijn de jaszakken doorzocht? Hebben jullie gekeken of er agenda's of kasboeken liggen? Laten we even stoppen met die rivaliteit.'

Ik keek zorgvuldig rond en in plaats van in cijfers te neuzen die me niets zeiden, opende ik een voor een de laden van het bureau. Buiten de in elk huis gewone papierwinkel vond ik kwitanties van gas en licht, rekeningen van restaurants, reclames van antiekmarkten, het visitekaartje van een antiquair en diverse certificaten van echtheid van artikelen die daar waren gekocht. Opeens viel mijn oog op een handgeschreven memo. Er stond op: 'Arcadio: vandaag heb ik het niet af gekregen. Morgen is er weer een dag als God ons gezondheid en alcohol schenkt.' Het was niet ondertekend, maar ik wist bijna zeker dat het van de hand van Tomás de Wijze was. Ik keek opnieuw in de boekhoudschriften. Ik kon me vergissen, maar beide handschriften waren van dezelfde persoon. Was Tomás de Wijze de boekhouder van Arcadio Flores? Was dit de 'grote zaak' waarbij hij betrokken was? En wat was de grote, ongetwijfeld louche zaak waarmee Arcadio zich bezighield, gewoon nepliefdadigheid? Mijn god, er klopte iets niet, er ontbrak een klein radertje in het geheel. Yolanda had in ieder geval gelijk, mijn ontdekking van dat handschrift had niet veel waarde tot de experts die bevestigden. We hadden een heel bataljon nodig: computerdeskundigen, boekhoudpersoneel, ballistiekexperts en handschriftkundigen, afgezien van het voorgeschreven sporenonderzoek in het appartement. Ja, een arme detective stelde niet veel voor, vooral als hij alle stukjes van de legpuzzel niet wist samen te voegen.

Ik herinner me dat ik die avond niet veel zin had om naar huis te gaan. Dat overkomt me altijd als een zaak op springen staat en ik gegevens van specialisten nodig heb om verder te kunnen. Alles heeft tijd nodig, maar die tijd lijkt eindeloos als belangrijke informatie uitblijft. In die gevallen lijkt het wanneer je het bureau verlaat of je het onderzoek opgeeft, dat je niet midden in het bruisende politieleven staat. Maar dat is niet waar, ook experts eten en slapen, gaan naar huis en hebben lijsten met rapporten die voorrang hebben. Ik was van plan de volgende morgen Coronas te vragen mijn zaak de hoogste urgentie te verlenen, wat het wachten zou verkorten. Dat stelde me slechts deels gerust, er zat me nog iets anders dwars wat me ervan weerhield snel te doen wat ik altijd heerlijk vond en me tot rust bracht: met een boek in mijn kamer zitten. Ik moest eerlijk toegeven, ik wilde niet alleen zijn en gaan piekeren. Ik wist zeker dat wat er in mijn hoofd omging, en onder invloed van de zaak naar de achtergrond was geschoven, me niet zou bevallen. Maar ik deed het wel, ik ben dapper, en het was ook niet verstandig om op kroegentocht te gaan tot ik teut was en niet meer kon nadenken. Nee, ik ging naar huis, nam een douche, maakte een broodje klaar en ging met een boek op schoot zitten. Natuurlijk doemde het beeld op dat ik probeerde te verdringen, het was zijn beurt, zijn glorieuze moment. In dit beeld, eigenlijk slechts een herinnering, probeerde ik alleen te zijn met Yolanda en haar indirect te vragen of ze met Ricard was geweest op de avond van het feest. Dat was gebeurd, het was niet alleen verbeelding. Toen werden mijn gedachten echt abstract en begonnen af te dwalen. Ricard en zijn bewonderende blik voor het meisje. Was dat kwetsend voor mij, abnormaal, overschreed het de grenzen van een volkomen toelaatbare houding? Nee, absoluut niet, Ricard keek naar Yolanda op bijna dezelfde manier als ik naar haar had gekeken: we constateerden de geneugten van schoonheid en jeugd. Het probleem zat bij mij. Ik speelde hierin geen bijzonder glansrijke rol. Ik zag mezelf als een jaloerse vrouw met weinig zelfvertrouwen die bang was dat haar vent, een echte donjuan, haar afgepakt zou worden. Eerlijk gezegd had ik zelfs een beter beeld van mezelf als ik 's maandags in mijn gekreukelde regenjas onderweg was naar het werk. Ik schonk een bodempje whisky in. En ik was zo bang omdat ik ervan overtuigd was dat Ricard niet van me hield, niet stapelgek op mij was. Hoe moest ik dan van hem houden? Ik weet het, al die ideeën behoren bij de hypothese van dat ellendige narcisme, maar zo is mijn ware persoonlijkheid: ik moet een goede dunk van mezelf hebben en ze moeten van me houden voor ik zelf lief kan hebben. Nee, ik was absoluut niet van plan me de hele tijd zorgen te maken over mijn lichamelijke verval en te twijfelen of de beminde man alleen bij me was om zijn eenzaamheid te verlichten.

Geheel onverwachts nam ik een beslissing. Als ik het dilemma dat alleen wonen met zich meebrengt zou afwegen tegen datgene wat ik zojuist overdacht dan sloeg de wijzer ongetwijfeld uit naar mijn huidige staat van alleen-zijn. En wat belangrijker was, als ik mijn gevoelens voor Ricard kon afwegen als een kilo vis, was dat omdat ze niets bevatten wat de moeite van het bewaren waard was.

Ik leegde mijn whisky in één teug. Alle oplossingen voor wat je wilt doen zitten in je hart, maar vaak ontbreekt de tijd om met je eigen geweten te overleggen. En dit was het geschikte moment. Ik wist dat ik af en toe spijt zou krijgen van mijn beslissing: wanneer ik verdriet had dat ik niet kon delen, of twijfels waarover ik wilde praten, of iets heel leuks wat ik moest spuien, maar ik kon altijd een vriend bellen, een psychiater in de arm nemen of een hond kopen. In het uiterste geval zou ik naar Chopin luisteren, een goed boek lezen en een oude wijn drinken. Zonder mijn geliefde slachtoffers te vergeten, die doden van wie ik de verdwijning moest ophelderen en die me altijd gezelschap hielden zolang er hebzucht, haat, waanzin en slechtheid was, dat wil zeggen, mijn leven lang. Anselmo en Tomás de Wijze hadden niet hoeven vechten tegen hun narcisme noch het voordeel van eenzaamheid hoeven overwegen, zij leefden alleen in een verdorven wereld. Ze zouden spoedig, als ze het al niet waren, naamloze lijken zijn, vage personages die waren als een briesje in het gemeenschapsleven, dat zich nauwelijks bewust was van hun bestaan. Mezelf tot taak stellen hen serieus te nemen leek me een goede reden om door te gaan.

'Opgesodemieterd met die angstgevoelens, Petra!' zei ik tot slot van die overdenkingen. En die populaire, ordinaire en filosofische verwoording deed me helemaal opfleuren.

Het ballistisch onderzoek was het eerste dat we in handen kregen. We vernamen dat het projectiel dat Arcadio Flores had gedood was afgevuurd met hetzelfde pistool als waarmee Tomás de Wijze en de arme Anselmo aan hun einde waren gekomen. De kogel zag er identiek uit, de huls was opgeblazen en het slaghoedje naar achteren geschoven. Er zaten ook inkepingen en krassen in het metaal. Geen twijfel mogelijk. Het rapport eindigde met een opmerking over de doos patronen die we in het huis van Arcadio hadden gevonden. Het waren mitrailleurkogels van negen millimeter lang uit de tijd van de Spaanse Burgeroorlog. Ze waren nog steeds te koop op de zwarte markt. Als afsluiting volgde de hypothese: 'Het is niet uitgesloten dat de kogel die gevonden werd in het lijk een 9 millimeter lang voor mitrailleur was die bewerkt en afgevuurd is met een pistool van 9 millimeter kort. Op die manier zou er overdruk ontstaan zijn in het kruitmagazijn met als resultaat de expansie van de huls en verplaatsing van het slaghoedje.'

We hadden dat allemaal al eens gelezen. Garzón keek me met ogen als schoteltjes aan en sprak razendsnel zijn vermoedens uit.

'Het feit dat ze hem met hetzelfde pistool als die twee anderen hebben koudgemaakt, wil niet zeggen dat…'

'Dat hij zelf die twee bedelaars heeft omgebracht. Het zou gewoon betekenen dat…'

'Dat ze hem met zijn eigen kogels hebben doorzeefd.'

'Dat nu in het bezit van zijn moordenaar moet zijn.'

'Het is een serieuze hypothese, maar sluit andere niet uit. Die moordenaar kan ook Tomás en Anselmo hebben vermoord. De vraag is, waarom? In het geval van Anselmo is het motief duidelijk, wie de moordenaar ook was: ze hebben hem in ons gezelschap gezien en vreesden dat hij zou doorslaan. Tomás de Wijze stond op het punt iets te vertellen wat zij stil wilden houden, maar waarom is deze vent neergeknald?'

'Misschien om dezelfde reden, om hem te laten zwijgen.'

'Dus er moet een derde man zijn.'

'En niet per se een secundaire man.'

'Nee, want hij leeft tenslotte nog.'

'Aangenomen dat het moorden doorgaat en we nog een dode vinden onderweg.'

'Zo is het.'

We keken elkaar aan, tevreden over ons logisch concluderend samenspel. Ik legde mijn hand op Garzóns schouder.

'Brigadier, dat riekt naar een nabij einde.'

'En riekt dat goed?'

'Er zit een luchtje aan, geloof dat maar.'

'Niet iets dat je kunt wegwerken met een van je zeepjes en lotionnetjes.'

'Er ontbreekt nog wat. Ik stel een bezoekje voor.'

'Aan wie?'

'Aan inspecteur Sangüesa.'

'Het is nog te vroeg. Ik denk niet dat het rapport klaar is.'

'Dat bezoek is bedoeld bij wijze van pressie.'

'Hij zal ons naar de hel wensen.'

'Elke hel is beter dan twijfel.'

Sangüesa's eerste blik sprak boekdelen, maar even zogoed zei hij: 'Zijn jullie er al? Je lijkt wel een strontvlieg, Petra.'

'Van iemand die zich met zoiets verfijnds als fiscale delicten bezighoudt, verwacht je toch wel een beter taalgebruik.'

'Oké, laat ik zeggen dat je een tweevleugelige kloothommel bent, als je dat subtieler vindt, maar dat verandert er niets aan: het rapport is nog niet klaar. Mijn mensen zijn er druk mee bezig.'

Garzón kon een lachje niet onderdrukken en ik wierp hem even een verwijtende blik toe. Ik keek Sangüesa recht in zijn gezicht.

'Sangüesa, doe niet zo hufterig, ik vraag niet om het hele rapport, maar je hebt vast al een idee en ik wil dat je me dat vertelt, even anticipeert.'

'Het woord "hufterig" is nou ook niet het ideale taalgebruik voor een advocaat en een dame.'

'Ook goed, dan noem ik je "majestueuze Spaanse steenbok" als je dat beter lijkt.'

Hij knikte een paar keer en begon zachtjes te lachen.

'Jezus, Petra, dit is het toppunt! Ik ken vrouwen die net zo eigenzinnig zijn als jij, maar ik verzeker je dat jij de kroon spant. Kom naar het "boudoir" dan krijgen jullie zelfs koffie.'

Op de afdeling waar Sangüesa en zijn mensen werkten was de sigarettenrook te snijden. Zijn werk hield in dat hij urenlang voor de computer doorgaans ingewikkelde problemen zat uit te pluizen en daarbij werd volop gepaft. Gebrek aan beweging en uiterste concentratie waren er mede de oorzaak van dat ze bij de andere politiemensen de reputatie hadden moeilijk te zijn. Maar ik kon Sangüesa wel aan en wist zijn aanvankelijke stugheid met wat dollen te temperen. Hij bracht ons naar een vergaderkamertje dat met ramen afgescheiden was van de andere kamers en voor allemaal had hij koffie.

'Nou, laat eens kijken, wat kan ik in het kort vertellen voor ik er spijt van krijg en jullie eruit gooi.'

Hij haalde een stapel papieren uit een map en na er even in gekeken te hebben, legde hij ze op volgorde. In hemdsmouwen en met zijn bril op het puntje van zijn neus leek hij ouder en vermoeid, maar hij had de naam de beste op zijn gebied te zijn. Hij was meteen thuis in de wirwar van notities en rekenkundige bewerkingen. Hij mompelde gegevens alsof hij aan het bidden was en ten slotte keek hij op en zei:

'Goed, ik weet het zo'n beetje. Er ontbreken echter onderzoeken waar nog aan gewerkt wordt, zodat alles provisorisch is. Als jullie deze gegevens officieel gaan gebruiken, ontken ik ze verschaft te hebben.'

'Vooruit, Sangüesa, doe niet zo flauw! We hebben ze alleen nodig om verder te kunnen met het onderzoek en ze worden niet openbaar voordat er een rapport is. Wat wil je, dat ik op de knieën ga en zweer op de bijbel?'

'Daar kom je mooi vanaf, omdat ik hier geen bijbel heb want anders... maar laten we de boekhouding van die snuiter eens doornemen. Hij had een officieel bedrijf dat ontegenzeggelijk geleid werd door een accountant! Er is zelfs een jaarbegroting!'

'Tomás de Wijze!' flapte Garzón eruit.

'Hebben jullie de schuldige al?'

'Ga door, inspecteur Sangüesa, hij riep maar wat.'

'Er staan facturen in voor de aankoop van diverse materialen, opmerkelijke dingen als bidprentjes, liefdadigheidssleutelhangers, solidariteitsvlaggetjes. Daarna komen de winsten die behaald zijn met de verkoop van die objecten. Alles klopt perfect. Later kwamen we andere posten tegen: bedelarij, kerkcollectes, giften, inzameling en verkoop van gebruikte kleding et cetera. Dat vergt geen investeringen, alles is pure winst waar een variabel percentage van tien tot twintig procent is afgetrokken, ik vermoed om het personeel te betalen dat deze arbeid verrichtte.'

'Wonderlijk.'

'Dat is het, vooral omdat we geen enkele aftrek van btw zijn tegengekomen, wat doet vermoeden dat deze hele handel valt onder de schemereconomie.'

'Je kunt het gewoon oplichting noemen.'

'Zo ver zou ik niet durven gaan, maar het lijkt er wel op. Het verbaasde me dat een oplichter zo'n perfecte organisatie heeft. Ik vermoed dat het een heel netwerk is.'

'Ik geloof dat we Arcadio Flores hebben onderschat.'

'Heet het brein van dit alles Arcadio Flores? Een herderlijke naam voor zo'n rotzak. Wanneer de media berichten dat er grootscheepse zwendel heeft plaatsgevonden onder het mom van liefdadigheid breekt de hel los. Dat is een dankbaar onderwerp.'

'Ik verzoek je om discretie.'

'Jezus, Petra, ik ben geen beginneling! Maar houd je vast want ik ben nog niet klaar. Toen jullie hier tegen alle regels in binnenvielen, waren we bezig met de notitieboekjes die voorzien zijn van een F. Dat is iets heel anders. F betaalt bedragen aan Arcadio Flores onder de zo humanitaire noemer: subsidie voor de campagne "Niemand zonder noga met kerst", bijdrage voor de campagne "Illegale emigranten" of "Benodigdheden voor slaapzalen voor oudere daklozen". Het zijn sporadische, niet al te grote bedragen, maar ze zijn drie jaar lang continu gestort. De uiteindelijke bestemming is onbekend, er zijn geen bewijsstukken dat ze voor het genoemde doel zijn gebruikt. Maar over die bedragen is wel btw berekend.'

We vielen alle drie stil.

'En, kunnen jullie daar iets mee?'

'Nee.'

'Wie is F?'

'Geen idee.'

'Dus de raadselachtige filantroop de heer F gaf Flores geld voor humanitaire acties die hij nooit heeft uitgevoerd.'

'Hij was een stelselmatig slachtoffer van de oplichter. Misschien bracht hij hem om zeep.'

'Geloof je dat een filantroop om zich heen schiet?'

'En als de F staat voor de achternaam van Flores?'

'Met of zonder letter, het blijft duister. Luister eens, Sangüesa, hoe zit het met de belastingaangifte van die vent?'

'Wel jongelui, om inzage te krijgen bij de belastingdienst heb ik een bevel van de rechter nodig dat jullie moeten aanvragen.'

'Dat is gebeurd. Ik weet niet wat ik moet zeggen, Sangüesa, je bent een kanjer, of zoals we bij ons zeggen, je bent een van de weinige Spanjolen met kloten.'

'Dank je, Petra, ik verwachtte wel een pittig compliment van je. Dat betekent echter niet dat jullie de volgende keer mogen voordringen, maar zoals iedereen op het rapport moeten wachten en ons rustig ons werk laten doen.'

'Ik beloof het met heel mijn hart.'

Ik gaf hem een oppervlakkige kus op zijn beginnend kalende kruin, wat Garzón toen we al buiten stonden de opmerking ontlokte: 'Je bent tot alles in staat om je doel te bereiken.'

'Ben je jaloers, Fermín, wil jij ook een kus op je hoofd?'

Ik pakte hem bij zijn arm en deed net of ik hem wilde kussen. Hij glipte ingehouden lachend weg.

'Laat me los, ben je gek?'

Coronas, die in de gang kwam aanlopen, betrapte ons op deze uitgelaten worsteling. Ik vervloekte wel duizend keer mijn opgewekte bui.

'Asjemenou, wat een pret! Zetten we de bloemetjes buiten of zijn het doodgewone ongewenste intimiteiten?'

Garzón flapte er ongegeneerd uit: 'We zijn bijna aan het eind, commissaris.'

'Aan het eind van je loopbaan, zul je bedoelen. Al twee dagen is er geen officieel rapport opgemaakt.'

'Het zijn twee zware dagen geweest. Ik stond op het punt, commissaris, toen er iets urgents tussenkwam.'

'Ik begrijp het. En Petra, heb jij niets te melden?'

'Nou... nu u het vraagt... we hebben een door u ondertekende verklaring nodig dat de rechter ons met voorrang inzage geeft bij de belastingdienst.'

'De rechter, de rechter die jullie zaak onderzoekt? Daar zal hij blij mee zijn! Laatst belde hij me om te zeggen dat hij al heel lang geen slecht bericht had doorgekregen.'

'Het zijn zware dagen geweest, zoals de brigadier al zei, maar ik verzeker u dat het einde van de zaak in zicht is en dat die inzage onmisbaar is.'

'Op dit bureau lijk ik de enige te zijn die níét onmisbaar is. Ik ga die inzage niet voor jullie regelen. Vanaf nu zullen jullie weinig meer van mij gedaan krijgen, dat zweer ik. Jullie kunnen niet zomaar op eigen houtje iets doen.'

Hij liep zonder gedag te zeggen weg. Garzón keek bezorgd, hij was echt geschrokken.

'Heb je het gehoord, inspecteur? Hij meende het, hij is volgens mij in staat ons tegen te werken. Hij is een goed mens maar als hij er genoeg van heeft…'

'Ach, het is niet meer dan een theatrale uitval à la Laurence Olivier!'

'Ik herinner je eraan dat hij onze chef is die ons van de zaak kan afhalen met als gevolg gezichtsverlies op het bureau, dat hij onze premies en onkostenvergoeding kan schrappen, zodat alleen ons karige loontje overblijft.'

'Dat doet hij niet. In de eerste plaats doen we enorm ons best, en dat is wat hem het meest interesseert. Dat we een paar dagen min of meer niet volgens de regels werken, maakt hem niets uit. Bovendien oefenen de journalisten geen druk meer uit, zoals te verwachten was. Wie kan het iets schelen dat er een paar daklozen worden afgemaakt zolang het niet om een seriemoordenaar of iets opzienbarends gaat? En niemand weet dat deze laatste moord ermee in verband staat. We hebben geen haast.'

'Dus die goede commissaris meende het niet zo.'

'Nee, hij moet ons bij de les houden. Omdat we een beetje uitgelaten zijn, laat hij zijn gezag even gelden. Hij wil dat we een beroep op hem doen zodat we zien dat hiërarchie noodzakelijk is, en dat is nu precies wat we gaan doen.'

Hij keek me aan en vreesde het ergste.

'Wat is er met jou aan de hand? Ik hoop dat je niet al te verrassend uit de hoek komt.'

'Wees maar niet bang, het is de oudste truc ter wereld. We sturen Yolanda om de spoedopdracht. Zij is nu zijn oogappel, hij zal het haar niet weigeren.'

Hij zuchtte diep en zei bijna onverstaanbaar: 'God beware ons voor de foefjes van een vrouw!'

'Ik protesteer, Garzón! Als een vrouw diplomatiek en tactisch is, worden dat foefjes genoemd.'

'Waarom flapte ik dat er ook uit! Ik ga Yolanda haar opdracht geven.'

'Zeg haar dat ze vriendelijk moet zijn, maar niet vleierig, dat ze laat uitkomen dat ze iets weet, maar beweert niet op de hoogte te zijn van de details, alsof ze zich een beetje buitengesloten voelt door ons. Dat dwingt de commissaris haar te instrueren, en jullie mannen doen niets liever: een vrouw onderrichten en helemaal als ze jong en mooi is.'

Hij liep mompelend en hoofdschuddend weg. Ik hoorde alleen: 'De pot op met die vrouwelijke diplomatie!'

'Hé, Garzón, en als je onze Mata Hari hebt gebeld, kom dan naar La Jarra de Oro, dan krijg je koffie van me.'

'Ik hoop zonder cyaankali.'

Geamuseerd keek ik hem na. Wat zou er van mij en mijn theoretisch-kritische geraaskal terechtkomen zonder mijn trouwe brigadier! In een tijd waarin choqueren steeds moeilijker wordt, was het een godsgeschenk dat hij nog de pest in kon hebben.

Even later zaten we aan een lekkere sterke koffie in La Jarra de Oro. Hij glimlachte triomfantelijk: 'Mijn zoon belde vanuit New York. Hij en zijn vriend hebben het geweldig gevonden hier. Je krijgt de groeten en dikke kussen.'

'Ik neem aan dat dit een manier is om te kennen te geven dat alles goed is tussen jullie twee.'

'Ja, dat geloof ik ook.'

Peinzend dronk hij zijn koffie en brak zijn croissant. We zwegen. Al dopend ging hij door alsof het de gewoonste zaak van de wereld was: 'Dit betekent niet dat ik van mening ben veranderd. Ik accepteer het, maar begrijp het niet.'

'Er valt niets te begrijpen, hij is homoseksueel, punt uit.'

'Ja, maar hij zou zich niet zo openlijk moeten vertonen met die Amerikaan.'

Ik keek hem vermoeid aan: 'Het is moeilijk jou te veranderen, hè?'

'Op mijn leeftijd…'

'In ieder geval hoeven we niet alles te begrijpen. We gebruiken de telefoon maar weten in feite niet hoe hij werkt, toch?'

'Dat ben ik helemaal met je eens! Waarom kunnen we niet weigeren bepaalde dingen te snappen? Dat is een vorm van vrijheid. Ik heb in dit verrekte leven mijn vrijheid benut. Nou goed, het wordt ook tijd! We zijn namelijk verplicht volgens de etiquette te leven: begrijpen, het verschil accepteren... gemeenplaatsen!'

'Gebruikmaken van je vrijheid is dat ook.'

'Ja, dat klopt. Vroeger heette dat de vrijheid, nu schijnt iedereen zijn eigen vrijheid te hebben.'

We keken elkaar enigszins verbaasd aan omdat we het bijna eens waren.

'Zullen we weer eens aan het werk gaan, inspecteur?'

'We zullen wel moeten!'

'Ik herinner je even aan die ongedurige commissaris.'

'Mijn god, Garzón, doe niet zo vervelend! Kun je me niet aan iets leukers herinneren?'

'Jouw wens om af te rekenen met de dood van twee zwervers. Of ben je teleurgesteld nu je weet dat ze bij een misdrijf betrokken waren?'

'Niemand is onschuldig, Fermín, alleen dieren.'

'Ben je niet langer van mening dat zwervers het puikje van de samenleving zijn?'

'Wij zijn allemaal gewoon volk, niemand uitgezonderd.'

'Natuurlijk, weet je wat ik laatst heb gedaan? Ik heb die afschuwelijke vaas van dat oude dametje in elkaar gezet en gelijmd en ben hem gaan brengen.'

'Echt waar? Niet te geloven, en hoe ging dat?'

'Gewoon, je had helemaal gelijk, ze begon weer eindeloos te lullen en drong erop aan dat ik nog eens thee met haar kwam drinken.'

'En doe je dat?'

'Ik ben zo stom geweest haar mijn telefoonnummer en mijn adres te geven.'

'Dan ben je de klos.'

'Dat denk ik ook. Het was uit mededogen. Ook wij worden eens oud en dan zouden we het prettig vinden als iemand onze gebroken vazen maakt. Bovendien...'

'Bovendien, wat?'

'Ik kan haar altijd nog laten barsten als ze vervelend wordt.'

Yolanda kweet zich uitstekend van haar opdracht als bemiddelaarster. Coronas gaf haar de spoedopdracht en moet zich wel heel gevleid hebben gevoeld. Een zwak hebben voor een mooie agente die onder quasiheroïsche omstandigheden nog maar net bij het korps zat, is absoluut geen schande. Het liep gesmeerd, de rechter gaf toestemming de procedure te versnellen en Sangüesa, opnieuw door mij overgehaald, gaf onze zaak voorrang boven elk ander onderzoek en nam de belastingdienst voor zijn rekening. Een stap verder in het overwinnen van ons eigen ambtelijk apparaat.

Thuis stond mijn antwoordapparaat vol berichten van Ricard. Ik kon een afspraak met hem niet langer uitstellen. Vervelend was dat ik niet wist wat ik moest zeggen. Onmiddellijk met hem breken vond ik beslist niet terecht. Ik moest wachten tot hij actie ondernam om tot een oplossing te komen. Ik vond die man wel leuk, maar we konden net zo goed op dezelfde voet doorgaan. Ik belde hem.

'Eindelijk! Ik heb het erg druk gehad en jij ook neem ik aan, ik wilde al naar het bureau komen om je te schaken.'

'Dan was je gearresteerd. Gaan we samen eten?'

'Ik kom je over een half uur ophalen.'

'Liever over een uur, ik wil me mooi maken.'

Hij was op tijd, ik kon net douchen en mijn haar doen. Om niet in de verleiding te komen thuis te blijven, had ik een tafel gereserveerd in een Libanees restaurant. Ik probeerde te voorkomen dat ik alleen met hem zou zijn.

Ricard was opgewekt, even gek als altijd, verstrooid, beminnelijk en aantrekkelijk. Hij bestelde bij de ober een heleboel verschillende hapjes en die peuzelden we op terwijl we probeerden te raden welke ingrediënten ze bevatten. Ik praatte te veel, dat had ik al snel in de gaten, en weidde enorm uit over oppervlakkigheden om maar niet persoonlijk te hoeven worden. Toen hij me vroeg naar de vooruitgang in de zaak vertelde ik hem zelfs dingen die eigenlijk vertrouwelijk waren en die hij in feite niet wilde weten.

'Vanavond moeten we naar mijn huis,' zei hij plotseling. 'Je zult verbaasd staan. Alles is schoon en opgeruimd, wacht maar af. Ik geloof dat je me toch hebt veranderd.'

'Dat was nooit mijn bedoeling.'

'Goed, samenwonen is als je een bepaalde leeftijd en ervaring hebt een kwestie van afspraken maken. We doen het als volgt: ik word ordelijker en jij vertelt niet over bloederige moorden als we aan de biefstuk zitten.'

'Het spijt me.'

'Ik maak toch maar een grapje, Petra!'

'Ik weet het, ik ook. Was het laatst een leuke avond?'

'Het was een luisterrijk feest, met dat antropologische allegaartje: politiemensen, rechters, respectabele dames, trendvolgers uit Manhattan... geweldig! Ik had een van mijn patiënten moeten meenemen om het panorama compleet te maken.'

'Je praat alsof je het over een dierentuin hebt.'

'Hoor eens, is er wat, je bent zo prikkelbaar.'

'Niet echt, let maar niet op mij, ik ben alleen een beetje moe.'

'Je blijft bij mij slapen, je wordt behandeld als een koningin en 's morgens krijg je ontbijt op bed.'

Ik lachte een beetje verveeld. We kenden elkaar nauwelijks, seks was onze enige intimiteit, maar hij bleef halsstarrig een fictief huiselijk sfeertje oproepen. Hij zag niet in dat hij een niet-bestaande situatie creëerde. Hij wilde waarschijnlijk heel graag bepaalde fases overslaan en snel dat punt bereiken, maar daarmee ging hij voorbij aan een van de interessantste perioden in elke veelbelovende relatie: het geflirt van de eerste tijd, het wederzijds verkennen, het ontdekken van de persoonlijkheid van de ander. Voelde hij zich zó alleen? Had hij zo'n behoefte aan een liefdesrelatie? Wat was ik voor hem?

Zijn huis had inderdaad een kleine metamorfose ondergaan. De enorme hoeveelheden tijdschriften die overal rondslingerden waren verdwenen en de asbakken waren leeg. De rest was hetzelfde, het werk voerde er de boventoon: rapporten, naslagwerken, kaartenbakken...

'Wat vind je ervan?'

'Het ziet er gelikt uit.'

'De schoonmaakster was gisteren overdonderd, ze dacht dat ze zich in het appartement had vergist. En wacht eens...'

Hij trok me aan mijn hand mee naar de slaapkamer. Op het bed lag een zo te zien nieuwe sprei en op het hoofdeinde lag een sierkussen met kantjes waarvan ik me afvroeg waar hij die vandaan had.

'Hoe vind je het, het maakt een huiselijke indruk, hè?'

'Heel erg huiselijk.'

'Luister eens, neem je me in de maling of meen je het, je bent niet erg enthousiast...'

Ik voelde een groeiende ergernis.

'Hoor eens, Ricard, je besluit je huis op te ruimen, het beddengoed te vernieuwen en je koopt zelfs een sierkussen, wat moet ik dan doen, een gat in de lucht springen, op het kanten kussentje gaan liggen spinnen als een poes?'

'Petra, die dingen heb ik voor jou gedaan.'

'Daar heb ik niet om gevraagd.'

Hij werd kwaad.

'Jullie vrouwen weten elke leuke situatie de grond in te boren! Ik vraag niet om een tien voor inrichting, ik wil alleen dat je beseft dat er achter deze voorbereidingen een wil tot veranderen zit, dat mijn persoon zich schikt naar een manier van samenwonen die meer in overeenstemming is met jouw wensen!'

'Dus je veronderstelt dat we hier gaan wonen?'

'Nee, we gaan wonen waar jij wilt, maar hier is het nog een beetje rustig. Bij jou thuis rinkelt altijd de telefoon, heeft iemand je nodig voor een zaak, als die dikke detective er tenminste niet loopt te zaniken.'

'Hij is niet dik!'

'O nee, wat dan wel? De typische patat-en-chorizo-vretende smeris!'

Ik draaide me om en liep naar de zitkamer. Ook ik had mijn kalmte verloren. Ricard kwam strijdlustig achter me aan.

'Ik ben het zat! Denk je dat een minnaar zich zo gedraagt als jij? Ik dacht dat ik hier voor een plezierige nacht was gekomen en wat vind ik, iemand die me behandelt als een jeugdvriendinnetje en me een tuttig kussentje laat zien dat hij in de uitverkoop heeft gekocht. Dat doet de deur dicht!'

'Tuttig kussentje?'

'Ja, Garzón mag dan de typische vette gorilla zijn, maar dat kussentje is tuttig, supertuttig! Het is te gek voor woorden allemaal. Ik ga.'

Ik pakte mijn jas en mijn tas en liep naar de voordeur, maar ik had al mijn gal nog niet gespuwd, zodat ik me omdraaide en eraan toevoegde: 'Misschien ben je meer gecharmeerd van andere agenten, zoals Yolanda. Ik zag wel hoe je laatst naar haar keek.'

'Ik keek naar haar, ik? Zat dat je de hele avond dwars, een doodgewone aanval van jaloezie?'

De zin knalde als een kwetsende zweepslag na in mijn oren. Ik sperde mijn ogen wijd open en was me ervan bewust dat ze vuur spuwden. Zachtjes beet ik hem tussen mijn tanden door toe: 'De dag dat ik jaloers ben op jou, Ricard, laat ik me nog liever hangen dan dat ik het toegeef.'

Ik sloeg de deur dicht met de gebruikelijke klap na een echtelijke ruzie en liep de trap af in plaats van op de lift te wachten. Ik was ontdaan en enorm kwaad op mezelf. Toen ik al halverwege die stokoude en statige trap was, hoorde ik als een krijgsbevel hard mijn naam schreeuwen.

'Petra Delicado!'

Ik hield me stil, was doodsbang, hij gedroeg zich als een echte idioot. Ik hoorde hoe hij naar beneden stormde. Toen hij voor me stond, was hij buiten adem. We keken elkaar aan als twee provocerende dieren en toen ging het automatische licht uit. Ik voelde zijn lichaam om me heen, zijn warme mond in mijn hals en zijn opgewonden ademhaling tegen mijn borst. Ik viel bijna flauw van verlangen en het enige wat nog telde op de wereld was zijn aftershave.

12

Sangüesa wilde ons dringend spreken. We kregen vleugels. Garzón leek met die van hem op een lijvige cupido die tot de jaren des onderscheids was gekomen.

'Allejezus, baas, zo te horen moet de inspecteur wel iets heel belangrijks hebben gevonden bij de belastingdienst!'

'Ik heb er de pest aan dat je me baas noemt.'

'Waarom?'

'Omdat het ordinair is.'

'We staan op het punt een zaak met drie doden op te lossen en dat is dan het enige wat er in je opkomt.'

'Je moet je altijd gedragen, dat doe ik ook,' loog ik. 'En dat we de zaak bijna hebben opgelost zijn jouw woorden. Als we hier te maken hebben met geknoei met cijfers en het de cijfers zijn die opheldering moeten geven...'

'Cijfers geven opheldering, dat wordt altijd gezegd. Vertrouw maar op inspecteur Sangüesa, hij is een kei.'

Ik vertrok mijn gezicht. Ik heb het niet begrepen op economische delicten, het kan wel zijn dat cijfers opheldering geven, maar het is knap moeilijk met afdoende bewijzen te komen.

Sangüesa's informatie was duidelijk en begrijpelijk: Arcadio Flores deed zijn belastingaangifte op basis van zijn salaris als technisch directeur van het fonds Gelijkheid en Vrede, zo'n driehonderdduizend peseta's per maand. Alles volledig legaal. Op zijn aangifteformulieren waren de gedetailleerde bedragen die wij bij hem thuis in zijn boek-houding hadden aangetroffen niet terug te vinden. De f op de ord-ners sloeg duidelijk op het woord 'fonds'.

'Potverdorie!' riep de brigadier uit. 'En wat mag verdomme dat fonds Gelijkheid en Vrede dan wel zijn?'

Sangüesa gaf ons een blaadje.

'Hier hebben jullie het adres van het kantoor en het btw-nummer, de rest moeten jullie zelf uitzoeken. Maar ik wil je wel zeggen dat het je op weg kan helpen dat die figuur voor een liefdadigheidsfonds werkte.'

'Hoezo?'

'Fondsen zijn fiscaal gezien ondoorzichtig en bieden talloze eco-nomische voordelen: ze zijn niet belastingplichtig, naar buiten toe bonafide, er zijn geen aandeelhouders, kantoren soms alleen in naam, verantwoordelijken worden niet gecontroleerd en ze worden beschermd door de staat, die er hoegenaamd geen controle op uitoe-fent... Kortom, voor iemand die het niet zo nauw neemt zou een fonds perfect als dekmantel kunnen dienen voor boekhoudkundige malversaties, niet afgedragen ziekenfondspremies of illegale handel-tjes.'

'Niet te geloven.'

'Geloof het nou maar, Petra, het is echt zo. Ze hoeven alleen maar op te geven wat ze op cultureel of sociaal gebied, afhankelijk van het fonds, hebben geïnvesteerd en verder kraait er geen haan naar. We zijn ervan overtuigd dat er bij veel fondsen wordt gesjoemeld, maar omdat de wet ons geen bescherming biedt kunnen we weinig doen.'

'Denk je dat deze stichting fraudeert?'

'De rekeningen van die bewuste Arcadio Flores zouden best van hem privé kunnen zijn, met andere woorden, die kerel profiteerde van zijn positie als technisch directeur om een eigen handeltje op te zetten.'

'Dat was ook onze werkhypothese, maar wie neemt nou een vent met een strafblad als technisch directeur aan?'

'Er zijn drie mogelijkheden. De eerste, dat de werkgever niet op de hoogte was van zijn voorgeschiedenis. De tweede, dat de werkgever hem de gelegenheid tot rehabilitatie wilde bieden, omdat het hoogstwaarschijnlijk om een liefdadigheidsstichting gaat.'

'En de derde mogelijkheid, dat de werkgever iets te verbergen had en iemand met een enigszins duister verleden, die hem nooit zou aangeven bij de politie, uitstekend van pas kwam.'

'Net wat u zegt, beste collega. Ik kan jullie alleen maar succes wensen. Als het om stichtingen met illegale praktijken gaat zal het heel lastig zijn om met bewijzen te komen.'

'Bedankt, Sangüesa, je bent de absolute *number one.*'

'Geen dank, Petra. Zoals een oetlul zou zeggen: ik doe mijn plicht.' Hij liet ons alleen en wij moesten even onze gedachten ordenen.

'Wat denk je ervan, inspecteur?'

'Er zit wat in. De stichting neemt Arcadio Flores in dienst en die zet een frauduleus handeltje in liefdadigheid op.'

'En intussen steekt hij donaties aan de stichting, die voor de armen waren bestemd, in zijn eigen zak.'

'Inderdaad, maar omdat hij niet bijster slim is heeft hij weer iemand nodig die de boekhouding daarvan doet.'

'En die iemand is onze eerste dode, de befaamde Tomás de Wijze. Een intelligente, rationele man die veel van economie af weet.'

'Wiens enige tekortkoming is dat hij niet spoort en een marginaal leven leidt. Later keert hij zich vanwege het een of ander tegen Arcadio en besluit opening van zaken te geven.'

'Dat kost hem zijn leven. Vervolgens gaat de arme meneer Anselmo er ook aan, omdat ze hem met ons zien praten en bang zijn dat hij iets weet. Het klopt allemaal.'

'Het zou kloppen als Arcadio Flores nog leefde, maar ik wil je eraan herinneren dat dat niet het geval is. Er is nog iemand in het spel.'

'We moeten wat meer te weten komen over die stichting.'

Garzón keek nu pas op het blaadje dat Sangüesa ons had gegeven. 'Kijk, inspecteur, het kantoor bevindt zich in de Calle Balmes, het kan toeval zijn, maar als ik me niet vergis ligt het in de buurt van de kruising met Sanjuanistas, waar ze die twee figuren in de kraag hebben gegrepen die het lijk van Flores meezeulden.'

'Ik geloof allang niet meer in toeval, jij wel?'

De stichting Gelijkheid en Vrede stond op naam van Adolfo Ayguals Escudero, een vermogende textielmagnaat hier in de stad. Hij had op persoonlijke titel genoemde stichting, in het leven geroepen om liefdadigheidswerk te doen ten behoeve van armen en drop-outs. Op de loonlijst stonden slechts drie werknemers: twee secretaresses en Arcadio Flores.

We waren in precies twee minuten bij het kantoor van de stichting maar een van de secretaresses liet ons weten dat de heer Ayguals zelden aanwezig was. Ze gaf ons het adres van zijn bedrijf Textiles Ayguals s.a., dat in een kantorenwijk aan de Avenida Diagonal lag. Nu we er toch waren stelden we hun meteen een paar vragen en de eerste was of ze meneer Arcadio Flores niet hadden gemist. De jongste secretaresse, een vrouw van rond de vijftig met een afwezige blik en ouderwets gekleed, antwoordde: 'Natuurlijk wel. We hebben hem al dagen niet gezien. Dat hebben we tegen Don Alfonso gezegd en we moesten naar zijn huis bellen, maar daar was hij niet. We zijn zelfs bij hem langs geweest. Er werd niet opengedaan. Omdat hij geen gezin heeft... dachten we dat hij op reis was en vergeten had het door te geven. Don Alfonso zei dat we als we na vier dagen nog niets van hem hadden gehoord de politie moesten bellen, maar dat zei hij zomaar, we gingen er echt niet van uit dat hem iets was overkomen.'

'Wat waren zijn kantooruren?'

'Waren?'

'Arcadio Flores is dood aangetroffen, mevrouw. Wij zijn van de politie.'

Ze schoof met een ruk haar stoel naar achteren en greep naar haar keel. Ze begon te trillen. De andere secretaresse, op pensioengerechtigde leeftijd, liep meteen bezorgd naar haar toe.

'Virtudes, meisje, mijn god!'

Ze wapperde heftig met een dossiermap voor haar gezicht. Garzón, hulpvaardig als altijd, vulde een glas dat op de tafel stond met water.

'Ze is namelijk heel gevoelig, die arme ziel, en omdat u het zo plompverloren zei… u had wat tactvoller moeten zijn.'

Ik keek Garzón aan.

'Let even op haar, brigadier.'

Ik nam de secretaresse die wel bij haar positieven was gebleven bij de arm en ging met haar naar een hoek van het kantoor.

'Maakt u zich geen zorgen om uw collega, ze is in goede handen, de brigadier heeft zijn EHBO-diploma. Wilt u mijn vragen beantwoorden, alstublieft.'

'Ik ben ook behoorlijk van streek.'

'Dat gaat wel over. Kunt u me vertellen welke kantooruren Arcadio Flores had?'

'Meneer Arcadio had strikt genomen geen vaste uren. Soms kwam hij wel en soms niet. Hij deed veel straatwerk. Daarom waren we niet zo ongerust toen hij een paar dagen wegbleef.'

'Wat verstaat u onder straatwerk?'

'Het eigenlijke werk van de stichting, uiteraard! Hij bezocht de armlastigen, ging naar de liefdadigheidsinstellingen, deelde het geld uit en zette de campagnes op touw.'

'Wat is uw naam?'

'Manuela Manzano.'

'Goed, Manuela, ik wil u erop wijzen dat een politieverhoor niet zomaar een gesprek is. U moet niet zeggen wat uit respect voor uw meerderen of de stichting gepast is. U moet de waarheid vertellen.'

'Maar dat doe ik ook!'

'Oké, denkt u dat meneer Flores zijn plichten verzaakt zou kunnen hebben of vertoonde hij verdacht… laten we zeggen ongewoon gedrag?'

Ze dacht even na. Ongetwijfeld zat ze er vreselijk mee.

'Ja, kijk… wie ben ik om over mijn medemensen te oordelen, meneer Arcadio deed altijd zijn werk en was heel vriendelijk tegen ons, logisch dat…'

'Wat?'

'Hij had zo zijn eigenaardigheden en sommige vrienden die…'

'Vertel eens over die vrienden.'

'Daar weet ik niets van, maar op een keer kwamen hier twee jonge kerels, blond en met een… ik weet niet, een beetje onguur uiterlijk die nauwelijks Spaans spraken. Ze zeiden dat ze hem wilden spreken en zodra meneer Arcadio hen zag liep hij rood aan van woede. Hij nam ze mee naar buiten maar we konden horen hoe hij ze verbood hier ooit weer hun gezicht te laten zien. Het was wel raar.'

'Wanneer was dat?'

'Misschien een paar maanden geleden. Maar ze zijn hier nooit meer gewecst.'

'Hebt u het aan meneer Ayguals verteld?'

'Aan Don Adolfo? Hoe komt u erbij, ik ga hem toch niet lastigvallen met die onzin!'

'Komt meneer Ayguals hier vaak op kantoor?'

'Nee, nooit, hij heeft het druk op zijn bedrijf.'

'Zagen hij en Arcadio Flores elkaar dan niet?'

'Hier niet natuurlijk. Ik vermoed dat ze elkaar op het kantoor van de fabriek troffen, maar dat weet ik niet.'

'Wat kunt u me over Adolfo Ayguals vertellen?'

Ze verstrakte en nam een waardige, trotse houding aan.

'Don Alfonso is een heilige, een man naar Gods hart. Normaal gesproken bekommeren zulke vermogende en drukbezette mensen zich niet om anderen, maar hij heeft deze stichting opgericht waarin we goed werk doen. Kijk alleen maar hoe hij Virtudes en mij heeft behandeld. Virtudes is ongetrouwd en ik ben weduwe. Wij zijn al op leeftijd en hebben ons hele leven bij Textiles Ayguals gewerkt. En in plaats van ons bij een van de personeelsreorganisaties vervroegd met pensioen te sturen, nam hij ons in dienst bij de stichting. Maar weinig mensen zouden zoiets doen.'

'Ik begrijp het. We hebben een bevel tot huiszoeking en eveneens toestemming van de rechter om een kopie van de boekhouding mee te nemen. U moet niet schrikken, het is zuiver routine.'

'Weet Don Adolfo hiervan?'

'We gaan hem zo meteen opzoeken op zijn kantoor, maakt u zich niet ongerust.'

'Want als Don Adolfo geen toestemming geeft…'

'Zelfs meneer Adolfo staat niet boven de wet, mevrouw.'

Ik gebaarde Garzón, die nog steeds die teergevoelige vrouw aan het kalmeren was, dat we vertrokken. Hij viel meteen tegen me uit vanwege de kennis die ik hem had toegedicht.

'Zo, eerste hulp, hè? Dat had je niet hoeven zeggen.'

'Je hebt het vast uitstekend gedaan.'

'Ja hoor, ik heb haar tweehonderd schouderklopjes gegeven, stuk voor stuk vergezeld van een "rustig maar".'

'Meer had je ook niet kunnen doen, denk ik.'

'Waar zou hij die secretaresses vandaan hebben, via een banencampagne voor bejaarden?'

'Ze zullen uitstekend geschikt zijn voor liefdadigheidswerk, bovendien zijn ze hondstrouw. Volgens mij zijn ze heel bewust geselecteerd.'

'Denk je dat die Ayguals…?'

'We zullen hem eens gaan bekijken. Wellicht straalt de onschuld van zijn gezicht.'

'Geloof je dat een ondernemer dat uitstraalt?'

'Ik weet het niet, maar we moeten niet overhaast te werk gaan. We kunnen het wel over economische delicten hebben, waar we nu echter mee zitten zijn twee, misschien drie moorden.'

'Dat is nogal wat voor een ondernemer.'

'Dat is heel wat, zelfs voor een ongeschoolde arbeider, brigadier.'

We verrichtten een gerechtelijke schouwing en hoewel er al meerdere dagen waren verstreken, vroegen we de technische recherche om diepgaand sporenonderzoek te doen in alle vertrekken van de stichting. De secretaresses moesten zich daarbij neerleggen.

Het kantoor van Textiles Ayguals besloeg de hele verdieping van een groot pand aan de Diagonal. Het was modern en functioneel, identiek aan die ontelbare moderne en functionele kantoren die er in Barcelona zijn. De receptioniste liet niets van haar verbazing blijken toen we zeiden van de politie te zijn en naar de heer Ayguals vroegen.

'De vader of de zoon?' antwoordde ze, waardoor we even van ons stuk werden gebracht.

'De vader, veronderstel ik. De directeur van de stichting Gelijkheid en Vrede.'

'Meneer Adolfo dus. Wilt u daar wachten, ik zal hem waarschuwen.'

Ze dirigeerde ons naar een hoek met wat stoelen en we zagen haar een korte boodschap doorgeven via de interne telefoon. Daarna stond ze op en kwam naar ons toe.

'Hij was in vergadering, maar hij zal u zo ontvangen. Komt u verder.'

Ze liep met ons mee naar een werkkamer die qua inrichting hemelsbreed verschilde van de overige kantoorruimtes. Het was een pompeus, indrukwekkend vertrek met negentiende-eeuwse meubelen en leren fauteuils. De wanden waren behangen met antieke schilderijen: landschappen, zeegezichten, een enkel portret… Garzón ging zitten wachten, maar ik begon de muren en meubels wat nader te bekijken. Op een tafeltje tegen de muur lag naast wat financiële tijdschriften een handvol visitekaartjes. Ik pakte ze op en vlug bekeek ik ze. Eentje was van Anticart, ik herinnerde me dat we een kaartje van diezelfde antiekhandel tussen de paperassen in het huis van Flores hadden gevonden. Naderende voetstappen dwongen me ze haastig terug te leggen. Adolfo Ayguals verscheen glimlachend in de deuropening.

'Goedendag, mevrouw en meneer. Mijn excuses dat ik u heb laten wachten.'

Hij was een jaar of zeventig, had een gedistingeerd voorkomen en een vriendelijke glimlach. Hij zag er vermoeid uit, ging zitten en keek me nieuwsgierig aan.

'Ik was uw schilderijen aan het bewonderen.'

'Ik ben een liefhebber van antiek, u ook?'

'Jazeker, maar het is een liefhebberij die ik me niet kan veroorloven.'

'Het is soms een kwestie van zoeken. Goede stukken hoeven niet altijd duur te zijn.'

'Misschien niet. Maar we willen geen beslag op uw tijd leggen, we komen hier eigenlijk met een vrij onaangename opdracht. Kent u Arcadio Flores?'

'Natuurlijk, hij werkt bij mijn stichting. Is er wat met hem?'

'Ik ben bang van wel. Hij is dood aangetroffen.'

'Hoe?'

'Doodgeschoten.'

Hij sloeg beide handen voor zijn gezicht, waardoor ons jammer genoeg ontging hoe hij op het bericht reageerde. We zwegen respectvol. Even later haalde hij zijn handen voor zijn gezicht weg. Nu was hem zijn vermoeidheid nog duidelijker aan te zien.

'Ik kan het niet geloven. Weet u wie het heeft gedaan?'

'We hebben enkele aanwijzingen.'

'Door zijn werk kwam hij geregeld in aanraking met marginale figuren.'

'Dat weten we. Mogen we u een paar vragen stellen?'

'Ja, natuurlijk. Vraagt u maar.'

'Waar hebt u Arcadio Flores leren kennen?'

'Even denken… ik geloof dat ik hem louter toevallig ergens ontmoette, in een café of in een restaurant… op een antiekbeurs! Ja, zo was het, maar welke weet ik niet meer precies. Hij is… was ook een liefhebber.'

'Wist u dat Flores een strafblad had?'

'Jazeker, ik wist dat hij jaren geleden met de politie in aanraking was geweest, vanwege wat kleine vergrijpen.'

'En toch hebt u hem in dienst genomen?'

'Laten we zeggen dat ik hem juist daarom heb aangenomen. Nou ja, dat klopt ook niet helemaal… We leerden elkaar kennen, omdat we, meen ik, allebei belangstelling hadden voor hetzelfde stuk antiek en we raakten in gesprek. Het klikte tussen ons. Flores was een sympathieke kerel. Ik vertelde hem over de opzet van de stichting. Hij wilde er graag meer over weten en zei dat hij zoiets wel de moeite waard vond. Omdat de functie van directeur nog vacant was, opperde ik elkaar nog eens te ontmoeten en het erover te hebben.'

'Weet u wat voor werk hij toentertijd deed?'

'Ja, hij vertelde me dat hij op freelance basis antiek zocht voor verscheidene antiquairs. Maar wat ik hem bood gaf hem natuurlijk meer zekerheid, afgezien van het feit dat het meer in de lijn lag van zijn sociale betrokkenheid.'

'Ik wed dat hij heel sociaal betrokken was,' flapte Garzón eruit, maar Ayguals vatte die ironische opmerking serieus op.

'U slaat de spijker op de kop. Hij vertelde dat hij van heel eenvoudige komaf was en dat hem dat voor altijd getekend heeft. Toen we later wat serieuzer ingingen op het eventueel accepteren van de baan die ik hem aanbood, biechtte hij eerlijk op dat hij met de politie in aanraking was geweest.'

'En wat dacht u toen?'

'Ik was van mening dat een stichting die aan liefdadigheid doet nooit en te nimmer de filosofie die aan het project ten grondslag ligt uit het oog mag verliezen. Met andere woorden, ik steunde en vertrouwde hem.'

'Waren er nooit problemen?'

'Nee, nooit. We hebben bijna twee jaar samengewerkt zonder een enkele wanklank.'

'Controleerde u de rekeningen?'

Hij moest even nadenken.

'De rekeningen? Hij diende ze stipt op tijd in en… afijn, ik had er nooit wat op aan te merken.'

'Maar controleerde u ze?'

'Nou ja, u zult het misschien nonchalant vinden, maar ik keek ze niet grondig na, ik heb zo veel aan mijn hoofd… Ze klopten echter altijd, ze waren in orde.'

'Verzekerde u zich ervan dat het sociaal werk van begin tot eind werd gerealiseerd?'

'Inspecteur, alstublieft, ik vertrouw de mensen die voor me werken. Het verliep allemaal correct. Meen ik uit uw vragen te mogen opmaken dat Flores ergens van wordt verdacht?'

'Alles wijst erop dat hij een frauduleus handeltje heeft opgezet onder de beschermende legale paraplu van de stichting.'

'Dat kan niet waar zijn!'

'We weten het zeker. Afgezien van wat hij op eigen houtje had opgezet, denken we dat hij ook het geld van uw bedrijf, dat voor de stichting was bestemd, in zijn eigen zak stak.'

'Heeft hij al die tijd helemaal geen sociaal werk gedaan?'

'Hij zal wel iets hebben gedaan, maar heel weinig, we zijn het aan het natrekken.'

'Mijn god! Hoe is het mogelijk? Hij leek zo'n rechtschapen kerel!'

'Zulke mensen zijn er, meneer Ayguals, maar dat zult u ongetwijfeld weten met uw jarenlange ervaring als ondernemer.'

'Zeker, na al die jaren zou ik alle vertrouwen in de mensheid verloren moeten hebben, maar dat is helaas niet zo, en nu kan ik niet meer veranderen, ondanks alle teleurstellingen die ik moet incasseren.'

'Des te beter voor u. Waar had u uw besprekingen met Flores?'

'We kwamen zelden bij elkaar, we hadden meestal telefonisch contact.'

'Waar was u donderdag de vijfentwintigste om twaalf uur 's nachts?'

'Om twaalf uur? Thuis natuurlijk. Gezien mijn leeftijd ga ik zo min mogelijk uit, eigenlijk alleen op vrijdag naar het Liceu of het Palau de la Música. Waarom?'

'Louter formaliteit. We denken dat Flores misschien in het kantoor van de stichting is vermoord en het gaat ons erom iedereen die regelmatig op het kantoor kwam uit te sluiten.'

'U denkt toch werkelijk niet dat ik hem heb vermoord?'

'Absoluut niet. Meneer Ayguals, welke functie heeft uw zoon binnen het bedrijf?'

'Mijn zoon? Momenteel is hij algemeen toezichthouder zodat hij kennis van zaken heeft als hij mij moet opvolgen.'

'Hoe oud is uw zoon?'

'Veertig. Ja, ik weet wel wat u denkt, maar veel zakenmensen zoals ik willen niets weten van pensionering. Hoe dan ook, ik denk niet dat ik nog lang het bedrijf zal leiden. Ik moet opstappen en plaats maken voor de jongere generatie.'

'Woont uw zoon bij u?'

'Ja, ik ben weduwnaar en hij is gescheiden. Het leek ons beiden een goede oplossing om weer samen in het ouderlijk huis te gaan wonen.'

'Dat begrijp ik. In dat geval zult u er niets op tegen hebben dat hij ons bevestigt dat u de dag van het misdrijf samen thuis was, vooropgesteld dat hij niet was uitgegaan.'

'Ik weet het werkelijk niet meer.'

'Kunt u hem vragen even te komen?'

'Nu? Ik heb geen idee waar hij is, misschien wel in vergadering. Als u wilt kunt u een andere keer terugkomen.'

'Het duurt maar vijf minuten.'

'Goed, maar ik wil u erop wijzen dat hij niets over de stichting weet. Hij kende Arcadio Flores niet eens.'

'Zijn ze elkaar nooit tegengekomen?'

'Ik geloof het niet. Een ogenblikje.'

Hij belde een secretaresse en vroeg haar Juan Ayguals te roepen.

'Ik stel voor dat we in de tussentijd een sigaret opsteken. Ik kan het niet laten, hoewel ik weet dat het slecht voor me is.'

'Dat kennen we.'

Garzón en ik accepteerden beiden de sigaret.

'Zonder filter! Die is nog schadelijker,' merkte mijn collega op.

'Ik weet het. Kan ik u ook koffie aanbieden?'

Op dat moment kwam de zoon binnen. Hij was een forse kerel van bijna een meter negentig, hij had een dunnere haardos dan zijn vader en uiteraard veel minder charme.

'Heb je me geroepen?'

'Deze mevrouw en meneer zijn van de politie en willen je enkele vragen stellen.'

'Is er wat?'

'Wij wilden alleen weten of u donderdag de vijfentwintigste om twaalf uur 's nachts samen met uw vader thuis was.'

Hij reageerde geërgerd en keek naar zijn vader alsof het om een flauwe grap ging.

'Ja hoor eens, waar gaat dit over... de vijfentwintigste... thuis? Weet ik veel!'

Het zat vader Ayguals duidelijk niet lekker en op ernstige toon zei hij tegen hem: 'Juan, ze vonden...'

Ik onderbrak hem met een handgebaar.

'Het is van belang dat u het ons vertelt, alstublieft.'

Hij haalde een zakagenda tevoorschijn en begon met gefronste wenkbrauwen te bladeren.

'Ik snap er niets van. Eens kijken... de vijfentwintigste... donderdag, ja, ik neem aan dat ik toen thuis was. De volgende dag vloog ik 's morgens vroeg naar Madrid. Nee, ik ben niet weggeweest.'

'En uw vader was ook thuis?'

'Nou ja, weet ik niet! Waar had hij moeten zijn, paddenstoelen zoeken in het bos?'

'Juan, alsjeblieft.'

'Kan iemand me ook uitleggen wat er aan de hand is?'

'Uw vader zal dat doen, wij gaan nu. Bedankt voor alles, heren. En bedankt voor de sigaret, meneer Ayguals! Tussen twee haakjes, nog een verzoekje, hebt u er bezwaar tegen dat onze financiële experts de gezamenlijke rekeningen van uw bedrijf en de stichting nakijken? Ik veronderstel dat u hier een duplicaat van de boekhouding van de stichting hebt.'

'Die staan helemaal los van elkaar.'

'In dat geval willen we het alleen bevestigd zien. Hebt u dat duplicaat hier?'

'Uiteraard, en van mij mag u het controleren, maar eerlijk gezegd staat het me niet aan dat het bedrijf in deze zaak wordt betrokken. Het heeft niets te maken met de stichting.'

'Maakt u zich geen zorgen, het zal strikt vertrouwelijk behandeld worden.'

'Goed dan, zoals u wilt.'

Nog voor we bij de auto waren barstte Garzón los: 'Er zit een luchtje aan. Geloof je dat verhaal van de vertrouwensman die nooit rekeningen hoeft te overleggen en met wie hij toevallig kennismaakte?'

'Ik geloof er geen woord van.'

'Dan zijn we het daarover eens.'

'Ze weten er allebei meer van, of de vader dekt de zoon.'

'Hij vond het duidelijk niet leuk dat we hem erbij riepen.'

'Helemaal niet zelfs.'

'Zou de accountantscontrole iets opleveren?'

'Ik denk dat ze alles goed voor elkaar hebben. Zeg in ieder geval tegen Sangüesa dat ze er grondig naar kijken. Zo nodig, van de afgelopen drie maanden.'

'En wij?'

'Wij gaan als twee schurftige oude honden rondsnuffelen.'

'Wat een vergelijking!'

'Vraag de twee secretaresses van de stichting thee te komen drinken op het bureau.'

'Hoor eens, inspecteur, voor we met wie dan ook thee gaan drinken moeten jij en ik nog even praten.'

'Waarover?'

'Over wie van de twee Ayguals' Flores om zeep gebracht kan hebben.'

'Daar laat ik me niet over uit.'

'Waarom niet?'

'Omdat ik het niet weet.'

'Heel geestig.'

'Zo geestig als maar zijn kan. Wat vind je ervan als we ook een bezoekje gaan brengen aan een antiquair?'

'Volgens mij weet jij iets wat ik niet weet.'

'Het is slechts een voorgevoel, Fermín, maar het kan iets opleveren.'

'Dat mag ik graag horen, inspecteur! Je weet dat ik meer waarde hecht aan jouw voorgevoel dan aan twaalf uur onderzoek van Scotland Yard.'

Het was niet de eerste keer dat we beroepsmatig een antiquair bezochten en voor Garzón bleef het een winkel waar hij nooit voor zijn plezier naar binnen zou gaan.

'Ik begrijp niet dat mensen ergens waarde aan hechten alleen omdat het oud is. Als het kunst is oké, maar die antieke waskommen en kapstokken heb ik in mijn jeugd zien weggooien…'

'Stel je voor dat het met mensen zo gaat. Voor jou is ervaring meer waard dan jeugd.'

'Precies, omdat wij mensen nuttig zijn, terwijl een afgeschilferde waskom alleen maar dient om in een hoek te zetten.'

'Er zijn er maar weinig die zo denken als jij, antiquairs zijn meestal rijk. Ze hebben vaste klanten voor hun koopwaar, antiekliefhebbers vormen een kleine groep. Ik hoop tenminste dat het in dit geval zo is.'

'Natuurlijk, waarom gaan we anders naar die winkel?'

Ik keek hem zogenaamd welwillend aan om hem vervolgens een enorme steek onder water te geven, maar toen ging mijn mobiel. Ik keek op het schermpje: het was Ricard. Ik deed hem uit. Mijn collega, die meer antennes had dan er boven een stad te zien zijn, vroeg onmiddellijk: 'Hoe gaat het met de psychiater?'

'Ik heb nog geen psychiater nodig, maar ik sluit het niet uit.'

'Je weet heel goed wat ik bedoel. Ga je met hem trouwen?'

'Trouwen met een psychiater is zoiets als de Atlantische Oceaan oversteken met een zwemleraar, het kan altijd nuttig blijken.'

'Oké, spot er maar mee, ik zou het echter niet leuk vinden om van anderen te horen dat je gaat trouwen.'

'Maak je geen zorgen, voor ik het rondbazuin zal ik het je vertellen.'

Anticart was een antiekwinkel vlak bij de Barrio Gótico. Hij werd beheerd door een echtpaar van middelbare leeftijd, mevrouw en meneer Salvat. Toen ze hoorden dat we van de politie waren, gingen ze zich enorm voor ons uitsloven. De reden van ons bezoek vertelden we niet, maar zij lieten ons koortsachtig alles zien en legden uit hoe het bedrijf functioneerde. Waarschijnlijk dachten ze dat we achter een antiekdiefstal aan zaten, en waren er wel eens collega's komen informeren. Toen we zeiden dat we van de afdeling Moordzaken waren, nam hun aanvankelijke animo af. In plaats van zich zorgen te maken over zoiets verontrustends, leken ze te bedaren.

'Kent u een man die Arcadio Flores heet?'

De vrouw ontkende voordat de man dat kon doen. Hij bleef zwijgen. Ik begreep dat hij de zwakke schakel van die twee was, dus keek ik hem strak aan.

'Hij is dood aangetroffen en tussen zijn spullen lag een kaartje van deze winkel.'

Voordat iemand kon reageren, zei de vrouw: 'En daarom neemt u aan dat wij hem kennen? Toe nou, inspecteur! Wij zitten al twintig jaar in het vak, iedereen kan een kaartje van ons hebben, iedereen.'

'Verspreidt u ze?'

'Nee, ze liggen in de stands van de beurzen waar we naartoe gaan, en ook hier, mogelijk hebben we hem aan iemand gegeven die in de winkel was, maar…'

'Mag ik u dan een foto laten zien zodat u kunt zeggen of u zich de persoon herinnert of niet? Tenzij u zeker weet hem niet te kennen.'

Mevrouw Salvat wreef zenuwachtig in haar handen. Ik haalde de foto van Arcadio tevoorschijn en liet hem zien. Ze bekeken hem alle twee argwanend.

'Herken jij hem?' vroeg de vrouw. De man schudde zijn hoofd. 'Nou nee, er komen hier zoveel mensen.'

'Toch geloof ik dat deze man hier wel eens wat heeft gekocht. U hebt toch een register?'

'Dat hebben we, maar…'

'Mag ik dat even zien?'

De man kwam naar mij toe en gebaarde met zijn hand.

'Komt u maar.'

Hij bracht ons naar een enorme ruimte achter de winkel, waar een tafel met een computer stond. Hij ging erachter zitten en deed hem aan. Hij zocht een programma en toen vroeg brigadier Garzón of hij zijn plaats mocht innemen: 'Staat u mij toe? Ik doe het zelf wel.'

De vrouw raakte geïrriteerd: 'Hoor eens, dat is allemaal vertrouwelijke informatie.'

'Het gaat om moord, mevrouw Salvat.'

'Maar dat geeft u niet het recht. Onze klanten zijn belangrijke mensen die misschien hebben besloten te investeren en...'

'Als u wilt komen we terug met een gerechtelijk bevel en blijft de winkel hangende het onderzoek gesloten. Dan mag er niets uit.'

De man nam voor de tweede keer het initiatief: 'Kijkt u maar rustig.'

Garzón ging door met zijn werk terwijl de spanning in de kamer steeds meer te snijden was.

'Hier is het,' zei hij eindelijk. 'Arcadio Flores staat op uw klantenlijst. Volgens de lijst heeft hij drie aankopen gedaan in twee jaar: een middeleeuws paneel en een paar modernistische voorwerpen.'

'Nou en?' zei de vrouw bijna woedend.

'Ik dacht dat u hem niet kende.'

'Dat klopt, denkt u dat wij al onze klanten bij naam en toenaam kennen?'

'Mevrouw Salvat, ik begrijp niet waarom u zo zenuwachtig bent.'

'Inspecteur, u komt hier binnen en vraagt naar een man die ons niets zegt en dan gaat u snuffelen in onze vertrouwelijke informatie, hoe zou u dan reageren?'

'Laten we erover ophouden, mevrouw, verkoopt u vuurwapens?'

Ze begon hysterisch te krijsen: 'Wij? Wat denkt u wel? Dit is een respectabele zaak, denkt u dat u in een seksclub bent?'

'Ik zal de vraag duidelijker stellen: hebt u wapens uit de burgeroorlog die u eventueel verkoopt aan een verzamelaar?'

De vrouw wilde weer gaan schreeuwen maar haar man pakte haar bij de arm en legde haar het zwijgen op: 'Misschien een enkel stuk, maar dat zijn in onbruik geraakte wapens waar niet eens meer munitie voor is. In ieder geval verkopen we die alleen aan iemand met een wapenvergunning.'

'Weet u dat zeker?'

'Ja.'

'Hebt u een Astrapistool met een kaliber van negen millimeter aan Arcadio Flores verkocht?'

'Nee, beslist niet.'

'Kent u Adolfo Ayguals Escudero?'

Hun mond viel open. Aandachtig keek ik naar hun reactie.

'Ja, natuurlijk kennen we die, hij is een van onze beste klanten. Maar wat heeft dat te maken…'

'Niets, helemaal niets… alleen werkte de man naar wie wij vroegen voor hem. Dus u weet zeker dat u geen enkel wapen heeft verkocht aan Arcadio Flores.'

'U kunt in onze uitdraai kijken en zult zien dat alles volkomen legaal is.'

'Ja, ik wed dat alles volkomen legaal is.'

Uit dit verhoor zou niet veel meer naar voren komen. We gingen naar buiten en ik keek om me heen. Het was een prachtige dag. Garzón lachte en zei doodkalm: 'Ik heb nog nooit iemand zo slecht zien liegen.'

'Inderdaad, ze vormen een perfect stel leugenaars. Ga eens na of ze echt een vergunning hebben om wapens te verkopen.'

'Dat gebeurt al. Het is wel duidelijk dat ze met of zonder vergunning een pistool aan Arcadio Flores hebben verkocht.'

'Het pistool waarmee hij is gedood.'

'Het probleem is erachter te komen wie het nu in zijn bezit heeft.'

'Het einde is in zicht maar we hebben verdorie geen enkel bewijs. Ik haat dit soort situaties.'

'Weet je wat je dan moet doen? Eten! Ik nodig je uit voor het diner in La Jarra de Oro.'

Een vol bord was voor de brigadier altijd de remedie om problemen te verwerken, zowel qua werk als privé. En bij hem functioneerde dat goed. Ik bekeek hem terwijl hij zich tegoed deed aan een Asturische bonensoep en ik vroeg me af hoe hij het klaarspeelde om de moed erin te houden. Hij had net een stuk gerookte bloedworst naar zijn mond gebracht toen ik vroeg: 'Ben je gelukkig, Fermín?'

Hij hield op met kauwen en keek mij aan met zijn gelige ogen.

'Is dat een serieuze vraag of komt er een ironische opmerking?'

'Kun jij je nooit ontspannen?'

'Bij jou niet.'

'Geef nou eens eerlijk antwoord.'

Hij schraapte met zijn lepel een paar bonen bij elkaar, knabbelde op een stukje brood en dacht diep na.

'Nou… ja, het gaat wel. Ik ben gezond, ik heb een goede eetlust, gevarieerd werk, vrienden, een minnares, een leuk appartement… Ja, ik had wel wat jonger willen zijn, wat knapper, meer geld willen hebben… maar ik ga ook niet treuren om de dingen die ik niet heb. Ik geloof dat ik tamelijk gelukkig ben, want ik vraag het mezelf eigenlijk nooit af.'

'Ons vrouwen wordt ingeprent dat je een grote liefde moet hebben en dat er anders iets ontbreekt.'

'Ja, zowel mannen als vrouwen wordt ingeprent dat het nodig is gelukkig te zijn. Toen mijn ouders jong waren, was geluk niet in de mode. Ze hadden te eten, een huis, de kinderen waren gezond… prima, niemand verlangde meer. Ik geloof dat geluk een moderne uitvinding is.'

'Een uitvinding voor degenen die geen honger lijden.'

'Zoiets. En lijd jij honger?'

'Helemaal niet! Ik ga voor alle moderne uitvindingen, behalve voor televisie.'

Hij verborg zich lachend achter zijn servet. Ik keek hem toegenegen aan: 'Geloof jij dat ik met iemand moet gaan samenwonen, brigadier?'

'Met een vriendin?'

'Als je niet serieus bent, laat dan maar.'

'Wees niet beledigd, Petra, maar zo geformuleerd… Als je daar zo veel vraagtekens bij zet, zie je er de noodzaak niet van in. Je hebt me zelf vaak gezegd dat als er geen sprake is van een grote liefde, het beter is om in je eigen huis te blijven wonen.'

'De man met wie ik omga wil met alle geweld dat we gaan samenwonen.'

'Dan is hij heel verliefd op je.'

'Dat geloof ik niet, maar hij wil graag met iemand samenwonen.'

'Ik begrijp het, dat komt doordat ze ons mannen hebben wijsgemaakt dat alleen wonen een soort mislukking is.'

'Wat een ellende, hè Garzón?'

'Wat?'

'Dat we allemaal doen wat ons is wijsgemaakt.'

'Ja, een hoop gelazer. Daarom moeten we doen wat het lichaam van ons vraagt, meer niet.'

'Ik wil wel eens weten wat mijn lichaam vraagt.'

'Dat vraagt om het hoofdgerecht en daarna gewoon doorgaan. Trouwens, hoe moet je mij onderdak verlenen als mijn zoon met zijn partner komt en je met iemand samenwoont?'

'Dat is waar. Maar eens word ik oud, Garzón.'

'Ja, maar dat word je toch wel, of je nu alleen woont of met iemand samen.'

Ik keek hem eens goed aan. Het leek of het hem allemaal onverschillig liet, maar dat was niet zo. Garzón wilde niet dat ik me aan iemand zou binden en niet vanwege die typische mannelijke bezitsdrift, maar omdat hij wilde dat alles bij het oude bleef. Het is niet te geloven hoe we vasthouden aan de dingen om ons heen. Ik vermoed dat niet veranderen hetzelfde is als niet ouder worden, of misschien is het alleen gemakzucht. In ieder geval was mijn collega niet erg onder de indruk van mijn problemen. Als hoofdgerecht nam hij een biefstuk en die verslond hij samen met de aardappeltjes.

'Je moet niet zo veel eten, Fermín.'

'Het kan me niet schelen dat ik dik ben.'

'Daar zeg ik het niet om. Vanmiddag gaan we een hapje eten.'

'O ja?'

'Met de twee oude secretaresses van Gelijkheid en Vrede. Ik wil dat ze ons een heleboel vertellen over de zoon van Ayguals.'

'Ze zullen vast wel dingen weten, maar vertellen ze die ook?'

'Wat dat betreft reken ik op jou, jij kunt goed overweg met oudere dames.'

'Neem me niet in de maling, inspecteur, dat ontbrak er nog aan!'

In een café afspreken met de twee secretaresses van Ayguals leek strategisch gezien een goede zet. We zouden ontspannen praten, en al babbelend over zijne heiligheid de baas zou zijn zoon ter sprake komen. Ik had me toch een beetje vergist, want toen we eenmaal zaten zei de oudste van de twee dat ze het geweldig gevonden zou hebben om op een politiebureau te komen praten.

'De brigadier neemt u wel een keer mee naar ons bureau, hè Garzón?'

Mijn brigadier keek me vernietigend aan en mompelde toen weinig enthousiast: 'Natuurlijk, dat zal me een genoegen zijn.'

'U moet wel een heel avontuurlijk leven hebben. U hebt vast van alles meegemaakt… Virtudes en ik werken ons hele leven voor hetzelfde bedrijf, zodat onze wereld klein is.'

'Overal is wat te beleven. Ze zeggen dat een bedrijf een wereld op zich is.'

'Het is waar dat je als je heel betrokken bent veel ervaring opdoet.'

'Vertelt u eens, is het altijd voorspoedig gegaan met het bedrijf?'

'Wel, er zijn pieken en dalen geweest maar we hebben goed gedraaid.'

'Gaat de opvolger het bedrijf niet verkopen als de heer Ayguals weggaat?'

Ze keken elkaar wat verontrust aan. Misschien waren ze ondeskundig, maar gek waren ze zeker niet. De jongste vroeg: 'Zijn we uitgenodigd om over Juan Ayguals te praten?'

Ik begreep dat mijn goed opgezette plan gemakkelijk de mist in kon gaan. Ik nam overdreven ernstig het woord: 'Kijk, de heer Ayguals noch zijn zoon is betrokken bij het misdrijf dat wij onderzoeken, dat kan ik u ronduit zeggen. Maar er zijn mensen in hun omgeving die interessante informatie kunnen hebben, zaken die de relatie van Arcadio Flores met de stichting ophelderen.'

'Meneer Ayguals gaat alleen met fatsoenlijke mensen om. De arme ziel… zijn vriendenkring, personen die hij tegenkomt op de antiekveilingen en niet veel meer! Sinds zijn vrouw is overleden…'

'En zijn zoon?'

'De connecties van zijn zoon kennen we niet.'

'Dat begrijp ik, maar u weet wel hoe hij is.'

'Hij is niet als meneer Ayguals.'

'Is hij een slechter mens?'

'We kennen hem niet persoonlijk, nou ja, we kennen hem een beetje, maar ik vind het niet gepast om negatief over hem te praten.'

Ik onderbrak haar zo voorzichtig mogelijk.

'Vanzelfsprekend! We bedoelen alleen beroepsmatig.'

De blikken die ze wisselden gaven aan dat ook dit thema een struikelblok was.

'Nou, meneer Juan nam het bedrijf drie jaar geleden over en... je zag dat de zaken niet goed gingen. Er was een behoorlijke achteruitgang en Don Adolfo moest zijn schouders er weer onder zetten.'

Nu was er een veelbetekende blik tussen Garzón en mij.

'Een zaak leiden is niet makkelijk,' stelde Fermín.

'Dat is een ding wat zeker is!'

'De arme meneer Ayguals kon niet met pensioen.'

De oudste was niet ongevoelig voor die opmerking.

'De arme man heeft geen geluk gehad met die zoon.' Ze draaide zich om naar haar collega en kreeg een vastberaden blik, ze had besloten te praten wat er ook gebeurde. Inwendig was ik blij met die gunstige ontwikkeling.

'Juan Ayguals is geen slecht mens, maar hij is te veel verwend. Als enig kind... hij kreeg altijd zijn zin, en na de dood van zijn moeder nog meer. Hij trouwde met een beeldschoon meisje uit een gegoede familie, en waarom? Om na drie jaar al te scheiden. Ze hebben Don Adolfo niet eens kleinkinderen gegeven. En voor het bedrijf was hij natuurlijk ook niet geschikt. Een bedrijf leiden vraagt veel opoffering. Dat beseffen jonge mensen niet!'

Haar collega keek haar aan en was er niet gerust op. Maar plotseling zei ze, alsof ze na zich lang te hebben ingehouden wilde meedoen aan die kleine verbale rebellie, die vlaag van eerlijkheid: 'Margarita steunde hem ook niet echt, ze was een verwend meisje.'

'Wie is Margarita?' vroeg Garzón meteen.

'Zijn ex-vrouw. Natuurlijk trouwde ze uit liefde want ze was tien jaar jonger dan hij, maar daarna wilde ze alleen maar uitgaan, kleren kopen en gewoon genieten van het leven.'

'Het meisje wist niet wat haar te wachten stond, met een luie man, een drinkebroer…! Haar treft geen blaam.'

Ongetwijfeld hadden ze dit gesprek lang geleden samen vaak gevoerd. Ze wisten precies wat de ander ging zeggen.

'Ze had het voor haar trouwen kunnen weten, en zich niet moeten laten verblinden!'

De felheid waarmee die vijftigjarige sprak, deed vermoeden dat ze misschien eens haar hoop had gevestigd op de erfgenaam van de familie Ayguals.

'We willen graag met haar praten, hebt u haar adres?'

'Natuurlijk hebben we dat, en haar telefoonnummer ook! Zij kreeg het prachtige appartement dat het echtpaar boven in de stad had. Ze heeft er tenminste iets aan overgehouden.'

'Dat en de toelage die de heer Ayguals haar elke maand geeft.'

'En die ze blijft ontvangen zolang ze niet trouwt, laat ze dus maar niet trouwen! Dat zou ik ook niet doen. Waarom zou je een man dulden als je alles hebt en kunt leven als mevrouw de maarschalk?'

Dat laatste was het definitieve bewijs dat die vrouw nog iets van wrok voelde. Wel, je leert de verborgen aspecten van iemands leven pas kennen als er redenen zijn erover te praten. Garzón was opgetogen toen we het café uitliepen en ik ook. We hadden de gegevens van Margarita Llopart op zak en misschien had ook zij redenen om over haar ex-man te praten. Toch behield de brigadier zijn twijfels over onze onderzoekmethode.

'Allemaal goed en wel, maar wat hebben we aan de loslippigheid van die twee glamourgirls en dat wat zijn ex-vrouw gaat loslaten?'

'Hé, Fermín, we hebben nu het motief voor de moord!'

'Laat me nadenken: de zoon van Ayguals komt in het bedrijf als een olifant in een porseleinkast, en al spoedig zijn de cijfers even rood als een Sovjetleger.'

'Dat klopt.'

'Dan, om de oplichting te verdoezelen, verzint hij de stichting: hij betaalt geen belasting, hij kan illegale louche handeltjes beginnen, voldoet geen premies aan het ziekenfonds…'

'Tot zijn vader beseft hoe de zaken ervoor staan en er een stokje voor steekt.'

'Maar de vader heeft de stichting niet opgeheven.'

'Dat kon hij niet doen zonder achterdocht te wekken.'

'Geloof je dus dat de oude Ayguals onschuldig is?'

'Nee, hij weet echt wel wat er aan de hand was, maar er zijn twee mogelijkheden: hij was niet op de hoogte van de hele maffiageschiedenis van Arcadio Flores en zijn parallelle zaakjes of hij wist het daarentegen heel goed. In het eerste geval is hij slechts medeplichtig aan een economisch delict, in het tweede aan moord.'

'Dus hij is hoe dan ook schuldig.'

'Een moord begaan is niet hetzelfde als een zoon dekken.'

'Jezus, inspecteur, het is wat met zonen! Ze geven alleen maar problemen.'

'Spreek voor jezelf.'

'Ik zeg het in het algemeen.'

'Alleen filosofen praten in het algemeen.'

'Filosofen en ik. Gaan we dus naar mevrouw de maarschalk?'

'Morgen, Garzón, morgen. Het is al laat. Bovendien heb ik belangrijke dingen te doen. In mijn privéleven bedoel ik.'

'Die nadere toelichting was niet nodig, want alles wat professioneel gezien belangrijk is overleg je met mij.'

'Dat is een waarheid als een koe. En omdat ik het uiterst belangrijk acht wat Coronas vindt van ons optreden, geloof ik dat het raadzaam is dat jij dat verslag van vandaag gaat maken voordat je naar huis gaat.'

'Had ik mijn mond maar gehouden. Nu moet ik de wildste stier bevechten.'

'Ik verzeker je dat ik graag mijn stier voor die van jou zou inwisselen.'

Hij keek me aan met een brandende vraag op zijn lippen, maar hij was een ervaren stierenvechter, zodat hij zich inhield en beleefd afscheid nam.

Ik besloot Ricard thuis te bellen. Voor ik dat deed keek ik in de spiegel en vroeg me af: wilde ik dat echt doen? Ja, zonder enige twijfel, besloot ik. Maar intussen besefte ik dat ik niet om aan te zien was met mijn wilde haar en zonder een greintje make-up. Zo kon ik in geen geval naar deze belangrijke afspraak.

'Ricard?'

'Hè hè, hoe lang moet ik nog het gevoel hebben de loterij te winnen als je reageert op mijn berichtjes?'

'Ik geloof dat we moeten praten. Ik nodig je uit in een restaurant naar jouw keuze.'

'Kunnen we niet beter bij jou thuis eten? Dan neem ik wat mee'.

'Ik voel meer voor neutraal terrein.'

Ik had hem voldoende aanwijzingen gegeven om te begrijpen wat het onderwerp van ons gesprek zou zijn. Dat was beter, ik wilde hem niet behandelen als een verdachte die je moet overvallen.

Ik ging douchen, trok mijn mooiste jurk aan en maakte mijn ogen op met mascara. Ik vroeg me af hoe vaak ik dat nog zou doen voor ik helemaal afzag van koketterie! Altijd… dit zou ik tot mijn dood blijven doen. Het was een belangrijk cultureel erfgoed dat ik niet wilde opgeven. Zoals de krant lezen, goede wijn drinken, een vriend begroeten. Een gewoonte die in je systeem zit waardoor je je min of meer zeker voelt. Je staat niet stil bij de functie van die gewoonten, je voert ze zonder meer uit. Ik maakte me niet mooi voor Ricard. Of wel?

Ricard zag er goed uit die avond. Hij liet zich van zijn grappige kant zien, de verstrooide, gekscherende psychiater. Ik was benieuwd hoe hij zou reageren op een mogelijke definitieve scheiding. Zou hij doen alsof hij niets vermoedde? Zou hij onweerstaanbaar, rancuneus of agressief worden? Nee, agressief niet, dat kon hij niet. Een psychiater heeft zichzelf in de hand. Eerlijk gezegd betreurde ik het wel dat ik hem niet meer zou zien, maar in zijn bijzijn veranderde ik niet van mening. We hadden geen toekomst en hij wilde niet dat we elkaar als deeltijdgeliefden zouden blijven zien.

We bestelden de maaltijd, de wijn kwam en toen deed hij zijn armen wijd open en lachte als een ondeugend jongetje.

'Nou, zegt u het maar.'

'Doe je zo tegen je patiënten als ze voor het eerst komen?'

'Min of meer.'

'En weet je dan hoe het afloopt?'

'Ik loop nooit op de dingen vooruit. Ik wacht tot de patiënten helemaal zijn uitgesproken.'

'Goed zo. Nou, waar moet ik beginnen?'

'Ik herinner je eraan dat je geen patiënt van mij bent. Je laat me lijden maar ik ben eerder je kwaal dan je dokter.'

Ik begon te lachen: 'Je maakt het me wel gemakkelijk.'

'Echt, ik mag dan de kwaal zijn, maar ik ben niet ongeneeslijk.'

'Ricard, ik…'

De ober kwam met het voorgerecht. Ricard bleef naar me kijken en lachen.

'Ik…'

'Je vindt het beter om niet te gaan samenwonen.'

'Nee, niet helemaal. Ik vind het beter dat we elkaar niet meer zien.'

Hij was verbijsterd door mijn directe antwoord. Ik ook, zo'n radicale uitval had ik vooraf niet bedacht, maar ik besefte dat halve maatregelen niet werkten in dit geval. Hij schonk de wijn stilletjes in zonder dat er iets op zijn gezicht te lezen was. Hij begon te eten en keek me aan: 'Ga nou beginnen, het wordt koud.'

'Ricard, je hebt besloten dat jouw leven een andere wending moet nemen, en ik…'

'Ja, jij kwam langs, zo is het toch, dus koos ik jou.'

'Er is geen liefde tussen ons, geen passie.'

'We zouden het concept liefde moeten herzien.'

'Daar hebben we geen tijd voor, het is beter het concept passie te herzien.'

'Het concept passie is niet te herzien, je hebt het of je hebt het niet.'

'Dat zeg jij. Ik weet dat ik egoïstisch ben, dat jij ervan overtuigd bent dat ik uit onvolwassenheid handel, maar je moet me geloven, het zou niet werken.'

'En je wilt niet het risico lopen dat het werkt.'

'Ik wil het risico niet lopen dat het niet werkt. Ik heb al twee huwelijken achter de rug, een derde keer mislukt samenwonen zou…'

'Zou, wat? Wie bepaalt de grens van het aanvaardbare? Wat heb je te verliezen?'

'Mijn rust.'

'Nu moet je ophouden, Petra. Sinds ik je ken heb ik je als een gek heen en weer zien rennen. Dat noem je rust?'

'Je hebt me leren kennen midden in een zaak.'

'En wanneer zit je niet midden in een zaak?'

'Sommige zaken zijn ingewikkelder dan andere.'

'Aha, en wanneer je niet met een ingewikkelde zaak bezig bent, los je de problemen op van die dikke agent die altijd in je buurt is.'

'Ik wil niet dat je Garzón erbij haalt, hij is een vriend! Bovendien, waarom hebben we het over mijn leven, wat kan jou mijn leven schelen?'

'Ik denk erover het met jou te delen, en of het me interesseert!'

'Nou, laat dat dan maar, want ik heb je gezegd dat ik dat niet wil. Wat is er, geloof je het niet? Moet ik voor je knielen en je bedanken dat je mij die geweldige kans geeft om gelukkig te zijn?'

'Je bent een grove, onredelijke, egoïstische, oppervlakkige vrouw… je bent…'

'En jij bent een psychiater die zich niet eens weet te beheersen, ik begrijp niet hoe iemand jou zijn geestelijke gezondheid durft toe te vertrouwen!'

We waren harder gaan praten. Opeens zwegen we. De ober haalde de borden weg. Ricard keek me aan, nu had hij echt de pest in.

'Zullen we opnieuw beginnen alsof we elkaar nu pas zien?'

'Oké. Dag Ricard, hoe gaat het? Tussen twee haakjes, ik moet je zeggen dat ik heb besloten elkaar niet meer te zien.'

Zijn geduldige blik veranderde in een woedende: 'Heel goed, Petra, heel goed. Als je me niet meer wilt zien, dan zie je me niet meer. Ik geloof dat ik wegga, het is belachelijk om verder te eten alsof er niets is gebeurd. Ik zal je niet meer achternalopen door heel Barcelona, ik stuur je geen berichtjes meer, ik slaap niet meer nu eens in mijn huis en dan weer in het jouwe, ik zie niet meer hoe je me probeert te ontvluchten omdat je ego niet overloopt van hartstocht. Misschien heb je gelijk, zou het een vergissing zijn om samen te gaan wonen.'

Hij stond op en ging weg. Dat had nog nooit iemand me geflikt. De ober kwam met het hoofdgerecht en vroeg heel professioneel: 'Eet meneer niet verder?'

'Meneer moest weg. Laat het bord maar staan, ik eet het wel op.'

En dat deed ik, onbeheerst als een straathond, alsof ik nooit een kruimel brood kreeg. Ik had er genoeg van, meer dan genoeg, ik was het spuugzat. Ik egoïstisch... ja? En hoe noemde je dan een vent die het onvergeeflijk vond dat je niet met hem wilde samenwonen? Maar wat me het meest dwars zat was de ruzie op zich. Nooit had ik met Ricard kunnen praten zonder dat de discussie hoog opliep. Ik haat ruzies maar bovenal die over rolpatronen: van man en vrouw, vriend en vriendin, moeder en dochter... God, hoe kun je volwassen worden als je altijd verwijten moet maken, moet schreeuwen, op je hoede zijn en in de aanval gaan?

Ik strafte mezelf door geen nagerecht te nemen en vroeg de rekening. De ober lachte flauwtjes en zei: 'Meneer heeft betaald voor hij wegging.'

'Hoe kan dat, wist hij het bedrag?'

'Hij heeft het nummer van zijn creditcard achtergelaten.'

'Ik sta erop te betalen.'

'Dat kan niet, mevrouw, het spijt me. Meneer is een vaste klant en we volgen zijn instructies.'

'Ik ben politieagente en sta erop te betalen wat ik heb gegeten zoals iedere gewone burger.'

'Ik ga het vragen aan de bazin.'

'U vraagt helemaal niets, u int de helft van de rekening en daarmee uit! Akkoord?'

Hij liep weg met mijn creditcard, en een beledigd gezicht.

Ik besloot naar huis te lopen, misschien zou ik tot rust komen door de frisse lucht. Ruzies, ruzies…! Die van de ober met de klant was ook typerend, en de passagier met de taxichauffeur, en de loodgieter die nooit de kraan komt repareren en die je na een maand vraagt hoe het ermee staat. Ruzies, ruzies…! Ze bevatten alle ingrediënten van het gewone bestaan. Terecht bewonderde ik de bedelaars als hoogstaande mensen, ze zijn arrogant, aristocratisch, ze gaan niet met de bus, betalen geen rekeningen, zitten niet opgesloten in een kleinburgerlijk wereldje en hun grootste illusie in het leven kan het hebben van een schip vol rijst zijn. Een schip vol rijst! Een visioen vol beloftes: paella's, risotto's, Chinese rijst, rijst op zijn Cubaans, rijstebrij… Absurditeit boven gezond verstand, dat ook in het gewone leven zo weinig wordt gebruikt!

13

Het stormde nog in mijn hoofd toen ik wakker werd. Daarna, in de keuken met een kop koffie en een bruin broodje, sloeg de woede om in verdriet. Het was een leuke tijd geweest met Ricard. Ik zou me hem herinneren als iemand met wie ik fijn kon praten, ervaringen uitwisselen en af en toe naar bed gaan. Maar nee, klaarblijkelijk kon je er in de liefde niet omheen samen te wonen en de koelkast en je slechte humeur te delen. Als we allebei verliefd waren geworden, als ons hart zo in lichterlaaie stond dat we dag en nacht bij elkaar wilden zijn, dan was ik bij mijn standpunt gebleven dat samenwonen een kwaad was, maar wel het minste van twee kwaden. Als ik het Ricard precies zo zou uitleggen, misschien dat dan… maar nee, het maakte niet uit, hij zou het zo verdraaien dat mijn wens om alleen te zijn een neurose was, zo niet een nog ernstiger aandoening. Hij kon oprotten! Als hij er weer over begon zou ik hem met vage argumenten, die zijn eergevoel minder zouden kwetsen, proberen af te schepen en zo niet… dan niet, de ruzie in het restaurant was al met al geen slechte finale geweest, negentig procent van de relaties eindigen op die manier.

De dikke en bemoeizieke politieman, ik zou het Ricard nooit vergeven dat hij mijn collega zo kleineerde, wachtte op me op het bureau, fris gedoucht en geparfumeerd, helemaal het heertje, en hij was nog in een opperbest humeur ook.

'Heb je goed geslapen, inspecteur?'

'Als een blok.'

'Fantastisch! Ik heb mevrouw de maarschalk gesproken en ze verwacht ons over een half uur bij haar thuis.'

'Goed geregeld. Hoe kwam ze op je over?'

'Volgens mij weet ze er niets van dat we haar ex-man, die grote oen, op het oog hebben.'

'Als je de verdachten bijnamen blijft geven zul je voor een verklarend woordenboek moeten zorgen.'

'Dat vind ik juist leuk. Mevrouw de maarschalk... klinkt niet slecht, toch? Kun je je een leger van alleen vrouwen voorstellen? Vrouwelijke veldmaarschalken, vrouwelijke admiraals... en de troepen in het gelid voor inspectie: allemaal krijgshaftige soldates met het uniformjasje strak over de weelderige boezem...'

Ik keek hem aan of het hem in zijn bol was geslagen.

'Wat is er met jou aan de hand, Fermín?'

'Ik ben tevreden. Eindelijk komt er duidelijkheid in de zaak en de schuldige vind ik een klootzak. Trouwens, jij bent ook tevreden en je weet dat me dat goed doet.'

Ik wierp hem van opzij een vinnige blik toe: 'Ja, zeker weten. Hoe dan ook, wat die duidelijkheid betreft wil ik je eraan herinneren dat er nog geen overtuigende bewijzen zijn en dus geloof ik niet dat de rechter een gerechtelijk onderzoek ontvankelijk zal verklaren.'

'We zullen ze vinden, mijn bloempje, wees niet bang! We zullen zo veel bewijzen vinden dat de rechter niet alleen een gerechtelijk onderzoek zal instellen, maar smachtend naar gerechtigheid de schuldige naar de keel zal vliegen en om wraak zal schreeuwen.'

Ik schudde meewarig mijn hoofd.

'Toe maar, Garzón, en dan te bedenken dat ik nog de hele dag met je zit opgescheept!'

Hij lachte kwajongensachtig. Het kon toeval zijn, maar ik ging bijna denken dat Garzón aanvoelde wat me bezighield: mijn twijfels ten aanzien van Ricard en mijn definitieve weigering om te gaan samenwonen. Was ik zo'n open boek voor mijn collega? Waarschijnlijk wel. Door dagelijks met elkaar om te gaan leer je de ander zo door en door kennen dat je precies weet wat hem bezighoudt. Ik vond dat beangstigend en ook daarom moest ik niets hebben van samenwonen. Van mijn twee echtgenoten had ik meestal het idee dat ze van tevoren al wisten wat ik ging zeggen. Een echte bezoeking! Ik wilde altijd graag onverwacht uit de hoek komen.

Het appartement van Margarita Llopart, 'mevrouw de maarschalk' zoals Garzón haar betitelde, was klein en luxueus als een juwelenkistje. Designmeubelen en gesigneerde schilderijen vormden een entourage voor een meer dan geriefelijk leven. De ex-vrouw van Ayguals jr. was een jeugdige verschijning, lang en aantrekkelijk, het archetype van haar sociale klasse: geblondeerd, volle siliconenlippen, sexy en toch elegant gekleed... maar een glimlach zou te veel gevraagd zijn. Ze was aan de telefoon toen we binnenkwamen en het dienstmeisje ging ons voor naar de zitkamer. Ze sprak op die nasale en zelfgenoegzame toon van een rijkeluisdochter. Onbewogen beantwoordde ze onze vragen: 'Wat zou ik over mijn man moeten vertellen? Daar kunt u zich wel iets bij voorstellen! Eerlijk gezegd verbaast het me niet dat hij zich in de nesten heeft gewerkt. Hij is iemand die niet weet wat hij wil. We kennen elkaar al ons hele leven, omdat onze families bevriend waren, en toch keken heel wat mensen raar op toen we ons huwelijk aankondigden. Ze waren verbaasd dat ik met hem ging trouwen, bedoel ik.'

'Kunt u ook zeggen waarom?'

'Hij stond bekend als zo'n door de wol geverfde, verstokte vrijgezel, en hij was eigenlijk een nietsnut. Hij heeft jaren over zijn middelbare school gedaan. Hij was dom en dat is hij nog. Maar zijn vader verkocht me hem als een topproduct: hij wordt directeur van het bedrijf, is een kerel uit één stuk die het leven kent en zich nu hierop gaat richten... nou goed, een buitenkansje. Maar toen het erop aankwam gebeurde er helemaal niets, het was een ramp! Een vent die alleen maar aan drinken en slapen dacht, 's avonds wilde hij niet eens uit, een soort heilige of een bejaarde! Nou, heilige, vergeet het maar. Ik heb het getolereerd, maar op een dag kom ik thuis en tref hem in bed aan met een hoer. Geen callgirl of zo, nee, een ordinaire slet uit de Calle Robadors, en toen was voor mij de maat vol, natuurlijk! Ik zei tegen mijn moeder: "Het kan wel zijn dat je je in het huwelijk moet opofferen en schikken, maar voor mij is het einde verhaal. Of heb jij papa wel eens in bed aangetroffen met een derderangs hoer?" Natuurlijk gaf zelfs mijn moeder me gelijk!'

'En u ging scheiden.'

'Ja, wat dacht u! Ik weet dus echt niet wat hij heeft uitgespookt en het interesseert me ook niet, maar die bewuste avond heb ik hem een aantal keren thuis gebeld en hij was er niet. Zijn mobiel had hij ook de hele avond uitstaan.'

'Een momentje, wacht even… u weet welke avond we bedoelen?'

'Ja natuurlijk, toen ze die arme drommel in het kantoor van de stichting hebben vermoord! Ik hoorde het van mijn schoonvader, hij belde me. Hij zei ook dat u misschien bij me zou komen en dat ik gerust alles kon vertellen wat ik moest vertellen. Weet u, mijn schoonvader is een gentleman en we hebben nog steeds contact… nou ja, in zekere zin, hij belt me af en toe om te vragen hoe het met me gaat en hij zorgt dat mijn toelage stipt wordt betaald, want anders…'

'U hebt die avond dus verscheidene keren uw ex-man gebeld.'

'Inderdaad, en mijn schoonvader zei dat hij was weggegaan, maar waarheen wist hij niet en dat ik hem op zijn mobiel moest bellen. Daarna heb ik nog een keer gebeld. Mijn schoonvader zei dat hij naar bed ging en het antwoordapparaat zou aanzetten en ik best nog een paar keer mocht bellen omdat hij in zijn kamer de telefoon toch niet hoorde.'

'Ik begrijp het. Weet u nog wat u uw ex-man wilde zeggen?'

'Goh, dat weet ik niet meer! O ja, toch, ik wilde het met hem hebben over de verkoop van de sportwagen, het enige wat nog van ons samen is. Ik had een goed bod gekregen dat ik uiteraard heb moeten laten schieten.'

'Ging uw man tijdens uw huwelijk om met ongure lui of was hij in een of ander vreemd zaakje betrokken…?'

'Nee, kom nou! Hij had duidelijk genoeg aan die prostituees. Hij kon niet eens voor twaalf uur zijn bed uitkomen. Hij vraagt nu nog voortdurend: "Ga je niet weer trouwen?", in de hoop de alimentatie te kunnen stopzetten. Maar trouwen, geen sprake van! Ik voel me lekker zo.'

'U zult uw verklaring nog een keer moeten afleggen voor de rechter, Margarita.'

'Geen probleem, voor wie het ook maar nodig is. Dat kan ik er nog wel bij hebben en als het in de openbaarheid komt, dan moet dat maar. U komt er zelf wel uit, niet? Sorry dat ik niet met u meeloop, ik moet nog een paar telefoontjes plegen en...'

Op straat floot Garzón hard en zei: 'Sodemieter op, zeg, mevrouw de maarschalk!'

'Ik wil wedden dat zij in een week net zo veel kwijt is voor de telefoon als wij in een maand verdienen.'

'Daar zou iedere echtgenoot aan failliet gaan!'

'Reden te meer voor Juan om hoe dan ook uit de financiële zorgen te komen.'

'Inspecteur, heb je het door? De vader verzekert dat zijn zoon thuis was. Hij heeft zijn kind willen dekken. Zijn vader kan hem nog zo in bescherming nemen, maar die klootzak gaat voor dertig jaar achter slot en grendel. En dan zijn jouw bedelaars gewroken.'

'Dat je daar nu aan denkt, Fermín! Woede en verlangen naar gerechtigheid nemen af bij zaken die lang lopen.'

'Net als de liefde in langdurige huwelijken.'

'Die van mij duurden niet al te lang, dus dat weet ik niet. Zeg, Garzón, heb je het rapport van het sporenonderzoek in het kantoor van de stichting?'

'Ja, dat kreeg ik drie dagen geleden. Ze hebben het geijkte materiaal gevonden: stof en een aantal haren. Er wordt DNA-onderzoek gedaan maar dat is pas volgende week klaar.'

'Bel even dat ze er vaart achter zetten, er komen nog wat haren om te vergelijken.'

'Die van meneertje Ayguals jr.'

'Ik vind het niet gepast dat je het zo lollig vindt om een schuldige te vinden.'

'Je hebt gelijk, en nu ik mevrouw de maarschalk heb leren kennen krijg ik zelfs een beetje medelijden met hem. Je mag nooit over een man oordelen voor je zijn vrouw hebt gezien.'

'Heel geestig. Moet ik lachen?'

'Je kunt op zijn minst even grijnzen.'

Ik tuitte mijn lippen en Garzón lachte onbenullig. Die strijd tussen de seksen bleef voor hem een vermakelijk spelletje waarmee hij me altijd op de kast kon jagen.

'En nu op naar die mooie jongen!'

'Het gaat erom dat hij merkt dat we achter hem aan zitten, maar we moeten het voorzichtig aanpakken. Ik wil niet dat hij de benen neemt naar Zwitserland of zo.'

'Gaan we hem op het bedrijf ondervragen?'

'Geen sprake van, laat hem op het bureau komen, we gaan hem de duimschroeven aanleggen.'

Juan Ayguals leek me het schoolvoorbeeld van een zoon met een autoritaire vader die diens persoonlijkheid in de kiem had gesmoord, al zou dit archetype ons weinig verder helpen bij het onderzoek. We konden het er alleen in meenemen als een duidelijk motief vanuit psychologisch oogpunt: de zoon wil zich bewijzen, en om de ellende die hij zichzelf op de hals heeft gehaald te boven te komen bedenkt hij een plan. Het plan pakt rampzalig uit, natuurlijk.

Nu ik wat te weten was gekomen over het leven en de aard van Juan Ayguals kregen zijn gelaatstrekken een nieuwe betekenis voor me, ze leken karakterbepalend: de mond met vlezige, slappe lippen, dikke oogleden, uitpuilende ogen, steil, dof haar bij de oren en op zijn achterhoofd… ja, hij zag er, wat je noemt, uit als een slappeling. En manieren had hij ook niet. Hij zat in mijn werkkamer te wachten en barstte meteen los: 'Ik dacht dat we elkaar niet meer zouden zien.'

'Zo is het leven, Juan, onvoorspelbaar.'

Garzón sloeg zijn notitieboekje open en nam het verhoor op zich: 'We willen u een paar vragen stellen.'

'Gaat uw gang, maar ik heb niets te maken met de dood van Flores.'

'Herinnert u zich waar u was op de avond van de moord?'

'Thuis, dat zei ik u al.'

'We beginnen verkeerd, meneer Ayguals. Er is iemand die zegt u een aantal malen te hebben gebeld zonder dat er werd opgenomen.'

'Wie?'

'Een getuige in de zaak, wie dat is doet er op het moment niet toe.'

'Zei hij dat? Goed, dat kan wel zijn. Het huis is groot en er is geen telefoon in de buurt van mijn slaapkamer. Ik meen dat ik u dit alles de vorige keer al heb verteld, toch?'

'Het is goed om het te herhalen als het u niet erg vindt, we hebben toen nauwelijks kunnen praten. Kende u de heer Flores?'

'Kom nou, ik had hem geloof ik maar één keer gezien!'

'Waar?'

'Op het bedrijf, toen hij met mijn vader kwam praten.'

'Dat deed hij niet zo vaak, nietwaar?'

'Geen idee, ik geloof het niet.'

'U ging nooit naar de stichting?'

'Nee. Ik ben zelfs nog nooit in het pand geweest.'

'Waarom niet?'

'Het interesseert me niet.'

Terwijl ik zwijgend luisterde, bekroop me de neiging Ayguals zijn nek om te draaien. Elk woord moest je uit hem trekken, alsof praten op zich zijn geringe krachten al te boven ging.

'De stichting interesseert u helemaal niet?'

'Totaal niet.'

'Kunt u wat duidelijker zijn in uw antwoorden, alstublieft?' greep ik verbeten in. Hij keek me vol minachting aan.

'Luister eens, dat hele gedoe van die stichting lijkt me een duister zaakje van mijn vader. Ondernemingen moeten zich niet met liefdadigheid bezighouden. Hij mag dan volgens iedereen een heilige en van alles en nog wat zijn, maar ik ben dat niet. Dus, wat mij betreft, mogen alle armen van de wereld het verder zelf uitzoeken.'

'Maar u weet toch wel dat stichtingen fiscale voordelen bieden waar een bedrijf baat bij kan hebben.'

'Ik heb geen verstand van stichtingen. Ik ben twee jaar directeur van het bedrijf geweest en nu zit ik in de raad van bestuur. Vraag me maar over mijn werk.'

'Hoe was de financiële situatie tijdens uw directeurschap?'

'Ik heb hier geen cijfers.'

'Globaal gezien, dan. Er werd toch aanzienlijk verlies geleden?'

Voor het eerst sloeg zijn blijkbaar aangeboren slechte humeur om in ingehouden woede.

'Een tijdsbestek van twee jaar is te kort voor evaluaties. Bedrijven maken periodes van winst en verlies door en mij trof een van die laatste.'

'Maar uw vader ontsloeg u uit uw functie.'

'Mijn vader werd nerveus. Hij is al wat ouder en soms maakt hij zich onnodig ongerust.'

Garzón had, gedecideerd en vol zelfvertrouwen, de situatie onder controle.

'Vond uw ontslag als directeur tegelijk plaats met de oprichting van de stichting?'

'Ja, ik geloof het wel, maar zeker weet ik het niet. Ik zei toch dat die verdomde stichting me nooit ene moer heeft kunnen schelen. Mijn vader heeft die opgericht.'

'Wat bracht hem daartoe?'

'Vraag dat maar aan hem.'

'Waar was u op de avond van donderdag de vijfentwintigste, meneer Ayguals?'

Hij verhief zijn stem: 'Al weer? Het is niet te geloven! Ik was thuis, in bed, en mijn vader was ook thuis! Hoe vaak moet ik dat nog zeggen? Als de telefoon is gegaan, dan heb ik die niet gehoord.'

'En uw mobiel?'

'Die had ik uitgezet.'

'Kende u een zekere Tomás Calatrava Villalba?'

'Nee, geen idee wie dat is.'

'Hebt u behalve het personeel in het bedrijf nog anderen in dienst, lijfwachten of zo?'

'Nee, waarom, vindt u dat ik die zou moeten hebben?'

'Zou u ons een lijst kunnen geven met werknemers van het bedrijf en van de stichting?'

'Alleen mijn vader heeft toegang tot de gegevens van de stichting. Wie zoekt u?'

'Twee buitenlanders, waarschijnlijk Oost-Europeanen, jong, groot en stevig.'

Hij lachte smalend: 'Ik kan u verzekeren dat we dat soort mensen niet in dienst hebben.'

'Goed, meneer Ayguals, u kunt gaan.'

'Ik hoop niet weer opgeroepen te worden, ik heb het druk zat.'

'We zullen zorgen dat het niet gebeurt.'

Garzón liet het nu aan mij over. Ik maakte me op om hem de laatste dolkstoot toe te dienen, en ik deed niets liever. Hij was al overeindgekomen en liep naar de deur: 'Tussen twee haakjes, Juan, zouden we een haar van u mogen hebben?'

Hij draaide zich bruusk om met een raar vertrokken gezicht.

'Wat zei u?'

'Een hoofdhaar of wat speeksel, wat u wilt. Het is voor DNA onderzoek, we hebben haren gevonden in het kantoor van de stichting waar Flores is vermoord, zoals u weet.'

'Ik heb u al honderd keer gezegd dat ik daar nooit ben geweest.'

'Ja, goed, maar het gaat om een routinetest. Als u daar nooit bent geweest zullen die haren uiteraard niet van u zijn.'

'Staat dat in de grondwet, dat je mensen om haren mag vragen?'

'U kunt natuurlijk weigeren, maar dat zal opgenomen worden in ons politierapport dat naar de rechter gaat'

'Hou maar op, ik wil geen gedonder. Hier hebt u een haar.' Hij trok er driftig een uit zijn hoofd. 'Alstublieft, bent u nou tevreden? U kunt alle testen uitvoeren die u wilt, zelfs de vaderschapstest. Ik neem aan dat u ook voor een dergelijke tijdsverspilling uw salaris krijgt.'

'En dat stelt niet veel voor, geloof dat maar.'

Ik pakte de haar aan met een pincet en deed die in een testzakje. Ik glimlachte cynisch naar hem.

'Dat was het, u kunt nu gaan.'

De klap met de deur weerklonk als een mokerslag in de kamer. Garzón wreef zich in zijn handen: 'Dat wordt hommeles.'

'Je hebt het fantastisch gedaan, Fermín, recht voor zijn raap en heel beheerst. Ik heb een paar keer de neiging gehad hem eruit te donderen.'

'Een onaangename kerel, nietwaar, en volgens mij liegt hij.'

'Hij hamert er tenminste steeds op dat hij niets van doen heeft met de stichting. Alleen toen hij vroeg waarom hij een lijfwacht zou moeten aanstellen had ik de indruk dat hij zijn ware gezicht liet zien. Hij leek echt geschrokken.'

'Ach kom! Hij gaat 'm nu pas echt knijpen. Zullen we hem laten schaduwen?'

'Vraag Coronas twee man op hem te zetten. Is Coronas wat beter te spreken over onze aanpak van de zaak?'

'Aangezien ik de rapporten keurig op tijd opmaak…!'

'Je bent een engel, Fermín.'

'Hij is ook beter te spreken omdat ik heb beloofd dat hij voor het weekend de schuldige op een presenteerblaadje krijgt aangeboden.'

'Shit, dat is wel heel erg voorbarig.'

'Jij zou hetzelfde hebben gedaan als je een scheldende en tierende Coronas tegenover je had.'

'Beter te spreken, zeg dat wel.'

'De chef krijgt zijn schuldige, maak je geen zorgen.'

Op het bureau zeiden ze dat Yolanda naar me had gevraagd. Bij mijn weten had ik haar wat de zaak betreft verder niets opgedragen, zodat ik de boodschap naast me neer legde. Maar twee uur later belde ze.

'Inspecteur, ik wil graag even met u praten.'

'Is er iets?'

'Nou, iets persoonlijks.'

'Kom maar naar het bureau, ik ben hier nog een paar uur.'

Ze kwam in uniform binnen, maar ze was niet zo opgewekt en onbevangen als anders en keek wat bezorgd. Ze ging zitten, ik haalde koffie voor haar en terwijl ze af en toe een slok nam begon ze over van

alles en nog wat, zodat ik steeds minder begreep waarvoor ze was gekomen.

'Zeg, Yolanda, kun je niet beter vertellen wat er aan de hand is?'

Ze haalde flink adem alsof ze zich klaarmaakte voor een diepe duik
in het water: 'Inspecteur, dokter Crespo... nou ja, Ricard... de psychiater die u aan me voorstelde op uw feest... vroeg me met hem uit
te gaan.'

Het kwam zo onverwacht en ik was zo overdonderd dat ik geen enkele reactie vertoonde. Ze vervolgde: 'Hij zegt dat we het goed zouden
kunnen vinden samen, ergens een hapje eten en... nou ja, ik denk dat
hij me wil versieren.'

Ik moest slikken en glimlachte stompzinnig. Ik wilde tijd winnen
om adequaat op die mededeling te kunnen reageren.

'O, wat leuk! En?'

'Afijn, inspecteur, ik wil niet graag onder iemands duiven schieten.
Ik wil er zeker van zijn dat die man niet uw vriend of wat dan ook is,
dat hij u koud laat.'

Ik wist dat mannen soms te werk gaan zoals Yolanda het nu tegenover mij deed: wanneer ze op dezelfde vrouw vallen doen ze heel col-
legiaal en melden het van tevoren, maar van vrouwen kende ik zoiets
niet. Ik stak een sigaret op en deed of er niets aan de hand was.

'Dat betekent dat je zijn uitnodiging aanneemt...'

'Ik heb het namelijk uitgemaakt met mijn vriend, inspecteur.
U had gelijk, hij is vreselijk dominant en onbehouwen. Ik heb hem
gezegd dat het definitief over is. Hij pikte het natuurlijk niet, maar hij
zal er wel achter komen dat het onherroepelijk is. Dus... omdat ik me
ellendig voel... ik dacht dat een uitje met een andere man me misschien goed zou doen. Maar niet met zo'n melkmuil die nooit verder
heeft gekeken dan zijn neus lang is, maar met een rijpere, ervaren
man met stijl.'

'Ik snap het.'

'Maar uiteraard, als u zegt dat u een relatie met hem hebt of ook
maar iets voelt voor...'

Ik schoot in een daverende lach die niet zou misstaan in een amateurtoneelstuk: 'Natuurlijk niet! Ricard en ik hebben een onbeduidende affaire gehad, maar ik besloot er zelf een punt achter te zetten.'

'Dat is een pak van mijn hart, inspecteur.'

'Is Ricard niet een beetje te oud voor je?'

'Ik ga niet met hem trouwen.'

'Je weet maar nooit.'

'Het lijkt me sterk, hoewel je nooit nooit moet zeggen, dat is waar.'

Ze kwam kwiek overeind, schonk me een betoverende glimlach en nam half vriendschappelijk, half vormelijk afscheid van me. Ik groette met een belachelijk handgebaar.

Eenmaal alleen stak ik met trillende handen weer een sigaret op. Ik voelde me belabberd, vernederd en razend. Was Ricard eropuit me jaloers te maken? Wilde hij dat ik mijn besluit om met hem te kappen nog eens overdacht? Dat was niet waarschijnlijk. Hij kon niet weten hoe Yolanda tegenover mij zou reageren. Hij dacht zeker dat ik die versierpogingen van hem nooit te weten zou komen. Nee, ik had groot gelijk gehad hem naar de hel te wensen. De ene vrouw of de andere, het maakte hem niet uit. Ik wist het van tevoren, maar had niet verwacht dat ik zo in mijn trots gekrenkt zou zijn. Maar wat had ik dan verwacht na die laatste avond in het restaurant: dat hij zich wanhopig van de vijfde verdieping zou storten, dat hij in een klooster ging, dat hij na die heerlijke momenten in mijn armen geen andere vrouw meer zou aankijken? Mijn god, ik moest eindelijk eens ophouden me te gedragen als iemand die alle troeven in handen heeft, als de koningin van Egypte, als Venus die aanbeden moet worden tot zij er met een handopsteken een eind aan maakt! En wat een absurde reactie tegenover Yolanda! 'Een onbeduidende affaire', waar haalde ik dat vocabulaire van frivole societyfeestjes vandaan? 'Tja, Petra, dat komt ervan als je denkt dat je onweerstaanbaar bent.' Maar wat ik mezelf nog het meest zou moeten verwijten was dat ik een vaste relatie voor mogelijk had gehouden. Als ik met niemand wilde samenwonen kon ik maar het beste de seks laten voor wat die was en ophouden met die vrijblijvende afspraakjes. Avontuur aangaan zonder avontuur was net zoiets als op trektocht gaan met de auto, een cuba libre drinken zonder alcohol, een seculiere non zijn: je reinste verlakkerij en tegenstrijdigheid.

Al die overpeinzingen brachten me min of meer tot rust. Toch dook ik La Jarra de Oro in voor een glas cognac, een probaat middel om een schok te boven te komen.

Bij terugkeer zei de agent bij de deur dat ik bezoek had. Wat nu weer, wie kon dat verdomme zijn en wat moest die van me?

'Een zekere meneer Ayguals.'

'De vader of de zoon?'

'Waarschijnlijk de vader, want hij is al redelijk oud.'

Dat klopte, en Domínguez had hem uit respect voor zijn leeftijd al naar mijn kamer laten gaan, zodat ik geen tijd had om me geestelijk voor te bereiden op hoe ik hem moest benaderen. Ik liet het over aan mijn intuïtie en het genuttigde drankje.

'Inspecteur, excuseer me, ik weet dat u het erg druk hebt, maar...'

Hij was beleefd opgestaan toen ik binnenkwam en ik verzocht hem weer te gaan zitten.

'Ik neem aan dat u heel goed weet wat u doet, dat u uw onderzoeksmethodes heeft en dat... maar, sorry, inspecteur, ik denk dat u een vergissing begaat.'

'Een vergissing?'

'Ik weet dat u een DNA-test gaat doen bij mijn zoon.'

'En dat vindt u een vergissing?'

'Kijk, inspecteur, mijn zoon is zeker geen hoogvlieger, en tijdens de verhoren heeft hij zich waarschijnlijk ook nog onbehouwen en weinig coöperatief betoond, maar ik kan u verzekeren dat hij absoluut geen moordenaar is.'

'Dat heeft niemand beweerd.'

'Iedereen weet toch dat er een DNA-test wordt gedaan als iemand serieus wordt verdacht.'

'Beschouw het als een ontlastend onderzoek.'

'Kom nou, inspecteur, ik ben niet van gisteren!'

'Meneer Ayguals, wat is precies het doel van uw bezoek?'

'Ik ken mijn zoon. Hij trekt de laatste tijd zijn eigen plan... maar hij zou als hij in de problemen komt nooit een moord plegen, zo veel lef heeft hij niet. Hij valt al flauw bij een beetje bloed, geloof me.'

'Alle ouders beweren hun kinderen te kennen, meneer Ayguals, en het gros weigert te geloven dat ze moordenaars zijn, ook al stapelen de bewijzen zich tegen hen op. Hoe dan ook, ik denk dat we op de zaken vooruitlopen, tenzij... tenzij u iets over uw zoon weet wat wij niet weten en wat verstandig zou zijn te vertellen. Misschien houdt u hem wel de hand boven het hoofd.'

'Bedoelt u te zeggen dat ik hem moet aangeven?'

'Is er dan iets waarvoor u hem zou moeten aangeven?'

'Dat was bij wijze van spreken. Neemt u me niet kwalijk, inspecteur Delicado, ik vroeg u alleen redelijk te zijn en niets te overhaasten, maar ik verwachtte toch iets meer clementie en begrip van u als vrouw. Ik wil alleen nog zeggen dat, als u mijn zoon valselijk beschuldigt, ik u zover de wet het toelaat persoonlijk zal vervolgen.'

Het waren resolute en overtuigende woorden van een krachtig persoon. Ayguals was dan misschien al op leeftijd, maar we mochten natuurlijk niet vergeten dat we te maken hadden met een ondernemer die zijn bedrijf had opgericht en zich er jarenlang bij alle financiële ups en downs voor had ingezet. Hij was een bikkelharde en onverzettelijke man die, ondanks de omstandigheden, prat ging op zijn hoedanigheid van vader. Hij liep met een beleefde, trotse groet naar de deur, waar hij Garzón tegen het lijf liep.

'Had je hem laten komen?' vroeg mijn collega.

'Nee, hij kwam bemiddelen voor zijn zoon, hij vroeg om begrip en bezwoer dat hij geen moordenaar is.'

'Hij ziet het dus somber in.'

'Van zijn zoon hoorde hij over de DNA-test.'

'Ik ben ervan overtuigd dat die oude iets van zijn engeltje weet wat voor ons heel erg interessant kan zijn.'

'Als dat zo is zal hij dat nooit vertellen.'

'Ook niet als we een beroep doen op zijn eergevoel?'

Sarcastisch keek ik de brigadier aan.

'Zou jij iets uit eergevoel doen?'

'Ik? Om de dooie dood niet! Eergevoel is iets voor maffiosi, maar aangezien Ayguals een heer van de oude stempel is… Heren van de oude stempel zijn een geval apart.'

'In theorie. In de praktijk, dat zie je, wist hij niet hoe vlug hij een goed woordje moest komen doen voor zijn zoon.'

'Je komt toch altijd op voor je kinderen, en zeker als je een erfenis te vergeven hebt. Als je hen in bescherming neemt bescherm je als het ware je vermogen.'

Hij keek me plagerig aan.

'Laat jij je zoon iets na?'

'Sodemieter op, zeg, ik kan hem niet eens mijn pistool nalaten, want dat is niet van mij! Hij kan het holster krijgen. Als loser moet je geen kinderen hebben.'

'Je bent helemaal geen loser, je laat hem het voorbeeld van je prestaties na.'

'Ja hoor, een fantastisch voorbeeld!

We moesten allebei lachen omdat we in een melige bui waren en vermoeid, dicht bij de ontknoping van een zaak die maar niet volkomen duidelijk wilde worden. We moesten lachen omdat we elkaar aanvoelden als losers, die de draak kunnen steken met heilige huisjes als vermogen, erfenis, voorbeeld en eergevoel.

'Fermín, wat is "jongetje" Ayguals gaan doen na zijn vertrek hier?'

'Hou je vast! Hij heeft zijn ex-vrouw een bezoekje gebracht.'

'Vind je dat verdacht?'

'Niet zo erg. Hij zal wel vermoeden dat het net zich om hem sluit en hij probeert er zich op allerlei manieren uit te redden. Typisch iemand die onder verdenking staat.'

'Heb je de uitslag van de DNA-test opgevraagd?'

'Al tien keer de laatste twee dagen.'

'Twaalf keer was beter geweest.'

'Van mijn collega's hoor ik keer op keer dat je een te ongeduldige vrouw bent die niet op haar beurt kan wachten en een voorkeursbehandeling verlangt.'

'Geloof je dat dat zo is?'

'Jazeker.'

'Des te beter, dat bewijst dat ik grondig te werk ga. Er gaat niets boven negatieve kritiek ter bevestiging van die indruk.'

Sangüesa had geen belangrijke informatie voor me, of althans niet die ik graag had gewild. Zo te zien vertoonde de boekhouding van Textiles Ayguals geen onregelmatigheden.

'Wel zijn er sinds twee jaar bedragen bijgeschreven waarvan de herkomst niet duidelijk vermeld staat. Ik kan het gaan uitzoeken als je wilt, maar de bron is nauwelijks te achterhalen. Gewoonlijk zijn er subsidiaire bedrijven die van dezelfde eigenaar zijn, maar die zijn moeilijk te traceren. En anders hebben ze stromannen. In ieder geval zal het nog even duren voor we precies weten hoe het met die rekeningen zit.'

'Verdomme! Kan iemand zomaar ongestraft de boel belazeren?'

'Daar kun je rustig van uitgaan.'

'En dus…'

'Nee, Petra, alsjeblieft, bespaar me dat verhaal van een arme drommel die een appel jat en een jaar moet brommen.'

'Het mag dan een cliché zijn, maar je moet toegeven dat het ergens wel waar is.'

'Nauwelijks. Appels worden tegenwoordig via geavanceerde computersystemen gestolen.'

'Daar zou ik niet zo zeker van zijn! Kijk naar die Arcadio met zijn liefdadigheidsfraude!'

'Een goed voorbeeld. Vroeger had een blinde de opbrengst moeten afgeven, tegenwoordig heeft hij een stichting achter zich. Wat zal ik doen, doorgaan met het onderzoek?'

'Ja, doe dat, maar er is wel haast bij geboden. Vroeg of laat zullen we je gegevens gebruiken. Heeft de oude Ayguals nog moeilijkheden gemaakt?'

'Hij baalt er natuurlijk van dat ik zijn boekhouding zit door te spitten, maar hij heeft niets in te brengen.'

'Oké, Sangüesa, maak het rapport maar op.'

Ik had al zo'n idee dat we onze prooi niet op zijn boekhouding zouden kunnen pakken. Het was allemaal keurig voor elkaar en als Flores niet daarnaast zijn eigen handeltje had opgezet, was de fraude van de stichting nooit aan het licht gekomen.

Op mijn computer opende ik het rapport van de zaak. Er had iemand vraagtekens gezet bij de minder duidelijke punten. Coronas, natuurlijk. Als hij daarmee mijn humeur dacht te verpesten had hij het goed mis, al meer dan een week had ik geen letter geschreven. Ik herkende de bloemrijke stijl van de brigadier, helemaal in de trant van het politiejargon. Het was niet zo'n gek idee om Garzón rapporten te laten opstellen, hij gebruikte gewoon uitdrukkingen als 'procesdag', 'ongeïdentificeerd individu' of 'gerechtelijke schouw', zegswijzen waarmee ik altijd wat moeite had.

Opeens klopte Domínguez op de deur en stak zijn plichtsgetrouwe politiehoofd om de hoek: 'Inspecteur, meneer Ayguals wil u spreken.'

'Alweer?'

'Maar nu zal het de zoon wel zijn, want hij is jonger dan de vorige Ayguals.'

'Vooruit, Domínguez, maak het niet zo spannend! Laat hem verder komen.'

Kwam 'het engeltje' een bekentenis afleggen, konden we het onderzoek nu afsluiten? Afgaande op zijn zenuwachtige entree ging ik het bijna geloven.

'Inspecteur, ik moet met u praten.'

'Neem een stoel, Ayguals.'

Hij stak van wal voor hij goed en wel zat, alsof hij een les van buiten had geleerd.

'Kijk, inspecteur, ik heb namelijk mijn ogen de kost gegeven, hier en daar wat opgevangen en...'

Ik keek hem met grote ogen aan toen hij zweeg.

'En...?'

'Ik vind het moeilijk dit te moeten zeggen, maar ik geloof dat mijn vader inderdaad in een vies zaakje is betrokken. Ik weet niet waar het om gaat, maar ik heb zo'n voorgevoel. Ik heb vreemde dingen gezien.'

'U ziet vreemde dingen maar weet niet welke dat zijn?'

'Inderdaad, u moet echter van me aannemen dat ik met eventueel gesjoemel van mijn vader niets te maken heb. Al die tijd dat ik het bedrijf leidde heb ik me aan de wet gehouden, zonder concessies, zonder geheimzinnig gedoe. En als er iets niet klopt dan moet u mij daar niet van verdenken.'

Ik keek hem strak aan.

'Nee toch, uw vader is ook met mij komen praten, maar dat was alleen om u te verdedigen. Wel een heel andere insteek.'

'Me verdedigen, hoezo? Ik hoef door niemand verdedigd te worden, ik heb niets misdaan.'

'Waarom zegt u dat niet rechtstreeks tegen uw vader?'

'Uit respect.'

'Of bent u soms bang dat hij kwaad wordt en u de laan uit stuurt?'

'Dit heeft allemaal niets te maken met de reden dat ik hier ben. Ik heb niets misdaan, inspecteur, en als het bedrijf ergens in betrokken is dan is dat achter mijn rug om gebeurd.'

'Door uw toedoen draaide het bedrijf met verlies.'

'Dat is geen misdrijf.'

'Nee, zeker niet, maar stel dat u daar wanhopig een oplossing voor zocht…'

'Dat is niet zo, ik zweer het. Dat bedrijf kan me gestolen worden, inspecteur! Eigenlijk heeft het me alleen maar minachting opgeleverd. Ik was nooit goed genoeg vergeleken met mijn vader!'

'Juan, luister goed. De uitslag van het DNA-onderzoek kan elk moment binnenkomen, u hebt nog de kans te vertellen wat er werkelijk is gebeurd. Blijft u erbij dat u nooit een voet in het kantoor van de stichting hebt gezet?'

'Ik ben er nooit binnen geweest, nooit.'

'In dat geval hebben we elkaar niets meer te zeggen.'

Hij stond op, met een van wanhoop vertrokken gezicht, met het zweet op zijn voorhoofd en een donkere blik in zijn ogen.

'U zult me nooit geloven, dat is wel duidelijk. Ik hoop alleen dat de waarheid aan het licht komt.'

Hij liep gekrenkt en wat hulpeloos mijn kamer uit. Ik greep een asbak van tafel en smeet die woedend naar de prullenmand, maar eigenlijk was hij bedoeld voor het hoofd van die zielige veertiger. Hoe haalde hij het in zijn kop om bij mij zijn stomme onverwerkte complexen te ventileren, indirect zijn vader te beschuldigen en begrip voor zichzelf te vragen? Waarom had hij geen afstand genomen van zijn familie, waarin hij zich blijkbaar niet zo thuis voelde? Verdomme, ik had eigenlijk vader en zoon met elkaar moeten confronteren, de oude Ayguals moeten vertellen dat zijn zoon zich distantieerde van wat zijn vader mogelijk had uitgehaald. Het was me ook een rotzorg, rechtspreken was niet mijn pakkie-an. Ik viste de asbak uit de prullenmand, zette hem terug op zijn plaats en maakte aanstalten om weg te gaan. Ik zou gaan douchen en een drankje nemen, in die volgorde, bij mij werkt dat meestal als er wat rust in mijn hoofd moet komen.

In de auto op weg naar huis bekropen me achter het stuur negatieve gedachten. Alle sporen leidden rechtstreeks naar Textiles Ayguals, dat stond buiten kijf. Maar als nu eens niet de vader of de zoon de sleutelfiguur was, maar iemand uit hun omgeving: een van de twee trouwe secretaresses, de ex-vrouw van Juan? In dat geval waren we er nog lang niet en zou het maanden kunnen duren voor de zaak werd opgehelderd. Ik was het spuugzat. Bij thuiskomst zou ik gaan doen wat ik van plan was, maar dan twee drankjes nemen in plaats van een.

Ik parkeerde de auto vlak bij de hoek en liep snel naar huis toen iemand me vanuit het duister riep: 'Inspecteur Delicado, niet schrikken alstublieft.'

Ik draaide me om en greep in mijn jaszak naar mijn pistool. Voor me stond een jonge vent met een kaalgeschoren hoofd. Kwam de nachtmerrie van de skinheads weer terug?

'Wie bent u? Verroer je niet.'

'Inspecteur, kent u me niet meer? Ik ben het, Sergio!'

'En wie in godsnaam…?'

'Sergio, de vriend van Yolanda!'

'Jezus nog aan toe! Wat doe jij hier?'

'Ja sorry hoor, inspecteur. Ik heb uw telefoonnummer niet, maar wist wel waar u woonde omdat ik Yolanda gevolgd ben toen ze naar uw feestje ging en daarom heb ik u opgewacht, maar ik wil u niet lastigvallen.'

'Waarom ben je niet naar het politiebureau gegaan?'

'Ik wilde u namelijk privé spreken.'

Ik vloekte zachtjes, deed de deur open en stak het licht aan. Ja, nu ik hem beter zag begon het me te dagen: lang, stevig, brede schouders en een strakke trui over een bovenlichaam zonder een gram vet, en zo te zien ook geen gram hersens onder die kale knikker.

'Goed, kom verder. Wat is er aan de hand?'

'Mag ik niet gaan zitten, inspecteur? Ik ben geen crimineel.'

Ik keek hem aan en verzuchtte: 'Sergio, ik ben moe. Ik heb een rotdag gehad… Maar oké, ik geef je een kwartier om je zegje te doen. Ga zitten.'

Ik kon op mijn vingers natellen waarover hij met me wilde praten.

'Inspecteur, ik weet niet of u het weet, maar Yolanda heeft me verlaten.'

'Dat wist ik niet,' loog ik.

'Ze is er met een ander vandoor, een vent die arts is.'

'Arts?'

'Psychiater. Een ouwe kerel, nou ja, ik bedoel een stuk ouder dan zij.'

Ik vroeg me af in hoeverre hij op de hoogte was. Ik zat hem zwijgend aan te kijken en liet hem praten.

'Volgens mij wil hij haar alleen maar gebruiken, eerst versieren en daarna dumpen, maar ze geilt helemaal op hem, sorry voor het woord. Ze zegt dat hij heel beschaafd en aardig is, niet zo'n lomperd als ik. Ik installeer zonneschermen op terrassen en balkons, ik ben geen dokter maar ik verdien goed.'

'Misschien is dat niet zo belangrijk voor haar.'

'O nee? Ze schept anders wel op dat ze nu omgaat met een kerel met poen en een titel!'

'Misschien zag ze het niet meer zitten met jou. Tegenwoordig zijn wij vrouwen kritisch.'

'Ik mag dan een grote bek hebben, maar als het erop aankwam dreef ze altijd haar eigen zin door.'

'Ik vind het vervelend voor je, Sergio, maar ik heb hier echt niets mee te maken. Het heeft dan ook geen zin om verder te praten.'

'U hebt veel invloed op Yolanda, inspecteur, door u is ze bij de politie gegaan.'

'Dat is absurd.'

'Echt waar! Ze heeft een keer gezegd dat ze helemaal idolaat van u was.'

'Ze zal mijn werk bedoelen.'

'Nee. Ze zei dat u stijl had en ontwikkeld was en ontzettend knap.'

'Dan nog snap ik niet wat dat te maken heeft met...'

'Ja, dat heeft er juist wel mee te maken! Want ik wil u namelijk vragen of u alstublieft met Yolanda wil praten en haar laat inzien dat ze verkeerd bezig is door met die man om te gaan die helemaal niet van haar houdt. Het is voor haar eigen bestwil, dat niemand haar pijn doet, nou ja, en ook voor mezelf. U moet haar zeggen dat ze bij me terugkomt, dat ik... goed, dat ik niet voor mezelf insta als ik haar niet meer zie, dat...'

Hij hield plotseling zijn mond en keek naar de grond, bang dat zijn ogen vol tranen zouden schieten. Ik zag zijn dikke zwarte wimpers, de mooie rechte neus en de volle lippen. Hij sloeg een hand voor zijn gezicht, een stevige hand met duidelijk zichtbare aders.

'Het is altijd minder erg dan het lijkt, weet je? Daar ben ik in de loop der jaren wel achter gekomen. Soms heeft het leven onverwachte meevallers voor je in petto of laat je zien dat elk nadeel zijn voordeel heeft. In ieder geval moet je je niet zo opwinden. Ik zal een paar biertjes halen, daar zijn we wel aan toe.'

De volgende ochtend schrok ik wakker van het meedogenloze, doordringende gerinkel van de telefoon.

'Met inspecteur Delicado?'

'Ja, met wie spreek ik?'

'Goedemorgen Petra, met Juan Sánchez, waarnemend arts van de forensische dienst. Ik hoorde dat je zo snel mogelijk een paar gegevens wilde hebben.'

'Dat klopt. Heb je wat?'

'Straks geef ik je het rapport en dan nemen we het door, maar ik wil je vast zeggen dat we inderdaad iets hebben, de haren die op de plaats delict zijn gevonden hebben hetzelfde DNA als die jij me hebt gegeven.'

Ik mompelde 'dank je wel' en hing op nog voor mijn collega was uitgesproken. Ik ging me aankleden en belde Garzón.

'Garzón, zorg dat er onmiddellijk een bevel tot aanhouding tegen Juan Ayguals wordt uitgevaardigd. Zeg tegen de mannen die hem schaduwen dat ze hem niet laten weggaan.'

'Komt het DNA overeen?'

'Positief! Ik wacht op je op het bureau.'

Ik nam geen douche en geen koffie, hoewel ik daar nu meer dan ooit behoefte aan had. Toen ik op het bureau kwam had Garzón al een paar agenten opgetrommeld en het bevel van de officier van justitie was onderweg.

'Zullen we gaan?' vroeg ik zonder hem zelfs goedemorgen te wensen.

'Er is een probleem,' zei hij met een bezorgd gezicht. 'De mannen die Juan Ayguals in de gaten hielden zeggen dat hij niet thuis is.'

'Hoezo?'

'Ze hebben de hele nacht voor zijn huis gepost en vanmorgen zagen ze, zoals elke ochtend, alleen de oude Ayguals naar buiten komen, niet de zoon. Na jouw telefoontje vroeg ik hun naar binnen te gaan en toen zei het dienstmeisje dat hij niet thuis was.'

'En waar is hij dan, verdomme?'

'Hij moet 's nachts het huis uit zijn geslopen of zijn weggeglipt toen de vuilniswagen net voorbijkwam... zoiets.'

'Ze zijn hem dus kwijt, daar komt het op neer! Klote, Garzón, dat is goed klote! Hoe kan iemand zo stom zijn? Ik weet niet wie erop waren gezet, maar ik verzeker je dat die sukkels nog van de bok zullen dromen.'

'Maak je niet zo kwaad, inspecteur, zelfs bij Scotland Yard gebeuren zulke dingen.'

'Zoiets overkomt niet eens een gediplomeerd bewaker van een bankfiliaal! Hoe kun je nu werken met zulke stommelingen?'

'Nou ja, soms worden er fouten gemaakt die…'

'Waarom verdedig je ze goddomme, heb jij ze soms uitgezocht?'

'Ik? Laat mij erbuiten, inspecteur, het was Coronas in hoogsteigen persoon die hen daarop afgestuurd heeft.'

'Dan staat hij mooi voor aap, die klootzak!'

'Niet zo luid, inspecteur.'

'Laten ze het maar horen, misschien dat het verdomme eindelijk eens tot ze doordringt dat goede politiemensen niet aan de bomen groeien.'

'Oké, inspecteur, kun je behalve al die scheldwoorden nog iets bedenken wat we moeten doen?'

'Naar Textiles Ayguals gaan, natuurlijk! Die vervloekte ouwe weet vast waar zijn zoon is.'

'Ik dacht dat het er nooit van zou komen, vooruit, we gaan!'

'Zeg, Garzón, je moet me niet onderschatten.'

'Hoe bedoel je?'

'Ik ken nog veel meer scheldwoorden. Ga er maar van uit dat ik voor vanavond mijn hele repertoire heb afgedraaid.'

Hij knikte berustend en met een daverende lach verbrak hij de spanning van het moment.

Als een soort Zevende Cavalerie kwamen we aan bij Textiles Ayguals. Manschappen en paarden lieten we achter bij de receptie en alleen mijn ondergeschikte en ik gingen het kantoor binnen. Uiteraard ontving Adolfo Ayguals ons meteen, het was nu menens.

We kwamen zijn kamer binnen en gedecideerd ging ik meteen woedend in de aanval: 'Meneer Ayguals, we komen voor uw zoon. Hij wordt beschuldigd van de moord op Arcadio Flores. Hij is niet thuis en vertel me niet dat u niet weet waar hij is, want dat geloof ik niet.'

Het was duidelijk een klap in zijn deugdzame gezicht. Hij stamelde: 'Toen ik vanmorgen wakker werd was mijn zoon al vertrokken, ik dacht dat hij op de zaak zou zijn, maar toen ik daar kwam…'

'Klaar, zo is het genoeg! Snapt u niet dat hij er gloeiend bij is, dat de uitkomst van de test in de richting van uw zoon wijst? Als u weigert te zeggen waar hij is zie ik me genoodzaakt u als medeplichtige aan te merken.'

Op dat moment greep Garzón, als goed politieman, in. Ik herkende de begripvolle toon in zijn stem: 'Meneer Ayguals, wees toch verstandig, we weten heel goed welke gevoelens een vader voor een zoon koestert, maar u zult hem werkelijk een grote dienst bewijzen als u ons vertelt waar hij is. Het is wellicht de enige manier om hem te helpen. Mogelijk was Flores' dood niet beraamd of was er zelfs sprake van zelfverdediging, maar als uw zoon als voortvluchtig wordt beschouwd zal hij niet hoeven rekenen op verzachtende omstandigheden.'

Ineens verdween de gespannen uitdrukking van het vermoeide, met rimpels en verdriet doorgroefde gelaat van de bejaarde man.

'Mijn zoon is een mislukkeling, dat is het enige wat waar is. Hij heeft in zijn leven geen geluk gehad, hij heeft er niets van gemaakt of misschien lag het wel aan zijn moeder en aan mij en hebben we hem geen behoorlijke opvoeding gegeven.'

'Vertel ons waar hij is, alstublieft,' drong Garzón op vriendelijke toon aan.

'Hij is buiten de stad, in Vallvidrera. We hebben daar nog een huis.'

'Schrijft u het adres op.'

Met trillende hand pakte hij de pen. Aan zijn handschrift zag ik pas hoe oud hij was. Daarna zette hij zijn bril af en sloeg beide handen voor zijn gezicht. Garzón zei onmiddellijk daarop: 'Bedankt, beter kon u uw zoon niet helpen, het is voor iedereen het beste.'

Garzón had het tegen mij nog over 'ouwe zielenpoot' toen we de trap af naar buiten liepen.

'Ga je met ons mee naar Vallvidrera, inspecteur?'

'Nee. Breng hem naar mijn kamer als jullie terugkomen, ik ga het verhoor voorbereiden en de juridische formaliteiten afhandelen.'

'We zijn zo terug, het is vlakbij.'

Toen ik mijn kamer binnenkwam leek het alsof ik in een mij onbekende omgeving was beland. Ik was gedesoriënteerd en voelde me duizelig. Ik bedacht dat ik niet had ontbeten. Zonder koffie kon ik zo veel spanning niet aan. Ik pakte mijn regenjas, die ik net had opgehangen. Als ik even een kwartiertje naar La Jarra de Oro zou gaan zouden de laatste formaliteiten heus niet in 't gedrang komen. Net toen ik de deur uit wilde gaan stapte een jongeman van rond de dertig, met een sympathiek gezicht en een intellectueel brilletje, zomaar mijn kamer binnen.

'Petra Delicado?'

'Ja, en wie bent u, wie heeft u toestemming gegeven binnen te ko men?'

'Ik ben Sánchez, Petra, van de forensische dienst. We hebben elkaar kort geleden aan de telefoon gehad of liever gezegd, je hebt me kort geleden opgehangen.'

'O, nou ja, het spijt me! Ik wil net koffie gaan drinken, ga je mee?'

'Nee, dat kan niet, ik ben al stiekem even weggeglipt, ik stik in het werk. Waar het om gaat is dat we, zoals je weet, uitdrukkelijk opdracht hebben geen gegevens te verstrekken voordat we het rapport hebben overhandigd en besproken met degene die erom heeft gevraagd. Ik ben buiten mijn boekje gegaan om je ter wille te zijn en dan hang je op.'

'Ja, wat je zei was namelijk heel belangrijk voor de zaak.'

'Maar je mag niets doen voor je met mij hebt gesproken!'

'Je bent nog maar pas bij de politie, hè? Je moest eens weten hoe vaak we de regels omzeilen.'

'Dat neemt niet weg dat het niet correct is.'

'Oké, je hebt gelijk. Maar hou alsjeblieft je preken voor je, het is al zo'n waardeloze ochtend. Wat heb je te melden?'

'Ik heb het rapport voor je.'

Hij reikte me een paar vellen papier aan, die ik aanpakte.

'Perfect, en als je het niet erg vindt…'

'Je moet het lezen waar ik bij ben, misschien heb je toelichting nodig.'

'Jezus, jullie zijn me een stel daar bij de forensische dienst! Goed dan, eens kijken…'

Ik las het zonder te gaan zitten of hem daartoe uit te nodigen.

'Weet je, Petra, er is iets raars met de eerste haren die je me gaf.'

'Die ze op de plaats delict hebben gevonden?'

'Ja. Het was een hele klus om ze voor de analyse te prepareren omdat er een plakkerige substantie op zat, ze waren echt vies. Toen ik zag wat het was bleek juist het tegendeel het geval te zijn.'

'Het tegendeel?'

'Ja, ze waren niet vies maar juist schoon, want die substantie was zeep.'

Ik keek hem verbijsterd aan. Hij praatte door maar ik hoorde niet meer wat hij zei. Ik greep als een haas mijn tas en rende de deur uit.

'Sorry, maar ik moet weg. Ik bel je nog.'

'Hé, Petra, wacht! Waar ga je naartoe? Het is toch niet te geloven!'

Terwijl ik wegliep hoorde ik hem zeggen: 'Wij van de forensische dienst zijn misschien eigenaardig, maar jullie smerissen zijn geschift, echt waar.'

Toen ik terugkwam bij Textiles Ayguals bleek meneer Aldolfo verdwenen. Zijn secretaresse vertelde dat hij naar het kantoor van de stichting was. Omdat ik zo nerveus was liet ik mijn auto staan en nam een taxi, want ik zat niet te wachten op een ongeluk.

De twee bejaarde secretaresses waren dolblij me te zien, alsof het een gezelligheidsbezoek was. Ik probeerde van ze af te komen.

'Ik ben voor meneer Ayguals gekomen, ik moet hem dringend spreken, daarna praten we even bij, is dat goed?'

'Natuurlijk! Ik zal Don Aldolfo zeggen dat u er bent.'

Even later ontving Adolfo Ayguals me vanachter zijn imposante bureau van de stichting. Hij leek ontspannen en zei lachend: 'Petra, we zien elkaar nu wel heel regelmatig, nietwaar? Neem plaats alstublieft, wilt u koffie?'

'Ik heb wel trek in koffie, meneer Ayguals, maar ik vind het nu niet gepast.'

'Hoezo?'

'Omdat ik hier ben om u te arresteren voor de moord op Arcadio Flores.'

'Alleen, of is er meer politie meegekomen?'

'Alleen.'

'Natuurlijk, er is niet veel mankracht nodig om een oude man als ik te arresteren.'

'Dat hoop ik.'

'U hoeft zich absoluut geen zorgen te maken, ik zal me netjes gedragen. Hoe dan ook, ik sta erop dat we koffie drinken. Ik heb er trek in en op mijn leeftijd is het niet goed om je iets te ontzeggen.'

Hij vroeg door de intercom om koffie en keek me gelukzalig aan.

'Mag ik weten waarom ik gearresteerd word, welke bewijzen zijn er tegen mij?'

'Verdoezelen van de sporen van een moord is niet eenvoudig. U probeerde de schuld bij uw zoon te leggen, meneer Ayguals. De haren die hier in dit kantoor werden gevonden na de moord zaten onder de zeep. Iemand heeft ze hier neergelegd, niemand loopt rond met zijn hoofd vol zeep, zodat die iemand uit de omgeving van Juan moest zijn, iemand die de haren uit de wastafel van zijn huis kon pakken om ze hier neer te leggen, kortom, iemand die met hem samenwoont.'

'Heel goed, Petra, uitstekend! Of liever gezegd: een tien! Het heeft jullie moeite gekost maar uiteindelijk zijn jullie erachter gekomen, en eigenlijk alleen maar door een stomme fout.'

De secretaresse kwam binnen met een blad. Ze knipoogde naar me en ging weer weg. Ayguals schonk de koffie in alsof er niets aan de hand was.

'Wilt u er een beetje melk in? Kijk nou, ze hebben er zelfs croissantjes bij gedaan! Die meisjes denken ook overal aan! Ze werken al jarenlang voor me en er is nooit wat op hen aan te merken. Ze zijn goud waard, geloof dat maar.'

Ik dronk mijn koffie in één keer op en keek hem met een geforceerd lachje aan: 'Meneer Ayguals, ik denk dat we moeten gaan.'

'Waarnaartoe?'

'Naar het bureau.'

'O nee, inspecteur, ik moet eerst met u praten, u alles vertellen, namen en data geven…'

'Als u een bekentenis gaat afleggen moet ik u erop wijzen dat u recht heeft op uw advocaat en…'

'Nee, Petra, luister. Later zal ik een verklaring afleggen voor de rechter, voor de paus, zelfs voor God als dat nodig is. Hij zal zich over mij ontfermen. Maar eerst wil ik hier en nu met u praten.'

'Dat is goed, vertelt u maar.'

'Het begon allemaal door toedoen van mijn zoon, zoals u wel zult vermoeden. Die jongen is een ramp, zijn verwekking is iets wat God mij niet zal vergeven. Twee jaar geleden dacht ik dat het tijd werd dat hij de zaak overnam en ik me terugtrok om me bezig te houden met nieuwe ideeën, hem bij te staan als dat nodig was… maar hij vroeg me nooit om hulp, o nee, hij vond zichzelf heel slim, heel bekwaam. Maar zijn beleid was absoluut rampzalig. Hij verborg de rekeningen en zei het tegen niemand, opdat ik er niet achter zou komen. Denk niet dat hij iets illegaals deed, nee, hij heeft geen kunstgrepen nodig om een bedrijf te ruïneren, dat zit in zijn natuur. Toen ik erachter kwam was het al te laat. Er zat een enorm gat in de boekhouding, zoals een van die gaten in de ozonlaag. Een leven lang hard werken stond op het punt teloor te gaan. Verschrikkelijk, toch? Om die vreselijke situatie te begrijpen, moet u weten wat de zaak voor mij betekent. Die is belangrijker dan een zoon, dan een gezin, dan mijn eigen leven. U kunt het overdreven, zelfs stuitend vinden maar het is wel zo, wat kan ik daar aan doen?

Nou, ik had geen andere keus dan de touwtjes weer in handen te nemen en die bastaard, die hij jammer genoeg niet is, te ontslaan. Als ik openlijk bekend zou maken hoe we er financieel voor stonden, was dat het einde: bankkredieten die ingetrokken worden, klanten die geen klant blijven… het einde. Toen bedacht ik de stichting. Een goed beheerde stichting was een uitstekend middel om er weer bovenop te komen. Ik ben geen man voor zwendel, geloof het of niet, ik wilde de stichting alleen zolang dat nodig was een frauduleus stempel geven, daarna zou alles volkomen legaal gaan. Vandaar dat ik een stroman nodig had die gefingeerde liefdadigheidsacties op touw zette en die de leiding had. Dat is alles wat de wet vraagt en dat was het zwakke punt van het plan. Ik had secretaresses, een gebouw, advocaten die me bijstonden, maar hoe kon je een volkomen eerzaam iemand dat louche zaakje toevertrouwen? Toevallig kwam er een oplossing. Ik leerde Arcadio Flores kennen bij Anticart, een antiekwinkel. Hij was een merkwaardige figuur: een kletsmeier, een beetje een sjoemelaar, een vreemde mix van man van de wereld en burgermannetje. Hij was gek op antiek, maar kon zich alleen maar prulletjes veroorloven. We kwamen in gesprek, dronken koffie... en algauw bleek, dat verzweeg hij niet, dat hij een keer in de gevangenis had gezeten. Ik meende mijn man te hebben gevonden. Ik nodigde hem uit ergens te eten en legde hem mijn plan voor. Hij vond het geweldig, want hij had onregelmatig werk, dus een goed salaris en directeur zijn van een stichting, daar had hij wel oren naar.

Alles ging naar wens. Hij leek bekwaam, snugger en heel betrouwbaar. Het zou nooit bij me zijn opgekomen, dat verzeker ik u, nooit, dat hij van plan was daarnaast een organisatie op te zetten die gebaseerd was op bedrog. Hij had niet genoeg aan de voordelen die ik hem bood, die ellendige slinksheid van hem kreeg de overhand. Tot overmaat van ramp zocht hij zijn eigen vertrouwensman, een bedelaar die naar het scheen econoom was en de boekhouding en de organisatie deed. Kunt u zich zoiets voorstellen, inspecteur, hoe kan iemand die normaal lijkt zo slecht zijn? Maar dat bleek de ware aard van Arcadio Flores. Die naam had al een belletje bij me moeten laten rinkelen, maar dat gebeurde niet. Eigenlijk wist ik niets van zijn manoeuvres tot hij op een dag naar mijn kantoor kwam voor een speciaal onderhoud. Hij begon me dingen te vertellen die schijnbaar nergens op sloegen, tot het tot me doordrong en ik begreep dat hij me die nooit had verteld als er niet gebeurd was wat er gebeurde: de bedelaar, die niet spoorde, was om een bepaalde reden dwars gaan liggen en stond op het punt met de politie te gaan praten en de zaak uit de doeken te doen. Op dat moment drong tot me door waar die zaak uit bestond.

Ik werd woedend, maar Flores bleef doodkalm. Hij had extra geld nodig voor het aannemen van een paar vechtersbazen, gewetenloze illegale immigranten uit het Oostblok zonder verblijfsvergunning, en om een pistool te kopen. Hij wilde de bedelaar schrik aanjagen zodat die van zijn voornemen zou afzien. Natuurlijk weigerde ik, ik was des duivels, verzekerde hem dat ik hem zou aangeven. Toen keek hij me zelfgenoegzaam aan en zei waar het op stond: ik was betrokken bij de zaak en als ik het in mijn hoofd haalde hem aan te geven, zou hij zijn mond opendoen.'

Hij schonk nog een koffie voor me in. Ik was zo geabsorbeerd door zijn woorden, hing zo aan zijn lippen dat ik helemaal niets zei.

'Waarom neemt u geen croissantje, inspecteur? Mijn secretaresses zullen beledigd zijn als we niets nemen. En ik krijg in deze omstandigheden beslist geen hap door mijn keel.'

Meer omdat ik wilde dat hij verder zou vertellen dan omdat ik trek had, pakte ik er eentje en begon die te verorberen alsof ik uitgehongerd was. Ayguals moest erom lachen.

'Goed, waar waren we? O ja, het pistool en de vechtersbazen! Ik gaf hem het geld, inspecteur, wat moest ik anders? Ik hield me vast aan het absurde idee dat hij ze niet zou inzetten om te doden. Ik kocht zelf het pistool bij Anticart, een Astra uit de burgeroorlog. Natuurlijk verkopen ze wapens zonder vergunning, doe ze maar een proces aan. Er was geen munitie voor het kaliber 9 millimeter kort, maar de zware jongens uit het Oostblok wisten perfect hoe je dat kon oplossen door een 9 lang bij te werken. Voor ik het vergeet, inspecteur, schrijf ik hier de namen van die schurken op, gelukzoekers alle twee, en het adres waar u ze kunt vinden. Ze zitten in een van mijn appartementen in Alella te wachten tot de boel is gekalmeerd en ze kunnen vluchten.'

Hij pakte een blaadje, kriebelde er wat op en gaf het me.

'Ik wil even bellen,' zei ik terwijl ik het croissantje neerlegde. 'Het is beter dat ik deze gegevens doorgeef aan het bureau zodat ze er meteen naartoe gaan om die twee te arresteren. We kunnen niet het risico lopen dat ze verdwijnen.'

'Dat is een prima idee!'

Ik pakte mijn mobiel en gaf opdracht er onmiddellijk een patrouille naartoe te sturen. Adolfo Ayguals zat met een voldane glimlach rustig te wachten.

'Goed, laten we doorgaan. Nu komt het slechte gedeelte want klaarblijkelijk was de schrik die Flores zijn bedelaar wilde bezorgen dodelijk. Toen ik het in de kranten las, zonk de moed me in de schoenen. Een man, vermoord met het wapen dat ik had gekocht en door de huurmoordenaars die ik had betaald. Die idiote Flores leed aan hoogmoedswaanzin, hij wilde niet een gewone oplichter zijn maar een maffiabaas. Natuurlijk had hij de huurmoordenaars nodig omdat hij zelf niet in staat was te doden. Maar zijn vulgaire stijl kreeg de overhand: dat belachelijke gedoe met die verklede skinheads, de honkbalknuppel… afschuwelijk, hij bezat meer ambitie dan talent! Ik had me in hem vergist, iedereen kan een fout maken. Ik vond dat het een beangstigende omvang aannam, ik kon echter niets doen. Ik dacht dat het hierbij zou blijven maar Flores was niet te houden. Hij dacht dat jullie achter hem aan zaten en dat een andere bedelaar, Anselmo, op het punt stond jullie dingen te vertellen die hij wellicht van Tomás de Wijze had. Hij kwam weer om geld vragen zodat de vechtersbazen hem zouden laten "schrikken". Deze keer kon ik mezelf niet wijsmaken dat ik niet wist wat dat "schrikken" inhield. Ik moest een beslissing nemen en open kaart spelen, jullie hulp inroepen en de waarheid opbiechten. Er stonden al twee moorden op die verrekte lijst, hoe kon ik dan zoiets vreselijks toegeven terwijl ik niet zelf de trekker had overgehaald? Maar ik mocht Flores niet langer zijn gang laten gaan met het doden van mensen, hem rond laten lopen met die twee boeven en mij financieel laten bloeden als het even kon. Als hij zo doorging, zouden we binnen een paar dagen gesnapt worden. Dus nam ik een beslissing. Ik maakte 's morgens vroeg een afspraak met Flores in dit kantoor en vroeg hem zijn twee "lijfwachten" mee te nemen. Hij vermoedde niets en ging daar zitten waar u nu zit. Ik vroeg hem me het pistool te laten zien. Hij gaf het in goed vertrouwen. Toen schoot ik zonder iets te zeggen. Als ik u vertel dat ik het niet van plan was, gelooft u me niet. De huurmoordenaars, die buiten stonden te wachten, stormden naar binnen en ik gebood ze de dode hier weg te halen en hem op een onbebouwd terrein te dumpen. Vanaf dat moment gaf ík de bevelen. Daar hadden ze geen enkele moeite mee, het maakte hun niets uit, degene die betaalde was hun baas. Ik gaf ze geld en de sleutels van mijn appartement. Als de rust was weergekeerd, zou ik ze eruit halen en geld geven zodat ze het land uit konden.

Helaas werden ze gesnapt terwijl ze met de dode over straat sleepten, vreselijk! Zelfs als je denkt dat het in Barcelona doodstil is, zijn er altijd getuigen die roet in het eten gooien. Hoe dan ook, als ik met Arcadio ergens anders had afgesproken was hij achterdochtig geworden. Vanaf dat moment was het een kwestie van geluk, en erop vertrouwen dat de Spaanse politie net zo traag was als alle andere politiekorpsen in de wereld. Maar dat is niet zo, het duurde even, maar jullie deden het goed. Toen kwam ik op het idee om mijn zoon erin te betrekken, hij leek het belangrijkste doelwit van uw onderzoek. Verbijstert dit detail u meer dan de andere die ik zojuist heb verteld, inspecteur?'

'Niets verbijstert mij, meneer Ayguals. Ik doe slechts mijn werk.'

'Gelukkig maar. Het is niet goed om te oordelen zonder op de hoogte te zijn van iemands motieven. Weet u wat mijn motief was? De zaak, inspecteur, de zaak! Die vertrouw ik absoluut niet toe aan mijn zoon. Dat zou een geleidelijke terugval betekenen, faillissement, diskrediet, iets wat ik niet kan toestaan. Ik ben niet mislukt. Ik schenk hem liever aan de armen en dat moet iedereen weten. Dat ben ik inderdaad van plan. Ik heb mijn testament gewijzigd. Mijn zoon kan ik niet onterven, wettelijk heeft hij recht op een derde van mijn kapitaal. En dat krijgt hij als ik doodga. Ik heb bepaald dat de zaak te koop wordt aangeboden en dat de opbrengsten naar de liefdadigheid gaan. Nou, op die manier doe ik nog aan armenzorg! Ik hoop dat God mij dan de begane zonden vergeeft.'

'Om de schuld op uw zoon te schuiven hebt u wat haren uit de badkamer gepakt en in dit kantoor neergelegd. Is het niet? U wist dat hij pertinent zou ontkennen ooit in dit kantoor te zijn geweest, want dat was waar.'

'Dat klopt, inspecteur. Die vervloekte zeep bracht u op mijn spoor. En eerlijk gezegd ben ik daar bijna blij om. Ik ben moe, ontreddderd door de draagwijdte van de feiten. Ik zag op tegen de aanhouding van mijn zoon, de verhoren… en toch maar doorgaan, en doorgaan, tot hoever, inspecteur, tot hoever? Het heeft allemaal geen zin meer. Ik heb er spijt van en ben geschokt door mijn slechte inborst.'

Hij sloeg zijn ogen neer en liet zijn hoofd hangen. Het enthousiasme dat in zijn verhaal de boventoon had gevoerd, was verdwenen. Opeens zat er tegenover me een terneergeslagen oude man, eenzaam, teleurgesteld door het leven, die geen uitweg meer zag. Hij hernam zich en keek me wazig aan.

'Er ontbreekt nog een bewijsstuk aan mijn bekentenis: het moordwapen. Zo noemen jullie dat toch?'

Hij opende een la, haalde het pistool eruit en liet het me zien. Instinctief greep ik naar het mijne.

'Leg het maar op het bureau, meneer Ayguals, voorzichtig.'

'U hoeft niet bang te zijn, inspecteur, ik schiet u niet neer. Er is al genoeg gebeurd, meer dan genoeg. Nu is het afgelopen. Het is mooi hè, een wapen uit de burgeroorlog, toen er gedood werd voor idealen en niet voor geld. Maar daar is ook allemaal een eind aan gekomen, dat is verleden tijd.'

Hij bracht de loop naar zijn mond en zonder dat ik ook maar iets kon doen om hem tegen te houden, schoot hij. Het zag eruit als een prachtig vuurwerk dat losbarstte in de lucht: rood, glinsterend, hevig. Zijn bloed en zijn hersens spatten op de muren, op de meubels en in mijn gezicht. Onthutst keek ik naar het spektakel, zonder te denken of iets te doen. Ik voelde zijn warme bloed langs mijn wangen. Een ondefinieerbare geur verspreidde zich. De twee secretaresses kwamen binnen. Een van hen begon te brullen als een gewond dier. Ze hield niet op, de ene jammerklacht volgde op de andere, haar geschreeuw leek op de sirene van een alarm, een merkwaardig ritueel, eerder dierlijk dan menselijk. De oudste liep naar het lichaam van Ayguals en nam de bloederige resten van wat zijn hoofd was geweest tussen haar handen. Ze begon te fluisteren: 'Don

Adolfo, mijn god, Don Adolfo, wat hebt u gedaan, en waarom?'

Op dat moment kwam Garzón binnen met twee agenten. Hij liep meteen naar mij toe. Zijn robuuste lichaam belette me het zicht op het lijk. Hij pakte me bij mijn armen: 'Kom, inspecteur, we gaan hier weg.'

'Zorg voor die vrouwen.'

'Ze zijn alleen over hun toeren, dat doen anderen wel.'

Hij nam me mee naar de wastafel, deed de kraan open, liet me vooroverbuigen en maakte mijn gezicht nat. Door het koude water kwam ik weer op adem.

'Gaat het, inspecteur, voel je je beter?'

Opeens brak er iets in mij en ik begon te huilen. Garzón sloeg zijn armen om me heen. Zijn lichaam, dat log en plomp was, bood toch warme troost en enorme veiligheid.

'Laat je tranen maar lopen, Petra.'

'Ja, wat een idee!' liet ik me boos ontvallen.

'Hoezo, wat een idee?'

'Huilen.'

'Nou, huil maar en sputter maar tegen. Daar ben je goed in.'

Ik was Fermín Garzón innig dankbaar.

EPILOOG

Coronas feliciteerde ons natuurlijk niet. Het oplossen van de zaak had te lang geduurd, ik had de rapporten niet op tijd opgesteld en hem niet op mijn knieën om vergiffenis gevraagd voor deze nalatigheid. Tot overmaat van ramp had de moordenaar zich voor mijn ogen van kant gemaakt, wat bij de politie als een enorme blunder wordt gezien. We hadden hem aan justitie moeten uitleveren, en als het even kon ongeschonden. Garzón vond dat allemaal niet zo belangrijk: 'Opgelost is opgelost en als die hufter van een moordenaar dan ook nog berouw toont, des te beter.'

'Hier waren de bewijzen toch overduidelijk, vind je niet?'

'Ieder handelt naar eer en geweten en dan sta je machteloos.'

'Ik vrees dat de commissaris niet zo fatalistisch is.'

'Wat verwachtte je dan, een onderscheiding?'

'Nee, maar ik voel me wel schuldig.'

'Zet dat nou van je af. Zaken worden zo goed mogelijk opgelost, en we spelen ook niet in een film. Bovendien heb je toch genoegdoening gekregen voor je bedelaars?'

'Een pyrrusoverwinning. Zelfs de schutter is niet meer in leven.'

'In goede tragedies gebeurt dat.'

'Bij William Shakespeare leggen nog niet zo veel mensen het loodje.'

'Ja hoor eens, inspecteur, wat wil je dan, dat we ons op de borst kloppen? Ik heb Coronas beloofd hem de schuldige op een presenteerblaadje te overhandigen, en dat is ons gelukt en hij is nog netjes gefileerd ook!'

'Dat is smakeloos, Fermín.'

'Oké, ik neem het terug. Zullen we gaan lunchen?'

'Lunchen?'

'Of we gaan vanavond eten. Dat doen we toch altijd als een zaak is opgelost?'

'Ik moet even niet aan eten denken.'

'Dan neem je toch iets vegetarisch. Wat is het vandaag?'

'Vrijdag, hoezo?'

'Heb je zin om naar het restaurant van Genoveva te gaan? Ze hebben deze maand geloof ik groenteschotel op vrijdag.'

'Ben je daar weer geweest?'

'Ik ga er wel eens een keer eten. Genoveva heeft de traditionele keuken perfect in de vingers. Bovendien zorgt ze heel goed voor me.'

'Daarom ben je aangekomen, ik dacht dat het door de stress van het onderzoek kwam.'

'Ben ik aangekomen?'

'Grapje, Garzón.'

'Voor de verandering.'

Het restaurant van Genoveva zat stampvol. Arbeiders in overall zaten aan de tafels waar Genoveva, gracieus als een eend in een kristalhelder meer, tussendoor laveerde. We brachten haar op de hoogte van de afloop van de zaak zonder de zelfmoord van Adolfo Ayguals te vermelden, want dat leek ons niet zo geschikt onder etenstijd.

'Niet te geloven, hè! Welopgevoede mensen met geld die in staat zijn tot verraad, tot moord, vaders en zonen die elkaar naar het leven staan. Wat heb ik het hier eigenlijk goed met mijn familie en mijn zaak! Ik maak me niet druk, ik weet dat ik het niet slecht doe, anderhalve dag vrij in de week. Ik ben gelukkig, echt waar!'

'Is er niet iets wat je graag had gewild en niet hebt kunnen doen, Genoveva?' vroeg ik.

Ze keek peinzend naar het plafond, terwijl ze haar al droge handen afveegde aan haar schort.

'Tja… toen ik jong was zei mijn moeder altijd tegen me: "Ik zou willen dat je Rode-Kruisdame werd en dan achter een tafel zat met andere dames van de vereniging om geld in te zamelen. Keurig in de kleren, elegant, behangen met sieraden en daarbij liefdewerk verrichten voor de armlastigen." Mijn moeder, die arme ziel, heeft niet half zoveel geluk gehad in het leven als ik.'

'Maar dat was de droom van je moeder, niet die van jou. Heb jij nooit ergens van gedroomd?'

'Ach wat, dromen… dromen zijn voor pechvogels, en daar hoor ik niet bij!'

Ze knikte zwierig en lachte: 'Ik heb als toetje custardvla, mevrouw en meneer, uiteraard zelfgemaakt. Die is echt lekker.'

Ze liep weg tussen haar hongerige klanten als een generaal die zijn manschappen inspecteert.

'Hoorde je wat ze zei?' merkte Garzón op.

'Het klopt wel, denk ik. Alle pechvogels hebben dromen en geluksvogels hebben ambities.'

'Die dromen niet van schepen vol rijst.'

'Nee, nooit.'

'En jij, inspecteur, heb je niet ergens stiekem jouw schip vol rijst?'

'Ik weet het niet, ik had graag biologe willen worden en in het oerwoud onderzoek doen naar een of andere diersoort.'

'Jezus, wat saai!'

Ik moest lachen.

'Maar jij, Fermín, hoe staat het met jouw schip vol rijst?'

'Pfff! Ik ben niet zo van schepen vol rijst en van ambities ook niet. Als jongetje droomde ik ervan dat er niemand meer in de stad woonde en ik alle bakkerijen in ging. Maar dat was in mijn slaap en eenmaal wakker wist ik dat ik af en toe op zondag een crèmegebakje kreeg en met Kerst wat noga. Daar legde ik me dan bij neer, wat kon ik anders!'

'Een droom najagen loont niet, het bezit van de zaak is het einde van het vermaak. Het zou je eigenlijk zomaar moeten overkomen.'

'Dat is zo.'

Mijn mobiel ging en ik nam op.

'Ja, kom me maar halen. Waar zitten we ergens, Garzón?'

De brigadier kon het me zo vertellen en ik hing op. Hij keek me nieuwsgierig aan. We kletsten nog wat en bestelden koffie. Even later kwam Sergio binnen. Hij liep naar ons toe, zoende me op mijn mond en begroette Garzón.

'De motor heb ik zomaar ergens neergezet, blijf je nog lang?'

'Ik kom eraan.'

'Ik wacht op de hoek.'

Toen ik Garzón even later aankeek zat hij met open mond, als een allegorie van de verbazing.

'Dat is toch de vriend van Yolanda?' zei hij in de richting wijzend waarin Sergio was verdwenen.

'Niet meer.'

'Heb je Yolanda haar vriend afgepikt?'

'Zo eenvoudig ligt het niet, je hoort het nog wel een keer.'

'Maar die knul past helemaal niet bij jou, Petra!'

'Het is maar voor tijdelijk. We hebben afgesproken elkaar tien keer te zien, vaker niet, en daarna gaat ieder zijns weegs. Heb jij zoiets wel eens uitgeprobeerd? Het is helemaal te gek! Je voelt je als in zo'n oude film waarin de geliefden weten dat ze door de oorlog of zoiets gescheiden gaan worden. Het is echt opwindend.'

'Oude films? Ik snap er geen jota van.'

'Soms moet je de realiteit verzinnen, brigadier, er iets vrolijks en draaglijks van maken.'

'Ik snap het nog steeds niet.'

'De bloemetjes buiten zetten, zegt je dat wat?'

'Ja, dat wel.'

'Dan laten we het daarbij. Goed, ik ga, dat driftige burgermannetje zal wel ongeduldig worden.'

Ik gaf mijn collega een paar stevige klappen op zijn schouder en liet hem, nog steeds met zijn mond open, alleen. Ik trof Sergio op de afgesproken plaats, zette de helm op die hij me aanreikte, ging schrijlings achter op de motor zitten en sloeg mijn armen om zijn gespierde middel. Toen we langs de zaak van Genoveva reden stond de gedrongen Garzón stokstijf en verbijsterd in de deuropening. Ik zwaaide, Sergio claxonneerde en scheurde met een hels lawaai weg. De brigadier schoot in een daverende lach en sloeg zich gierend op zijn bovenbeen. Toen pas leek hij te reageren, rende een paar passen achter ons aan en riep lachend: 'Tot ziens, Petra, tot ziens!'

Ik kon me voorstellen wat er in zijn hoofd omging.

MET DANK AAN

Esther Bartlett y Comic, sociaal pedagoge van de Asociación para la Acción Crítica, die me belangrijke informatie heeft verschaft over sociale verschijnselen die zich om ons heen voordoen maar waarvan wij geen weet hebben.

José M. Rodríguez-Ponga, advocaat, die met zulke alarmerende gegevens over de wereld van de wetgeving aankwam dat het hem zelf verontrustte.

Agustín Febrer Bosch, vuurwapenexpert, die me zoals altijd overdonderde met zijn kennis en wijsheid.

Hen allen, voor hun bereidwilligheid en hun hulp van onschatbare waarde.